MANUAL PRÁCTICO DEL PROCESO CIVIL

ESQUEMAS PROCESALES DE TRAMITACIÓN PARA UN JUZGADO DE 1ª INSTANCIA SIN ESPECIALIDADES

ILUSTRE COLEGIO NACIONAL DE SECRETARIOS JUDICIALES

MANUAL PRÁCTICO DEL PROCESO CIVIL

ESQUEMAS PROCESALES DE TRAMITACIÓN PARA UN JUZGADO DE 1ª INSTANCIA SIN ESPECIALIDADES

FERMÍN JAVIER VILLARRUBIA MARTOS

(Secretario Judicial)

THOMSON REUTERS
ARANZADI

Primera edición, 2012

© 2012 [Thomson Reuters (Legal) Limited / Fermín Javier Villarrubia Martos - 2012]

Editorial Aranzadi, SA
Camino de Galar, 15
31190 Cizur Menor (Navarra)

Imprime: Rodona Industria Gráfica, SL
          Polígono Agustinos, Calle A, Nave D-11
          31013 - Pamplona

Depósito Legal: NA 479/2012

ISBN 978-84-9903-061-6

Printed in Spain. Impreso en España

Índice general

Abreviaturas

Art./Arts.	= Artículo/artículos
BOE	= Boletín Oficial del Estado
CC	= Código Civil
CE	= Constitución Española
CGPJ	= Consejo General del Poder Judicial
DO	= Diligencia de ordenación
ECCS	= Estatuto del Consorcio de Compensación de Seguros
LAJEIP	= Ley de Asistencia Jurídica del Estado e Instituciones Públicas
LAJG	= Ley de Asistencia Jurídica Gratuita
LC	= Ley Concursal
LEC	= Ley de Enjuiciamiento Civil
LEC 1881	= Ley de Enjuiciamiento Civil de 3 de febrero de 1881
LH	= Ley Hipotecaria
LN	= Ley del Notariado
LOPJ	= Ley Orgnica del Poder Judicial
LOTC	= Ley Orgánica del Tribunal Constitucional
LPH	= Ley de Propiedad Horizontal
LSC	= Ley de Sociedades de Capital
ME	= Medidas ejecutivas
OGE	= Orden general de ejecución
RH	= Reglamento Hipotecario
RAAAJ	= Reglamento 1/2005, del CGPJ, de Aspectos Accesorios de las Actuaciones judiciales
RN	= Reglamento del Notariado
ROCSJ	= Reglamento Orgánico del Cuerpo de Secretarios Judiciales
SJ	= Secretario judicial
SMI	= Salario mínimo interprofesional
SS./ss.	= Siguientes

Prólogo

Allá por el 2001, no sin apuntes previos, se alumbró la idea de regenerar la anquilosada Administración de Justicia en la que a diario trabajamos, reformulándose el sistema judicial; y fue en la propia Ley Orgánica del Poder Judicial, con la reforma del 2003, donde se produjo esa regeneración que se ha corporeizado en el sentido más literal de su término.

Es una vuelta a nacer, trasunto de lo pasado y esperanza de un nuevo tiempo que hará, de nuestra Justicia, una nueva Justicia, más eficaz y eficiente, más ágil y cercana, y más al servicio del ciudadano. Una nueva forma de hacer y de ver las cosas que sabíamos exige unas nuevas herramientas y útiles, y unos nuevos vehículos para el avance de un proceso, que recrease esa realidad, y que de manera inevitable pasó por la reforma del 2009 de las leyes de rito, para servir a un nuevo modelo, el del 2003, que espera se le permita dar fruto.

Y en todo este andar, se torna necesaria la actividad del elemento más protagonista, el capital humano, verdadera riqueza de todo el proceso. Y es que sobre la firme consistencia de su esencia y desplegando una actividad de mérito y capacidad, el éxito del proceso estará garantizado, si se confía en el elemento personal de la organización, asequible y permeable a la modernidad. Y es, en este orden de cosas, en donde se destacan los miembros del Cuerpo Superior Jurídico de Secretarios Judiciales.

Estos años, quienes hemos dado voluntad al Colegio Nacional de Secretarios Judiciales, hemos estado, y somos plenamente conscientes, de que las páginas de esta transformación histórica no podrían escribirse sin la confianza mutua y profundamente sentida de los que con tremenda generosidad y con brillantez, han contribuido a dar pasos en la dirección que en su día elegimos y asumimos; un proyecto de futuro que día a día construíamos, y que paso a paso, pero siempre juntos y comprometidos los unos con los otros, moldeábamos; aportando, como hombres y mujeres libres, lo mejor de nosotros mismos en el esfuerzo personal de quienes creemos en ello, y obteniendo como regalo el apoyo colectivo de ese grupo profesional al que con orgullo pertenecemos.

Nada nos podía separar de este convencimiento. Pasos detrás de otros pasos, y que fundidos, conforman el fortalecimiento de una empresa que merece nuestro esfuerzo, con esa meta de servicio, que espera alcanzarse contando con el apoyo y reconocimiento público de quienes son destinatarios de las acciones, de la ciudadanía y el profesional, y por descontado de quienes gobiernan y contribuyen con ello a prestar el servicio público.

Parte de esta empresa era y es la divulgación de uno de los componentes básicos de la modernización de nuestra Justicia, esto es, del nuevo proceso que se hizo instrumento esencial de la mejora del sistema, mediante la mejora de su esquema jurídico-procesal. Así, hará más de un año se cubrió el primer paso hacia la meta, la etapa inicial, mediante la publicación de una obra de conocimiento general sobre la reforma procesal de finales de 2009 que se constituyó en una obra de éxito por la valía de sus autores, tanto personal como profesional, y que ahora y desde aquí, quiero rendir homenaje. Y que empaparon el proyecto con la ilusión que se podía leer entre las líneas de doctrina que expresaban las palabras escritas.

Y ahora la segunda etapa, en esta ocasión, con esta nueva obra, que se añade a nuestra visión, con la calidad jurídica y humana de su autor, y fruto diario de integridad. Obra que concreta el proyecto, aún más y ahora, en el proceso civil, con este volumen que tenemos en nuestras manos. Una nueva etapa en este recorrido que cada vez que lo avanzamos, vemos tan estimulante, tanto, como difícil es de aventurar su conclusión; y vemos alcanzable con el sostén mutuo de quienes lo andamos.

Este volumen, se trata de una obra práctica en esencia, viva y descriptiva, que aplica estrategias de gestión de calidad al conocimiento jurídico, y que nos regala con sencilla brillantez el conocimiento de un proceso vivo, y que ilumina, artesanal, el esqueleto lógico de ese instrumento científico y jurídico puesto al servicio de un proceso moderno y avanzado en una Justicia de nuestro siglo; y proceso que el esfuerzo de muchos, y con extraordinario relieve, por los secretarios judiciales, está levantando y transformando el servicio público.

Preludio con estas líneas finales, una obra de la que respondo, en la misma medida en la que respondo de su autor, que sobrado de conocimiento y capacidad de innovación creativa, me ha acompañado en este viaje prácticamente desde su inicio; y que en lo personal ha sido sostén y aliento cómplice, confiado y comprometido, en las circunstancias que hemos ido descubriendo por el camino, con la creencia en el esfuerzo unido como única receta para transformar las cosas, y que atrae imantada camaradería y admiración personal.

Don Rafael Lara Hernández
Presidente del Ilustre Colegio Nacional de Secretarios Judiciales

PARTE I
PARTE GENERAL

Actuaciones judiciales

SUMARIO:

VII. TIEMPO DE LAS ACTUACIONES JUDICIALES		
Días y horas hábiles	Arts. 130, 131 y 184.1 LEC	40
Cuadro resumen de días y horas hábiles		41
Términos y plazos	Arts. 132 a 136 y 215.5 LEC	42
Presentación de escritos	Arts. 132 a 136 y 215.5 LEC	43
Impulso de oficio	Art. 179.1 LEC	44
VIII. PUBLICIDAD E INFORMACIÓN		
Publicidad de las actuaciones	Arts. 235 y 266 LOPJ, y 4 RAAAJ 1/2005 CGPJ	45
Información al público y profesionales	Arts. 186 y ss. y 234 LOPJ, 5 RAAAJ 1/2005 CGPJ e Instrucción 1/1999 CGPJ	46

I
RESOLUCIONES

CONCEPTO		
Arts. 206 a 207 y 212 a 213 Bis LEC y 235 y 266 LOPJ		
CONCEPTO	• Las resoluciones son actos jurídicos procesales, dictados por un tribunal, que contienen una <u>DECLARACIÓN DE VOLUNTAD IMPERATIVA</u>, en virtud de la cual <u>se da curso al procedimiento</u>, bien impulsando su tramitación, bien resolviendo sus incidencias, bien decidiendo el objeto del proceso	
CLASES POR SU NATURALEZA	Se distinguen dos clases de resoluciones: • Las <u>resoluciones INTERLOCUTORIAS</u>, o de ordenación procesal, que dan al proceso el curso ordenado por la ley, distinguiéndose, dentro de ellas, las resoluciones de <u>impulso formal</u>, que son aquellas en las que la aplicación de la norma es automática y no permite alternativa procesal; y las de <u>impulso material</u>, que son aquellas en las que se adopta una decisión entre varias alternativas • Las <u>resoluciones de FONDO</u>, que son las que resuelven sobre la pretensión objeto del proceso en una instancia, o en un recurso	

CLASES POR SU AUTOR	Se distinguen dos clases de <u>RESOLUCIONES PROCESA-LES</u>: • Las <u>resoluciones JUDICIALES</u>, que son las que dicta el Juez o tribunal, que son las providencias, autos y sentencias • Las <u>resoluciones del SECRETARIOS JUDICIAL</u>, que son las diligencias de ordenación y los decretos
INDICACIÓN DE RECURSOS	Todas las resoluciones procesales deben contener dos indicaciones: • La <u>indicación de los RECURSOS</u> que caben contra ellas • La indicación de la necesidad de consignación del <u>DEPÓSITO para recurrir</u>, en aquellos casos en que así sea necesario

RESOLUCIONES DEFINITIVAS	• Son las que <u>PONEN TÉRMINO</u> al proceso en una fase o instancia, sea en fase de trámite, sea en fase de ejecución
	• <u>No puede dictarse más de una</u> resolución definitiva por cada fase del proceso
	• <u>Van NUMERADAS</u>, según se trate de sentencias, autos o decretos, correlativamente, comenzando su numeración desde el día 1 de enero de cada año natural
	• En todos los tribunales se llevan <u>TRES LIBROS</u> de resoluciones definitivas, ordenados correlativamente:
	  • El libro de sentencias
	  • El libro de autos definitivos
	  • El libro de decretos definitivos
	• Se unen <u>a los autos por TESTIMONIO</u>, y el <u>ORIGINAL</u> de la resolución definitiva se lleva a su respectivo LIBRO

RESOLUCIONES FIRMES	• Son aquellas contra las que <u>NO CABE RECURSO al-guno</u>, bien porque no esté previsto por la ley, bien porque no se haya interpuesto dentro del plazo legalmente establecido para ello • La firmeza de las resoluciones se adquiere por el transcurso del plazo para recurrir, sin necesidad de declaración expresa • Sólo de las <u>resoluciones definitivas</u> se declara <u>expresamente</u> su firmeza, por medio de diligencia de ordenación, pero, sólo, con el fin de que la parte pueda tener conocimiento de ello, e instar lo que a su derecho convenga y en su caso, su ejecución

II **RESOLUCIONES JUDICIALES**

SENTENCIAS	
Arts. 206.1 y 208, 209, 212 y 213, 218 y ss., 434, 447, 455.1 y 497.2 LEC	
CONCEPTO	Son las resoluciones de los Jueces que tienen por objeto la <u>DECISIÓN PRINCIPAL</u> del proceso, poniendo fin al mismo tras su <u>tramitación ordinaria</u>, en primera o en segunda instancia Son la <u>forma normal</u> de terminación del proceso en fase de TRÁMITE
FORMA	• Se dividen en las siguientes <u>PARTES</u>: encabezamiento, antecedentes de hecho, fundamentos de derecho, y parte dispositiva o fallo • El Secretario Judicial sólo firma su publicación • Van <u>NUMERADAS</u> y se unen al procedimiento por TESTIMONIO, llevándose el ORIGINAL al Libro de Sentencias del tribunal • Deben contener la <u>indicación</u> de los recursos que caben contra ellas, así como la indicación de la necesidad de consignación del depósito necesario para recurrir
NOTIFICACIÓN	• A todas las partes personadas, a través del <u>PROCURADOR</u> • A la parte <u>REBELDE</u> o sin Procurador, de oficio y <u>personalmente</u>, en su domicilio • De resultar negativa la notificación personal, por medio de <u>EDICTO</u>, en extracto, que se publicará en el Boletín Oficial del Estado, o de la Comunidad Autónoma
RECURSOS	Contra la sentencia dictada en primera instancia cabe interponer <u>recurso de APELACIÓN</u> para ante la Audiencia Provincial, en el plazo de veinte días, con excepción de las sentencias dictadas en juicios verbales cuya cuantía no supere los 3.000 euros, contra las cuales no cabe recurso alguno
PUBLICIDAD	Las sentencias, una vez extendidas y firmadas, son <u>PÚBLICAS</u>, permitiéndose a cualquier interesado el acceso al texto de las mismas

AUTOS	
Arts. 206.1 y ss., 451.2, 454, 455.1, 150 y 497.2 LEC	
CONCEPTO	Son las resoluciones de los Jueces que tienen por objeto la decisión de las <u>CUESTIONES PROCESALES</u> más importantes o trascendentes, atribuidas a los mismos por las leyes procesales, pongan término al proceso o no
FORMA	• Se dividen en las siguientes <u>PARTES</u>: encabezamiento, antecedentes de hecho, fundamentos de derecho y parte dispositiva o fallo • El Secretario Judicial autoriza, con su firma, todos los autos • Van <u>NUMERADOS sólo si son definitivos</u>, si ponen término al proceso en fase de trámite o de ejecución, y sólo en estos casos, se unen al procedimiento por testimonio, y el original se une al Libro de Autos Definitivos del tribunal • Deben contener la <u>indicación</u> de los recursos que caben contra ellos, así como la indicación de la necesidad de consignación del depósito necesario para recurrir
NOTIFICACIÓN	• A todas las partes personadas a través de <u>PROCURADOR</u> • A la parte <u>rebelde</u> sólo se le notifican los autos definitivos
RECURSOS	1) Recurso de <u>REPOSICIÓN</u>, en el plazo de cinco días, ante el mismo Juez que lo ha dictado, contra los autos no definitivos 2) Recurso de <u>APELACIÓN</u>, en el plazo de veinte días, ante la Audiencia Provincial, contra los autos definitivos o numerados, y contra los autos en que expresamente así se establece
SUPUESTOS	Se resuelven por auto del Juez, <u>entre otras</u>, las siguientes cuestiones: 1) En <u>fase de TRÁMITE</u>: • La inadmisión de la demanda • La admisión del juicio cambiario • La homologación judicial de acuerdos • El desistimiento con oposición • El allanamiento parcial • Los recursos contra providencias • Los recursos contra las resoluciones del Secretario Judicial

	• La acumulación de procesos • Las cuestiones de competencia o jurisdicción • La intervención de terceros o la sucesión procesal con oposición • Las medidas cautelares • La nulidad de actuaciones • Las cuestiones incidentales cuya resolución corresponde al Juez • La impugnación de liquidaciones de intereses o daños y perjuicios • La justicia gratuita 2) En fase de EJECUCIÓN: • La orden general de ejecución, o en su caso, la denegación del despacho de ejecución • El despacho de ejecución hipotecaria • La oposición a la ejecución • Las cuestiones incidentales cuya resolución corresponde al Juez

PROVIDENCIAS	
Arts. 206.1, 208.1, 150 y 451.2 LEC	
CONCEPTO	Son las resoluciones de los Jueces, NO MOTIVADAS, o sólo sucintamente motivadas, que tienen por objeto decidir las CUESTIONES PROCESALES cuya resolución se atribuyen a los mismos por las leyes procesales, siempre que dicha decisión no requiera expresamente la forma de auto
FORMA	• Se limitan a la expresión de lo acordado, si bien pueden incluir una SUCINTA MOTIVACIÓN • El Secretario Judicial autoriza, con su firma, todas las providencias • Deben contener la indicación de los recursos que caben contra ellas, así como la indicación de la necesidad de consignación del depósito necesario para recurrir
NOTIFICACIÓN	A todas las partes personadas, a través del PROCURADOR
RECURSOS	Contra las providencias cabe interponer recurso de REPOSICIÓN, ante el mismo Juez que la ha dictado, en el plazo de cinco días

III
RESOLUCIONES DEL SECRETARIO JUDICIAL

DECRETOS	
Arts. 206.2 y ss., 150, 213 Bis, 451.1, 454 Bis y 497.2 LEC	
CONCEPTO	Son las resoluciones del Secretario Judicial que tienen por objeto la decisión de las <u>CUESTIONES PROCESALES</u> atribuidas al Secretario Judicial por las <u>leyes procesales</u>, pongan término al proceso o no
FORMA	• Se dividen en las mismas <u>PARTES</u> que los autos (encabezamiento, antecedentes de hecho, fundamentos de derecho y parte dispositiva) • Se firman sólo por el Secretario Judicial • Van <u>NUMERADOS</u> sólo si son definitivos, si ponen término al proceso en fase de trámite o de ejecución, y sólo en estos casos, se unen al procedimiento por testimonio, y el original se une al <u>Libro de Decretos Definitivos</u> del tribunal • Deben contener la <u>indicación</u> de los recursos que caben contra ellos, y en caso de que quepa recurso de revisión contra ellos, la indicación de la necesidad de consignación del depósito necesario para recurrir
NOTIFICACIÓN	• A todas las partes personadas a través de <u>PROCURADOR</u> • A la parte <u>rebelde</u> sólo se le notifican los decretos definitivos
RECURSOS	Contra los decretos cabe interponer, en el plazo de cinco días: 1) Recurso de <u>REPOSICIÓN</u>, en el plazo de cinco días, ante el Secretario Judicial que lo ha dictado, contra los decretos no definitivos Contra el decreto resolutivo de la reposición no se dará recurso alguno, sin perjuicio de reproducir la cuestión, en la primera audiencia ante el tribunal, o si no fuere posible, por medio de escrito antes de que se dicte la resolución definitiva 2) Recurso <u>REVISIÓN</u>, en el plazo de cinco días, ante el Juez, contra los decretos definitivos y contra los demás en aquellos casos en que así se prevea expresamente

SUPUESTOS	Se resuelven por decreto del Secretario Judicial, entre otras, las siguientes cuestiones: 1) En <u>fase de TRÁMITE</u>: • La admisión de la demanda • El desistimiento sin oposición • La satisfacción extraprocesal sin oposición • La enervación del desahucio sin oposición • La sucesión procesal • La suspensión del proceso, a instancia de parte, y en la mayoría de los demás supuestos de suspensión • La caducidad de la instancia • La terminación del juicio monitorio • La aprobación de la tasación de costas, y de la liquidación de intereses, o daños y perjuicios sin oposición • La impugnación de la tasación de costas • Los actos de conciliación 2) En <u>fase de EJECUCIÓN</u>: • Las medidas ejecutivas • El embargo de bienes, su mejora, reducción o modificación • La averiguación de bienes, y el requerimiento de designación de bienes al ejecutado • La administración judicial o para pago • La aprobación del convenio de realización • La aprobación del remate y la adjudicación de bienes en subasta • El archivo definitivo de la ejecución

DILIGENCIAS DE ORDENACIÓN	
Arts. 206.2, 208.1, 223, 224, 150 y 451.1 y 453 LEC	
CONCEPTO	Son resoluciones del Secretario judicial, no motivadas, o sólo sucintamente motivadas, que tienen como objeto <u>principal</u>, no adoptar una decisión, sino <u>dar a los autos el CURSO ordenado</u> por la ley Son las resoluciones de <u>IMPULSO FORMAL</u> del proceso, cuando se trata de la aplicación <u>automática</u> de una norma procesal, en ellas se acuerda algo, pero sin alternativa posible o sin elección entre varias posibilidades No obstante, en ocasiones y <u>por excepción</u>, las leyes procesales prevén que, al no requerirse expresamente la forma de decreto, se resuelva por diligencia de ordena-

	ción del Secretario judicial alguna <u>cuestión procesal</u> menor dentro del ámbito de sus competencias
FORMA	• Se limitan a la <u>expresión de lo acordado</u>, si bien, como las providencias, pueden incluir una <u>SUCINTA MOTIVACIÓN</u> • Se firman sólo por el Secretario Judicial • Deben contener la <u>indicación</u> de los recursos que caben contra ellas
NOTIFICACIÓN	A todas las partes personadas, a través del <u>PROCURADOR</u>
RECURSOS	Contra las diligencias de ordenación cabe interponer <u>recurso de REPOSICIÓN</u>, en el plazo de cinco días, ante el Secretario Judicial que las ha dictado Contra el decreto resolutivo de la reposición no se dará recurso alguno, sin perjuicio de reproducir la cuestión, en la primera audiencia ante el tribunal, o si no fuere posible, por medio de escrito antes de que se dicte la resolución definitiva

---

IV
TABLA RESUMEN DE RESOLUCIONES PROCESALES

TABLA RESUMEN DE RESOLUCIONES PROCESALES			
TRÁMITE	**ART.**	**RESOLUCIÓN PROCESAL**	**RECURSO**
ADMISIÓN DE DEMANDAS			
Admisión de demanda	404	Decreto	Reposición ante SJ
Inadmisión demanda	404	DO cuenta	
		Auto n°	Apelación
Devolución decano por error reparto	68	Decreto n°	Reposición ante SJ
Tramitación por el juicio correspondiente	254	Decreto n°	Reposición ante SJ
Requerimiento *apud acta*	24	DO	
Juicio cambiario	821	Auto	Apelación

TRÁMITE	ART.	RESOLUCIÓN PROCESAL	RECURSO
Admisión ejecución ordinaria dineraria	551	Auto OGE	No cabe recurso si se despacha ejecución, y reposición y apelación si se deniega
		Decreto ME	Revisión
Admisión ejecución hacer	699 705	Auto	Oposición
Ejecución hipotecaria	686	Auto	Igual ejecución ordinaria
Denegación ejecución	552	Auto n°	Reposición y apelación
TERMINACIÓN DEL PROCESO			
Homologación acuerdo	19.2	Auto n°	Apelación
Renuncia	20.1	Sentencia n°	Apelación
Desistimiento sin oposición	20.3	Decreto n°	Revisión y apelación
Desistimiento con oposición	20.3	Auto n°	Apelación
Allanamiento total	21.1	Sentencia n°	Apelación
Allanamiento parcial	21.2	Auto	Reposición ante Juez
Satisfacción extraprocesal sin oposición	22.1	Decreto n°	Revisión y apelación
Satisfacción extra procesal con oposición	22.2	Auto n°	Apelación
Enervación desahucio Sin oposición	22.4	Decreto n°	Revisión y apelación
Enervación desahucio con oposición	22.4	Sentencia n°	Apelación
Caducidad	237	Decreto n°	Revisión
Diligencias preliminares	256	Decreto n° o Auto n°	Revisión o apelación
Terminación del Juicio Monitorio, salvo por tener su domicilio fuera	816 818	Decreto n°	Revisión y apelación
Terminación del Juicio Monitorio por tener su domicilio fuera del partido o resultar desconocido	816	Auto n°	Apelación

TRÁMITE	ART.	RESOLUCIÓN PROCESAL	RECURSO
Terminación Juicio cambiario	826	Decreto n°	Revisión
Impugnación jura cuentas	34.2 35.2	Decreto n°	No cabe recurso
Conciliación	460	Decreto n°	Reposición ante SJ
FASE DE TRÁMITE			
Intervención terceros	13	Auto	Reposición ante Juez
Intervención provocada	14	Auto	Reposición ante Juez
Sucesión procesal por muerte	16.1	Decreto	Reposición ante SJ
Sucesión procesal por trasmisión objeto litigioso sin oposición	17.1	Decreto	Reposición ante SJ
Sucesión procesal por trasmisión objeto litigioso con oposición	17.2	Auto	Reposición ante Juez
Suspensión por las partes	19.2	Decreto	Reposición ante SJ
Suspensión por justicia gratuita	16 LAJG	Auto	Reposición ante Juez
Falta de competencia objetiva o territorial	48 58	Auto	Reposición ante Juez
Averiguación domicilio	156	DO	Reposición ante SJ
Aprobación costas	244	Decreto	Revisión
Aprobación intereses	714	Decreto	Reposición ante SJ
Nombramiento perito	342	DO	Reposición ante SJ
Rebeldía	497	DO	Reposición ante SJ
Oposición cambiario	826	Decreto	Reposición ante SJ
FASE DE RECURSOS			
Admisión reposición	453	DO	No cabe recurso
Inadmisión reposición contra resoluciones del Secretario judicial	452.2	Decreto	Revisión
Inadmisión revisión o reposición contra resoluciones Juez	452.2 454 Bis	Providencia	No cabe recurso
Denegación interposición apelación	458.3	Auto	Queja

TRÁMITE	ART.	RESOLUCIÓN PROCESAL	RECURSO
Traslado de escritos de interposición u oposición	461	DO	Reposición ante SJ
Declaración desierto	463.1	DO	Reposición ante SJ
Elevación autos Audiencia Provincial	463	DO	Reposición ante SJ
FASE INTERMEDIA			
Aprobación costas	244.3	Decreto	Reposición ante SJ
Aprobación intereses	714	Decreto	Reposición ante Juez
Impugnación costas	246	Decreto nº	Revisión
Impugnación intereses	716	Auto nº	Apelación
FASE DE EJECUCIÓN			
Inscripción o anotación sentencias declarativas	521	DO	Reposición ante SJ
Oposición a la ejecución	559 561	Auto nº	Apelación
Sucesión procesal	540	Auto	Reposición ante Juez
Suspensión por concurso	568	Decreto	Reposición ante SJ
Suspensión prejudicialidad	569	Auto	Reposición ante Juez
Embargo y mejora embargo	587 612	Decreto	Revisión
Requerimiento designación bienes	589	DO	Reposición ante SJ
Averiguación patrimonial	590	DO	Reposición ante SJ
Multas al ejecutado	589.3	Decreto	Revisión
Multas a terceros	591	Auto	Alzada
Anotación preventiva de embargo	621 629	DO o Decreto	Reposición ante SJ
Administración judicial	622 631	Decreto	Reposición ante SJ y revisión
Administración para pago	676	Decreto	Reposición o revisión
Depositario judicial	626.2	Decreto	Reposición ante SJ

TRÁMITE	ART.	RESOLUCIÓN PROCESAL	RECURSO
Nombramiento perito	638	DO	Reposición ante SJ
Convenio realización	640	Decreto nº	Revisión
Entrega cantidades	583 634	DO	Reposición ante SJ y revisión
Certificación cargas	656	DO	Reposición ante SJ
Información acreedores anteriores	657	DO	Reposición ante SJ
Valoración bienes	666	DO	Reposición ante SJ
Señalamiento subasta	644	DO	Reposición ante SJ
Celebración subasta	649	Acta	Reposición oral ante SJ
Adjudicación o remate ejecución ordinaria	650 670	Decreto	Revisión
Adjudicación hipotecario	670	Decreto nº	Revisión
Testimonio mandamiento cancelación cargas	674	DO	Reposición ante SJ
Destino precio remate	654 672	Decreto o DO	Reposición ante SJ
Posesión y lanzamiento fincas	675.2 703	DO	Reposición ante SJ
Prorroga lanzamiento	704	DO	Revisión
Incidente de inquilinos u ocupantes de fincas	661.2 675	Auto	No cabe recurso
Archivo	670	Decreto nº	Revisión y apelación

V
ACTAS Y DILIGENCIAS

ACTAS Y DILIGENCIAS DE CONSTANCIA	
Arts. 206.2, 145 a 148, 135.2 y 3 y 136 LEC	
CONCEPTO	Son actuaciones procesales del <u>Secretario judicial</u> que tienen por objeto dejar <u>CONSTANCIA</u> documental de hechos, actos o situaciones con trascendencia procesal

	Son una manifestación de la actividad de DOCUMEN-TACIÓN y de fe pública judicial
FORMA	• Se inician con la expresión «*La pongo yo, el Secretario, para hacer constar que*» y se cierran con «*y para que conste y surta los efectos oportunos se extiende y firma la presente, de la que se pasa a dar cuenta al Tribunal*» • Se firman sólo por el Secretario Judicial • De todas las diligencias debe DARSE CUENTA al Juez, o dictarse, por el propio Secretario judicial, la diligencia de ordenación o resolución procedente

CLASES	Se distinguen:
	1) Las ACTAS, en las cuales se recoge con la necesaria extensión y detalle lo actuado, generalmente en vistas y comparecencias, salvo que se registren en soporte apto para la grabación del sonido y de la imagen, en cuyo caso el soporte electrónico constituye el acta a todos los efectos
	2) Las DILIGENCIAS DE CONSTANCIA, entre las cuales están:
	  • Los testimonios de actuaciones procesales
	  • Las diligencias de presentación de demandas o escritos
	  • Las diligencias de transcurso de plazos procesales
	  • Las comparecencias de partes, testigos o peritos
	  • Los certificados de asistencia

DISTINCIÓN	Deben distinguirse: 1) Las diligencias de ordenación, que son resoluciones de impulso procesal del Secretario Judicial, en ellas «se acuerda algo», dando a los autos de forma automática el curso ordenado por la ley 2) Las diligencias de constancia, que son actos procesales que tienen por objeto dejar constancia escrita de hechos, actos o situaciones con trascendencia procesal, pero en las que «no se acuerda nada»
NOTIFICACIÓN	Se notifican junto con la resolución judicial, o del Secretario Judicial, que se dicta seguidamente a virtud de la diligencia de constancia
RECURSOS	Contra las diligencias de constancia no cabe recurso alguno, sin perjuicio de que pueda interesarse su aclaración o rectificación, o pueda recurrirse la resolución dictada en virtud de la diligencia de constancia

PRESENCIA DEL SECRETARIO JUDICIAL EN LAS VISTAS	
Arts. 146 y 147 LEC	
CONCEPTO	Como principio general, <u>NO ES NECESARIA</u> la presencia del <u>Secretario judicial</u> en las vistas, siempre que las mismas se registren en soporte apto para la <u>GRABACIÓN del sonido y de la imagen</u>, mediante el sistema de firma electrónica u otro sistema que garantice la autenticidad e integridad de lo grabado Excepcionalmente, el Secretario Judicial asistirá a las vistas: • Cuando las <u>partes interesen</u> su presencia con dos días de antelación a su celebración • Cuando, a juicio del Secretario Judicial, concurra otra <u>circunstancia excepcional</u> que justifique su presencia

NORMAS	La no presencia del Secretario Judicial en las vistas se regirá por las siguientes <u>normas</u>:
	1) Sólo se aplica a los procesos declarativos registrados a partir del 4 de mayo de 2010, fecha de entrada en vigor de la reforma de los arts. 146 y 147 LEC
	2) La no presencia del Secretario Judicial en la vista deberá ser <u>notificada previamente</u> a las partes:
	  • En el juicio verbal, en el decreto de admisión a trámite
	  • En el juicio ordinario, en la resolución en la que señala audiencia previa
	  • En los demás casos, en diligencia de ordenación independiente
	3) Con el fin de <u>facilitar</u> la celebración de <u>las vistas</u>, en la resolución que se notifica la no presencia, se interesará de las partes que:
	  • Con anterioridad al inicio de la vista, se lleven a cabo los apoderamientos *apud acta* en la Oficina Judicial
	  • En el acto de la vista, las partes presenten nota escrita con la proposición de prueba de que intenten valerse, o el acuerdo escrito cuya homologación judicial interesen
	  • Con posterioridad a la vista, los justificantes de asistencia se obtendrán en la Oficina Judicial
	4) El funcionario de Auxilio Judicial es el funcionario competente para el uso del programa de grabación de vistas, conforme a las siguientes instrucciones:

| | • Todas las vistas, sin excepción alguna, deben ser objeto de grabación
• Sólo en el caso de que el Juez acuerde un receso podrá interrumpirse la grabación de la vista
5) Al funcionario de Auxilio Judicial corresponde la identificación de las partes, testigos y peritos, haciéndose constar sus datos en la grabación de la vista, sin perjuicio de la dirección del acto que corresponde al Juez
6) El Secretario judicial debe <u>estar disponible</u> durante la celebración de las vistas para cualquier incidencia que pueda requerir su presencia
7) <u>No existe acta escrita</u> de la vista, sino que el soporte audiovisual constituye el acta a todos los efectos, haciéndose constar la efectiva grabación por medio de diligencia de constancia que se unirá a los autos por el funcionario encargado de la tramitación del asunto
8) En caso de <u>sustitución</u> entre Secretarios judiciales, será el Secretario judicial que sustituye el que, en cada caso, acuerde su presencia o no en las vistas |

VI
ACTOS DE COMUNICACIÓN

NOTIFICACIONES	
	Arts. 133, 135, 149 y ss. y 497.2 LEC
CONCEPTO	Son actos procesales que tienen por objeto <u>PONER EN CONOCIMIENTO</u> de las partes, o de <u>un tercero</u> una RESOLUCIÓN PROCESAL o actuación judicial, o que se ha acordado su intervención en el proceso
CLASES	Dentro de las notificaciones en general, a su vez, se distinguen las siguientes <u>CLASES</u>: • Las <u>NOTIFICACIONES</u>, que tienen por objeto dar noticia, o comunicar una actuación o diligencia judicial • Los <u>EMPLAZAMIENTOS</u>, que tienen por objeto, además de comunicar una actuación judicial, dar un plazo a una de las partes para <u>personarse</u> en el proceso • Las <u>CITACIONES</u>, que tienen por objeto llamar a una persona, sea parte o no, para <u>comparecer</u> ante el tribunal un día y hora determinados

	• Los <u>REQUERIMIENTOS</u>, que tiene por objeto, además de comunicar una resolución procesal, <u>ordenar</u> al requerido una <u>determinada conducta o actividad</u> • Los <u>MANDAMIENTOS</u>, que son comunicaciones que ordenan el libramiento de certificaciones, testimonios o la práctica de determinadas actuaciones por parte de Registros, Notarios o funcionarios de Auxilio Judicial de los tribunales • Los <u>OFICIOS</u>, que son comunicaciones con autoridades o funcionarios no judiciales
PRÁCTICA	Se realizan, bajo la dirección del <u>Secretario judicial</u>: 1) Por los funcionarios del Cuerpo de AUXILIO JUDICIAL 2) Por los <u>PROCURADORES</u>, si así lo solicitan y a su costa, siempre que quede constancia suficiente de su práctica, auxiliándose de dos testigos o de cualquier otro medio idóneo

FORMA	Se realizan de alguna de las formas siguientes:
	1) A las partes <u>NO PERSONADAS</u>:
	• Cuando se trata del <u>PRIMER</u> emplazamiento o citación, por REMISIÓN de copia o cédula a su DOMICILIO:
	  • Como <u>regla general</u>, por CORREO, FAX, burofax u otro medio técnico que deje constancia fehaciente de la remisión, fecha y contenido
	  • Como <u>excepción</u>, si tenía por objeto la <u>PERSONACIÓN en juicio</u> y no pueda acreditarse la recepción, por ENTREGA de la resolución en la sede del JUZGADO, o en el DOMICILIO del interesado
	• De resultar <u>NEGATIVA</u> la primera comunicación y la subsiguiente averiguación de su domicilio:
	  • Por EDICTOS en el tablón del Juzgado, que tiene carácter supletorio y de remedio último, y requiere el agotamiento previo de las demás formas de comunicación
	2) A las partes <u>PERSONADAS</u>, a través de su PROCURADOR, quien está obligado a firmar todas las comunicaciones, incluida la de la sentencia
	3) A <u>TESTIGOS</u> y a <u>PERITOS</u>, por BUROFAX, FAX, correo certificado con acuse de recibo, u otro medio técnico que deje constancia, salvo que las circunstancias aconsejen que se realice por entrega personal en el domicilio o la Oficina judicial

CASOS ESPECIALES	• Sólo en los REQUERIMIENTOS se admite que se consigne la respuesta que dé el requerido
	• Si el destinatario se NIEGA a recibir la comunicación o a firmar la diligencia, la comunicación produce sus efectos, haciéndose saber al destinatario que la documentación queda a su disposición en la Oficina judicial
	• Si el destinatario NO se ENCUENTRA en el domicilio, puede practicarse con el FAMILIAR mayor de 14 años, empleado o conserje, pero ya no se admite su práctica con el vecino, con la única excepción del requerimiento de pago en la ejecución hipotecaria, en que sí se admite se entienda con el vecino
	• Si la persona notificada o emplazada se da por enterada de la existencia del proceso, y no denuncia la nulidad de la diligencia en su primera comparecencia, surte todos sus efectos desde entonces
	• Cuando resulte negativa la comunicación en el primer domicilio, a virtud del principio de impulso de oficio y sin necesidad de que la parte lo solicite, debe procederse a la AVERIGUACIÓN de domicilio del demandado en los registros públicos a través del Punto Neutro Judicial, y de resultar otro, al libramiento de una nueva comunicación al nuevo domicilio que resulte:
	• Si se trata de personas FÍSICAS, se averiguará domicilio a través de las bases de datos de la Tesorería General de la Seguridad Social, y de la consulta integral domiciliaria, que ofrece los que constan en registros como el Instituto Nacional de Estadística, la Agencia Estatal de la Administración Tributaria, la Dirección General de Policía, la Dirección General de Tráfico o el Catastro
	• Si se trata de personas JURÍDICAS, además de las anteriores bases de datos, se requerirá a la parte actora a fin de que, por tratarse de un registro público al que puede tener acceso, aporte nota simple del Registro Mercantil en la que conste el domicilio social de la entidad, y los datos vigentes del administrador con el que pueda entenderse la comunicación
	• No se admite, por no estar prevista legalmente en el art. 156 LEC, la averiguación de domicilio a través de las Fuerzas y Cuerpos de Seguridad del Estado

	• Cuando la averiguación del domicilio del demandado resulta NEGATIVA, se procede a su anotación en el Registro Central de Rebeldes Civiles
	• La comunicación por <u>EDICTOS</u> se realiza:
	  • En las notificaciones, emplazamientos y citaciones, fijando, en forma de edicto, la copia de la resolución o cédula, en el tablón de anuncios de la Oficina judicial, haciéndose constar en los autos por diligencia, tanto la inicial publicación, como la retirada del edicto; y en estos casos, sólo a instancia de parte, y a su costa, puede publicarse, además, en un Boletín Oficial o en un diario
	  • En las notificaciones de sentencia, mediante la publicación de un extracto en el Boletín Oficial de la Comunidad Autónoma, o del Estado

CÓMPUTO DE PLAZOS	• Los plazos procesales empiezan a contarse <u>desde el DÍA SIGUIENTE</u> al de la fecha de la comunicación (arts. 133 LEC) • Los escritos de plazo pueden presentarse hasta las <u>15:00 horas del DÍA HÁBIL SIGUIENTE</u> al del vencimiento (arts. 135 LEC)

EXHORTOS	
Arts. 165 y 169 LEC	
CONCEPTO	Son actos de comunicación que tienen por objeto, en virtud de la auxilio judicial y por razones de gravosidad o utilidad, la <u>práctica de ACTUACIONES JUDICIALES</u> por parte de <u>JUZGADO DISTINTO</u> del que conoce del proceso Como <u>regla general</u>, los interrogatorios de las partes, las declaraciones de los testigos y la ratificación de los peritos deben practicarse por el tribunal que conoce del asunto, salvo que resulte imposible o muy gravosa su comparecencia, por razón de la distancia, dificultad de desplazamiento, circunstancias personales u otras causas justificadas
FORMA	• Se <u>firman</u> sólo por el Secretario Judicial • Se <u>remiten directamente</u> por correo ordinario al Juzgado exhortado, salvo que se pida por la parte su entrega e intervención en su diligenciamiento • Los <u>Juzgados de Paz</u> sólo son competentes para su prác-

tica cuando se trate de actos de comunicación, pero no cuando se trate de diligencias de embargo o de ejecución

- Los exhortos que se reciben deben proveerse en el proceso en el cual se interesa una diligencia, y lo acordado, notificarse a las partes personadas sin perjuicio del cumplimiento de lo interesado

DACIÓN DE CUENTA	
Art. 178 LEC	
CONCEPTO	Es un acto de COMUNICACIÓN INTERNA, llevado a cabo dentro del mismo órgano judicial, referido fundamentalmente a la presentación de los escritos y al transcurso de los plazos procesales, que tiene por objeto dar al proceso el curso ordenado por la ley
FORMA	• El SECRETARIO JUDICIAL dará cuenta al Juez o tribunal, oralmente o por escrito, de las siguientes actuaciones judiciales: • De las diligencias de ordenación • De los escritos y documentos presentados • De las actas autorizadas fuera de la presencia judicial • Del transcurso de los plazos procesales • Del estado de los autos • Los funcionarios del cuerpo de Gestión Procesal y Administrativa darán cuenta al Secretario judicial de la tramitación de los procedimientos, sin perjuicio de informar también al Juez o tribunal cuando sean requeridos para ello

VII TIEMPO DE LAS ACTUACIONES JUDICIALES

DÍAS Y HORAS HÁBILES	
Arts. 130, 131 y 184.1 LEC	
CONCEPTO	Las actuaciones judiciales han de practicarse en DÍAS y HORAS hábiles
DÍAS Y HORAS INHÁBILES	• Son DÍAS inhábiles, a efectos procesales: • Los días del mes de agosto

	• Los sábados y domingos
	• Los días 24 y 31 de diciembre
	• los días de fiesta nacional y los festivos en la respectiva Comunidad Autónoma o localidad
	• Son HORAS hábiles, las que median desde las <u>ocho de la mañana hasta las ocho de la tarde</u>, con dos excepciones:
	  • Los <u>actos de comunicación</u> y ejecución, para los que son hábiles, también, las horas que transcurren desde las ocho hasta las <u>diez de la noche</u>
	  • Las <u>actuaciones concretas</u> para las que la ley disponga otra cosa, así por ejemplo:
	    • Para la celebración de las <u>vistas</u> se pueden emplear todas las horas hábiles y habilitadas del día en una o más sesiones, y en su caso, continuar el día o días siguientes
	    • Para los actos de jurisdicción voluntaria son hábiles todos los días y horas sin excepción

HABILITACIÓN	• Los tribunales pueden HABILITAR días y horas inhábiles cuando haya <u>causa urgente</u> que lo exija, considerándose urgentes las actuaciones cuya demora pueda causar grave perjuicio a los interesados, a la buena administración de justicia, o provocar la ineficacia de la resolución judicial
	• <u>No es necesaria</u> la habilitación expresa:
	  • Cuando se trate de actuaciones urgentes durante el mes de agosto
	  • Cuando la actuación urgente se hubiera iniciado en hora hábil, pudiendo entonces proseguir en hora inhábil durante el tiempo indispensable
	• La HABILITACIÓN se acuerda por <u>decreto</u> del Secretario Judicial, cuando se trate actuaciones procesales de su exclusiva competencia, ordenadas por ellos, o tendentes a dar cumplimiento a las resoluciones dictadas por el tribunal

CUADRO RESUMEN DE DÍAS Y HORAS INHÁBILES			
	INHÁBILES	**EXCEPCIONES**	**HABILITACIÓN**
MESES	Agosto	Actuaciones urgentes	No es necesaria

DÍAS	Sábados, domingos, 24 y 31 de diciembre, y festivos nacionales, autonómicos y locales	Actuaciones urgentes	Habilitación expresa
HORAS	Desde las 8 de la tarde hasta las 8 de la mañana	1) Terminación de actuaciones urgentes iniciadas en hora hábil	No es necesaria
		2) Actos de comunicación y ejecución hasta las 22:00 horas	No es necesaria
		3) Demás casos establecidos expresamente por la ley	Habilitación expresa

TÉRMINOS Y PLAZOS	
Arts. 132 a 136 y 215.5 LEC	
CONCEPTO	• El principio general es que las actuaciones judiciales deben practicarse en los TÉRMINOS, o dentro de los plazos señalados para cada una de ellas, y cuando no se fije término, se entienden que han de practicarse sin dilación • PLAZO es el período o lapso de tiempo durante el cual puede realizarse una determinada actuación judicial • TÉRMINO es el momento concreto en el que ha de realizarse una determinada actuación judicial • Transcurrido un plazo procesal, o pasado el término señalado, se produce la PRECLUSIÓN, y se pierde la oportunidad de realizar el acto de que se trate, lo que se hará constar por diligencia de constancia, acordándose de oficio lo que proceda para dar al proceso el curso señalado por la ley
CÓMPUTO PLAZOS	• En los plazos señalados por DÍAS se excluyen los inhábiles • Los plazos señalados por MESES o por AÑOS se computan de fecha a fecha, y si en el mes del vencimiento no hay día equivalente, se entiende que el plazo expira el último del mes • Si el plazo CONCLUYE en sábado, domingo, o en otro día inhábil, se entiende prorrogado hasta el siguiente día hábil

	• Los plazos <u>empiezan</u> a contarse <u>desde el DÍA SI-GUIENTE</u> a aquel en que se haya realizado el acto de comunicación del que depende su inicio
	• Los plazos expiran a las veinticuatro horas del día del <u>vencimiento</u>, pero cuando se trata de la <u>presentación de un ESCRITO</u> que esté sujeto a plazo, la presentación puede realizarse hasta las <u>quince horas del DÍA hábil SIGUIENTE</u> al del vencimiento del plazo
	• En los casos de <u>ACLARACIÓN, SUBSANACIÓN o complemento de resoluciones procesales</u>, conforme a lo establecido en el art. 267.9 LOPJ y por encima de lo dispuesto en el art. 215.5 LEC, los plazos para los recursos comenzarán a computarse de nuevo desde el día siguiente al de la notificación de la resolución que acuerda o deniega dicha aclaración, subsanación o complemento
IMPRORROGABLES	• Los plazos establecidos en la Ley son <u>IMPRORROGA-BLES</u>
	• La improrrogabilidad de los plazos sólo puede ser interrumpida en caso de <u>fuerza mayor</u> que impida su cumplimiento
	• La concurrencia de fuerza mayor interruptora de los plazos, de oficio o a instancia de parte, y previa audiencia de las demás partes, se acuerda por decreto del Secretario Judicial, contra el que cabe interponer recurso de revisión ante el Juez

PRESENTACIÓN DE ESCRITOS	
Arts. 132 a 136 y 215.5 LEC	
NORMAS	• Cuando la presentación de un escrito esté sujeta a <u>PLAZO</u>, la presentación puede realizarse hasta las <u>quince horas del DÍA hábil SIGUIENTE</u> al del vencimiento del plazo
	• Todos los escritos deben presentarse necesariamente a través del <u>SERVICIO COMÚN procesal</u> existente al efecto, y de recibirse por fax o por correo directamente en la Oficina judicial, será remitidos a dicho servicio común para su debido registro y reparto
	• No se admite la presentación de escritos en el Juzgado de guardia

- De todo escrito presentado deberá darse <u>RECIBO</u> con expresión de la fecha y hora de presentación
- Las demandas y escritos pueden presentarse también telemáticamente cuando existan medios técnicos que lo permitan
- De <u>no constar</u> la FECHA de presentación de un escrito o una comunicación, por haberse extraviado o desconocerse, deberá interpretarse la más beneficiosa para el presentante
- La presentación de escritos, en sobre abierto a través de la <u>oficina de Correos</u> o por otro servicio de mensajería, es válida para los procedimientos administrativos, pero no para los procesos judiciales

IMPULSO DE OFICIO	
Art. 179.1 LEC	
CONCEPTO	El tribunal, <u>de oficio</u> y sin necesidad de petición de parte, debe <u>dar al proceso el curso que corresponda</u>, dictando al efectos las resoluciones necesarias Históricamente en nuestro proceso civil regía el principio de impulso de parte, según el cual el proceso avanzaba o se paralizaba sólo cuando las partes lo pedían, pero ya desde una reforma de 1924 rige el principio de impulso de oficio, en virtud del cual no son las partes, sino el tribunal el que debe hacer avanzar el proceso dentro de la instancia o fase en que se encuentre
CLASES	• El <u>IMPULSO FORMAL</u> implica el <u>dictado automático</u> de la <u>única resolución procedente</u> para que el proceso avance, sin posibilidad de alternativa legal, constituyendo éste el objeto principal de las diligencias de ordenación del Secretario judicial • El <u>IMPULSO MATERIAL</u> implica el dictado de una resolución que hace avanzar el proceso, pero en la que sí hay que <u>tomar una decisión</u> procesal <u>entre varias alternativas</u>, constituyendo éste, normalmente, el objeto principal de las resoluciones judiciales del Juez, o de los decretos del Secretario judicial
EXCEPCIONES	Las <u>EXCEPCIONES</u> al principio de impulso de oficio se dan en las llamadas crisis procesales, dentro de las cuales pueden distinguirse dos supuestos de interrupción o finalización del proceso distintos de los normales:

	• Los supuestos de <u>SUSPENSIÓN del proceso</u>, en los casos expresamente establecidos por la ley • Los supuestos de <u>TERMINACIÓN ANORMAL</u> del proceso, que ponen término a éste de modo distinto al normal de la sentencia
DISTINCIÓN	• El impulso de oficio, en contraposición con el <u>impulso de PARTE</u>, no debe confundirse con otros dos principios que rigen en nuestro proceso civil: • El <u>principio dispositivo</u>, según el cual las partes pueden disponer del objeto del proceso, tanto para iniciarlo mediante la demanda, como para fijar el objeto de litigio con el que la sentencia ha de ser congruente, como para poner fin al proceso disponiendo de su objeto Lo contrario al principio dispositivo es el principio de oficialidad y de acusación que informan el Derecho Penal • El <u>principio de aportación de parte</u>, según el cual son las partes quienes deben aportar al proceso los elementos de hecho, fijando los hechos, y los medios de prueba, aunque en materia de prueba la LEC atribuye al Juez alguna iniciativa en materia de prueba Lo contrario al principio de aportación de parte es el principio de investigación oficial que igualmente rige en el proceso penal

VIII
PUBLICIDAD E INFORMACIÓN

PUBLICIDAD DE LAS ACTUACIONES	
Arts. 235 y 266 LOPJ, y 4 RAAAJ 1/2005 CGPJ	
CONCEPTO	• Los <u>INTERESADOS</u> que acrediten un interés legítimo tienen derecho a acceder a los <u>LIBROS, ARCHIVOS y REGISTROS JUDICIALES</u> que no tengan carácter reservado • La <u>limitación</u> del ámbito de la publicidad sólo puede decretarse por los tribunales mediante resolución motivada, por razones de orden público, o de protección de los derechos y libertades, acordando el carácter secreto de todas o parte de las actuaciones

PUBLICIDAD DE LAS SENTENCIAS	• Las sentencias, una vez firmadas, son <u>PÚBLICAS</u>, permitiéndose a <u>cualquier interesado</u> el acceso al texto de las mismas, sin perjuicio de la protección de datos de carácter personal • El acceso al texto de las sentencias sólo puede <u>restringirse</u> para evitar que se usen con fines contrarios a las leyes, cuando puedan afectar al derecho a la intimidad, o a personas que requieran un especial deber de tutela, o para garantizar el anonimato de las víctimas o perjudicados
SOLICITUD	• La solicitud de información por quien no sea parte en el proceso se resuelve por <u>acuerdo gubernativo del Secretario Judicial</u>, previa valoración del interés del solicitante, la existencia de derechos fundamentales en juego, o la necesidad de omitir datos de carácter personal • Contra el acuerdo denegatorio del Secretario Judicial, cabe recurso gubernativo de <u>revisión</u> ante el Juez

FORMA	• La publicidad de las actuaciones judiciales se da a los interesados en alguna de las siguientes formas:
	  • Mediante la <u>exhibición</u> de las actuaciones
	  • Mediante la expedición de <u>copias simples o testimonios</u>

INFORMACIÓN AL PÚBLICO Y PROFESIONALES	
Arts. 186 y ss. y 234 LOPJ, 5 RAAAJ 1/2005 CGPJ e Instrucción 1/1999 CGPJ	
CONCEPTO	Los <u>Secretarios judiciales y funcionarios</u> competentes de la Oficina judicial facilitarán a las partes interesadas, y a cuantos justifiquen un interés legítimo y directo, cuanta <u>INFORMACIÓN soliciten sobre el estado de las actuaciones judiciales</u>, que podrán conocer y examinar, salvo que hayan sido declaradas secretas
REQUISITOS	La información debe ser: • <u>Personalizada</u> • Debe responder a una demanda <u>concreta</u> de información • <u>SIN ASESORAMIENTO JURÍDICO</u>, debe tener carácter general, pero no puede entrañar asesoramiento
MODALIDADES	La información puede darse de alguna de las siguientes <u>FORMAS</u>:

	• Modalidad <u>oral telefónica</u>, a través de la cual sólo se puede dar información general • Modalidad <u>oral presencial</u>, adaptada a las circunstancias personales, familiares, sociales o culturales • Modalidad <u>escrita</u>, por petición del interesado, por la complejidad de la información solicitada, porque requiera un análisis detallado, porque afecte a actuaciones secretas, o a datos relativos al honor, la intimidad, la propia imagen u otras circunstancias especiales
INFORMACIÓN GENERAL	La <u>INFORMACIÓN GENERAL</u> puede facilitarse a <u>CUALQUIER PERSONA</u>, sin necesidad de acreditación, y comprende: • La <u>información general</u> relacionada con la Justicia • El contenido actualizado de las <u>leyes</u> • La identificación y ubicación de <u>órganos judiciales</u> • Los <u>tipos de procedimientos</u>, y sus características generales • El <u>reparto</u> de asuntos • Los <u>horarios</u> de atención al público y profesionales • Los <u>actos judiciales</u> de carácter público • Los <u>profesionales</u> en la información que den sus guías
INFORMACIÓN PARTICULAR	La INFORMACIÓN PARTICULAR sólo puede facilitarse a las <u>PARTES</u> personadas, o <u>INTERESADOS</u>, personas con interés legítimo o sus representantes, <u>previa acreditación</u>, y comprende: • El <u>estado y fase</u> de <u>procedimientos en trámite</u> • La identificación de <u>las partes</u>, y de los profesionales que intervienen en el proceso • La identificación del <u>personal</u> de la Oficina judicial responsable de la tramitación
HORARIOS	Pueden distinguirse <u>DOS CLASES</u> de horarios: • El <u>HORARIO</u> de <u>AUDIENCIA PÚBLICA</u>, se refiere a la práctica de las actuaciones judiciales, que comprende un mínimo de cuatro horas al día, y que es fijado por el Juez o tribunal • El <u>HORARIO</u> de <u>ATENCIÓN al PÚBLICO y PROFESIONALES</u>, que se fija por la Administración competente en materia de Justicia • En el ámbito de la Comunidad Autónoma de <u>Andalucía</u> está fijado de <u>lunes a viernes</u>, de <u>nueve a catorce horas</u>, en virtud de Orden de 31 de octubre de 2007 de la Consejería de Justicia y Administración Pública

	de la Junta de Andalucía, por la que se determina la jornada y el horario en el ámbito de la Administración de Justicia en la Comunidad Autónoma de Andalucía • En lugar visible de la sede de la Oficina judicial debe exponerse un <u>CARTEL anunciador</u> del horario de atención al público y profesionales, en el que se ha de hacer constar la leyenda *«estamos a su disposición para informarle y atender sus sugerencias y reclamaciones»*

Partes, Abogado y Procurador

SUMARIO:

I
PARTES DEL PROCESO CIVIL

PARTES DEL PROCESO CIVIL	
Arts. 5 a 12 LEC, 21 LPH, 233 LSC y 447.1 LOPJ	
CONCEPTO	Las PARTES del proceso civil son: • El <u>DEMANDANTE</u> o ACTOR, que es la persona o personas que piden la tutela judicial, o que interponen la pretensión ante el tribunal

	• El <u>DEMANDADO</u>, que es la persona frente a la que se pide la tutela judicial, o frente a la que se interpone la pretensión
CAPACIDAD PARA SER PARTE	Pueden ser PARTES en los procesos civiles: • Las <u>personas físicas</u>, que han de comparecer por sí mismas, o a través de sus representantes legales en el caso de menores o incapaces • Las <u>personas jurídicas</u>, que han de comparecer a través de su representante legal, principalmente, sus administradores • <u>Otras entidades</u> sin personalidad jurídica a las que la ley reconoce capacidad para ser parte, las más frecuentes, las comunidades de propietarios Por las comunidades de propietarios, que carecen de personalidad jurídica, debe comparecer el presidente –y no el administrador–, que es el que ostenta su representación legal, con la sola excepción del juicio monitorio, que puede ser instado también por el administrador • Determinados <u>patrimonios</u> que carecen transitoriamente de titular, las más frecuentes, la <u>herencia yacente</u> o la sociedad de gananciales • El <u>Ministerio Fiscal</u>, especialmente, en los procesos de familia, de incapacidad y de jurisdicción voluntaria
ESTADO Y ORGANISMOS PÚBLICOS	• La representación y defensa del <u>ESTADO y sus organismos públicos</u> y de las demás Administraciones Públicas, corresponde a los <u>Abogados del Estado</u>, o integrantes de los servicios jurídicos de dichas administraciones públicas • Los Abogados del Estado y de las Administraciones Públicas ostentan, conjuntamente, las funciones de representación y defensa, por lo que no necesitan valerse de Procurador
LITIS CONSORCIO	• Pueden intervenir <u>varias personas</u>, como demandantes o como demandadas, en cuyos casos se habla de <u>LITISCONSORCIO</u>, que puede ser: • <u>Activo o pasivo</u>, según se trate de varios demandantes o de varios demandados • Voluntario o necesario, según sea voluntario, u obligatorio, demandar a varias personas a la vez

II
INTERVENCIÓN DE ABOGADO Y PROCURADOR

INTERVENCIÓN DE ABOGADO	
Arts. 31 y 32 LEC	
CONCEPTO	• Al <u>ABOGADO</u> corresponde la dirección y <u>DEFENSA</u> de las partes en el proceso y el asesoramiento o consejo jurídicos
INTERVENCIÓN NO PRECEPTIVA	Las partes pueden comparecer <u>SIN ABOGADO</u> en los siguientes casos: • En los Juicios <u>VERBALES</u> cuya cuantía <u>no exceda</u> de 2.000 euros • En los Juicios <u>MONITORIOS</u> • En las impugnaciones de resoluciones de JUSTICIA GRATUITA • En la EJECUCIÓN de resoluciones dictadas en procesos en los que no sea preceptiva su intervención, y en la ejecución de juicios monitorios, o de acuerdos de mediación o laudos arbitrales, cuando la cantidad por la que se despache ejecución sea superior a 2.000 euros • En los <u>actos de CONCILIACIÓN</u> • En los actos de <u>JURISDICCIÓN VOLUNTARIA</u> cuya cuantía no exceda de 2.400 euros • En los escritos que sólo tengan por objeto personarse en JUICIO, o pedir la suspensión urgente de juicios o vistas • En la solicitud de medidas urgentes con anterioridad al Juicio

REGLAS ESPECIALES	• Cuando las partes utilicen abogado y procurador en caso en que no sea preceptiva su intervención, a efectos de evitar indefensión, debe comunicarse expresamente tal circunstancia al tribunal:
	  • <u>El actor</u>, haciéndolo constar en la demanda
	  • El <u>demandado</u>, dentro de los <u>tres días</u> siguientes a la notificación de la demanda, dándose traslado de ello al actor
	• No es necesario que el abogado esté colegiado en el Colegio de Abogados del partido judicial en que intervenga
	• En caso de cambio de abogado no es necesario acredi-

	tar en el proceso la concesión de <u>venia</u> del anterior abogado, sin perjuicio de la responsabilidad colegial o disciplinaria en que pueda incurrir

INTERVENCIÓN DE PROCURADOR	
Arts. 23 a 30 y 32 LEC	
CONCEPTO	• Al <u>PROCURADOR</u> corresponde la <u>REPRESENTA-CIÓN</u> de la parte en el proceso, en virtud de mandato conferido por medio de poder bastante • Es un <u>colaborador</u> de la Administración de Justicia, en la práctica de los actos de comunicación, la subsanación de los defectos procesales y la buena marcha de los procesos
INTERVENCIÓN NO PRECEPTIVA	Las partes pueden comparecer <u>SIN PROCURADOR</u> en los siguientes casos: • En los Juicios <u>VERBALES cuya cuantía no exceda</u> de 2.000 euros • En los Juicios <u>MONITORIOS</u> • En las impugnaciones de resoluciones de JUSTICIA **GRATUITA** • En la EJECUCIÓN de resoluciones dictadas en procesos en los que no sea preceptiva su intervención, y en la ejecución de juicios monitorios, o de acuerdos de mediación o laudos arbitrales, cuando la cantidad por la que se despache ejecución sea superior a 2.000 euros • En los <u>actos de CONCILIACIÓN</u> • En los actos de <u>JURISDICCIÓN VOLUNTARIA</u> cuya cuantía no exceda de 2.400 euros • En los Juicios UNIVERSALES, a los solos efectos de asistir a Juntas o presentar títulos de crédito • En la solicitud de medidas urgentes con anterioridad al Juicio
OBLIGACIONES	• El procurador está obligado a <u>FIRMAR todos</u> los emplazamientos, citaciones, requerimientos y <u>notificaciones</u>, incluida la de sentencia, con la misma fuerza que si interviniera en ellas la parte • Puede comparecer en cualquier proceso, sin necesidad de abogado, a los solos efectos de <u>oír y recibir comunicaciones</u>, o efectuar comparecencias de carácter no personal de su representado, en cuyo caso no podrá formular solicitud alguna • No pueden realizarse a través del procurador los actos

	que, conforme a la ley, deban realizarse personalmente por el litigante, en particular, el interrogatorio de parte
OTORGAMIENTO DE PODER	El poder al Procurador se puede otorgar de dos formas: • Por poder general para pleitos, otorgado ante <u>NOTARIO</u>, que sirve para todos los procesos en que pueda ser parte el poderdante • Por poder conferido por <u>COMPARECENCIA</u> *APUD ACTA* ante el Secretario judicial de cualquier oficina judicial, que sólo puede conferirse para el proceso concreto de que se trate Al otorgamiento del poder *apud acta*, <u>no es obligatoria</u> la presencia del <u>Procurador</u>, entendiéndose aceptado el poder con la firma del primer escrito • La designación DE OFICIO por parte de la Comisión de Asistencia Jurídica Gratuita no implica, por sí misma, poder de representación de la parte
CLASES DE PODER	El poder puede ser de DOS CLASES: • <u>Poder GENERAL</u> para pleitos, que faculta al procurador para realizar, en nombre del poderdante, todos los actos procesales comprendidos en la tramitación ordinaria de los asuntos • <u>Poder ESPECIAL</u>, que es necesario para la renuncia, desistimiento, transacción o allanamiento, u otra manifestación que comporte sobreseimiento por satisfacción extraprocesal o carencia de objeto

ACEPTACIÓN Y RENUNCIA	• El poder <u>se presume aceptado</u> por el Procurador por el mero hecho de usar de él
	• No es necesaria la presencia del procurador en el otorgamiento de poder apud acta ante el Secretario Judicial
	• El procurador <u>CESA</u>, entre otras, por las siguientes causas:
	  • Por la <u>REVOCACIÓN</u> del poder, expresa o tácita, y se entiende tácita por el nombramiento posterior de un nuevo procurador
	  • Por la <u>RENUNCIA</u> voluntaria, en cuyo caso debe ponerse en conocimiento del Juzgado y del poderdante, estando obligado el procurador a continuar en su representación hasta que se provea la designación de nuevo procurador en el plazo de diez días

SUBSANACIÓN	La falta de <u>presentación del poder</u> del Procurador, según reiterada jurisprudencia en interpretación de los

	arts. 231 y 418 LEC, se considera como un defecto <u>subsanable</u>, por lo que su no presentación u otorgamiento no puede dar lugar a la inadmisión directa de la demanda o escrito de personación, sino a la concesión de un plazo preclusivo para su subsanación

III
JUSTICIA GRATUITA

JUSTICIA GRATUITA	
Arts. 32.3 y 33 LEC y Ley de Asistencia Jurídica Gratuita	
CONCEPTO	La ASISTENCIA JURÍDICA GRATUITA tiene por objeto garantizar el acceso a la <u>tutela judicial efectiva</u> de todas las personas físicas que carecen de recursos, cuando sus ingresos, computados anualmente, por todos los conceptos y por unidad familiar, <u>no superan el doble del salario mínimo interprofesional</u>, aunque se admiten excepciones en caso de existencia de signos externos o determinadas circunstancias familiares, estado de salud u obligaciones económicas o de otra naturaleza
CONTENIDO	El derecho a la asistencia jurídica gratuita comprende las siguientes prestaciones: • El asesoramiento y orientación previos al proceso • La <u>REPRESENTACIÓN y DEFENSA en el proceso</u>, cuando la intervención de Procurador y Abogado sea preceptiva, o cuando no siéndolo, sea acordado para garantizar la igualdad de las partes en el proceso • La <u>asistencia PERICIAL</u> por parte de los peritos adscritos al Juzgado, o en su defecto, nombrados por las Administraciones Públicas competentes • La inserción gratuita de EDICTOS que preceptivamente deban publicarse en periódicos oficiales • La exención del pago de DEPÓSITOS necesarios para la interposición de los recursos • La obtención gratuita, o la reducción de los derechos arancelarios, para la obtención de testimonios, escrituras públicas o actas notariales, o de certificaciones, anotaciones o inscripciones en los Registros de la Propiedad y Mercantil
EXTENSIÓN	• La asistencia jurídica gratuita se extiende a todos los

	TRÁMITES, incidencias e instancias del proceso, incluida la ejecución, pero no puede aplicarse a un proceso distinto • A las <u>PERSONAS JURÍDICAS</u> no se les reconoce el derecho a la asistencia jurídica gratuita, salvo cuando se trata de fundaciones o asociaciones de utilidad pública

SOLICITUD	• Debe presentarse por el interesado, no en el Juzgado, sino <u>directamente</u> en el <u>Colegio de Abogados</u> del lugar en que se halla el tribunal
	• La comisión de asistencia jurídica gratuita dicta <u>dos resoluciones</u>:
	  • La designación provisional de abogado y procurador, si, inicialmente, el beneficiario cumple los requisitos
	  • La resolución administrativa definitiva, reconociendo la asistencia jurídica gratuita, y su extensión

SUSPENSIÓN DEL PROCESO	Aunque la regla general es que la solicitud no suspende el curso del proceso, en la práctica: • Si el proceso está en fase de <u>trámite</u> o de <u>recurso</u>, se acuerda la SUSPENSIÓN a fin de evitar indefensión, siempre que se haya solicitado dentro de los <u>tres días siguientes</u> a la notificación, citación o emplazamiento de la demanda o resolución recurrible • Si el proceso está en fase de <u>ejecución</u>, sólo se acuerda la suspensión cuando el solicitante esté aún en plazo para oponerse a la ejecución
TRÁMITE DE LA SUSPENSIÓN	• El Colegio de Abogados comunica al tribunal la solicitud de justicia gratuita a los efectos de SUSPENSIÓN del proceso • La <u>suspensión del proceso</u> se acuerda por <u>AUTO</u>, y se notifica a las partes, interrumpiéndose el plazo de que se trate • Comunicadas las designaciones provisionales de abogado y procurador, por DILIGENCIA DE ORDENACIÓN, se les tiene por personados y parte, y se <u>alza la suspensión</u> del proceso, haciéndoseles saber el plazo que les resta para la actuación de que se trate • En caso de denegación del beneficio de justicia gratuita, por DILIGENCIA DE ORDENACIÓN, se alza la suspensión del proceso, notificándolo al interesado, haciéndole saber que, de interesarle, deberá designar, a su

59

	costa, abogado y procurador de su elección, así como el plazo que le resta para la actuación de que se trate • La resolución definitiva concediendo el beneficio de justicia gratuita se une a los autos, haciéndolo constar y dando traslado a las partes

IV
SUCESIÓN PROCESAL

SUCESIÓN PROCESAL POR TRANSMISIÓN DEL OBJETO LITIGIOSO	
Arts. 17 LEC y 1535 CC	
CONCEPTO	El objeto del proceso se puede transmitir *mortis causa*, o <u>INTERVIVOS</u>, esta última, normalmente por medio de <u>venta en escritura pública</u>, principalmente, por parte de entidades bancarias a sociedades de recobro de créditos En la transmisión *inter vivos*, el ADQUIRENTE, acreditando la transmisión, solicita se le tenga como parte acreedora en la posición que ocupaba su transmitente

Escrito del ADQUIRENTE pidiendo se le tenga por PARTE → DOCUMENTO de TRANSMISIÓN

DO SUSPENSIÓN PROCESO Y TRASLADO OTRA PARTE

NO HAY OPOSICIÓN — HAY OPOSICIÓN

DECRETO — AUTO → El ADQUIRENTE ocupa la posición de PARTE que tenía el TRANSMITETENTE

SUCESIÓN PROCESAL POR MUERTE	
Art. 16 LEC	
CONCEPTO	La transmisión <u>MORTIS CAUSA</u> se produce por el <u>FALLECIMIENTO de una de las partes</u>, ocupando sus <u>HEREDEROS</u> la posición del fallecido, sea actor o demandado, a todos los efectos legales

FORMA	• Una vez conste la DEFUNCIÓN del litigante se distingue:
	 • Si los HEREDEROS <u>se personan voluntariamente</u>, acreditando la defunción y su título sucesorio, previo traslado a las demás partes, se les tiene por personados en nombre del litigante difunto
	 • Si los HEREDEROS <u>no se han personado</u>, con suspensión del proceso, se distingue:
	   1) Si los herederos son <u>CONOCIDOS</u>, a instancia de parte y con identificación de sus nombres y domicilios, se les notifica la existencia del procedimiento, emplazándoles para comparecer en el plazo de diez días:
	     • Si no se personan y se trata del demandante, se les tiene por renunciados a la acción
	     • Si no se personan y se trata del demandado, se les declara en situación procesal de rebeldía
	   2) Si los HEREDEROS resultan <u>DESCONOCIDOS</u>, o no puedan ser <u>LOCALIZADOS</u>:
	     • Si se trata del demandante, se les tiene por desistidos del juicio
	     • Si se trata del demandado, se les cita o emplaza por medio de edictos, y si no comparecen, se les declara en situación de rebeldía, continuando el proceso adelante

AVERIGUACIÓN DE HEREDEROS	Aparte de las propias averiguaciones que pueda llevar a cabo la parte, las diligencias más <u>habituales</u> para la averiguación de los herederos son: • El <u>requerimiento personal</u> al heredero conocido, o al pariente que haya dado noticia de la defunción, para que aporte el testamento o declaración de herederos, o en su defecto, los datos de identidad y domicilios de los herederos • Con carácter excepcional, el libramiento de oficio a las <u>Fuerzas de Seguridad</u> para que lleven a cabo las diligencias de averiguación oportunas de los nombres y domicilios de los herederos, o de oficio a la Administración competente para la gestión del impuesto de sucesiones a los mismos efectos
FALLECIMIENTO ANTERIOR A LA	• Si el FALLECIMIENTO del demandado es <u>ANTERIOR</u> a la fecha de <u>presentación de la demanda</u>, sea de trá-

DEMANDA	mite o de ejecución de título no judicial, se acuerda la <u>INADMISIÓN a trámite</u> de la demanda, pues la sucesión procesal del art. 16 LEC sólo regula el fallecimiento ocurrido durante la tramitación del proceso, y en caso de conocerse el fallecimiento anterior durante dicha tramitación –normalmente en la práctica de la diligencia de citación o emplazamiento–, en lugar de la inadmisión a trámite, se acuerda el archivo del proceso por la misma causa
	• En caso de ser <u>varios</u> los demandados, la actora deberá instar la continuación del proceso respecto de los demás, en la forma que a su derecho convenga

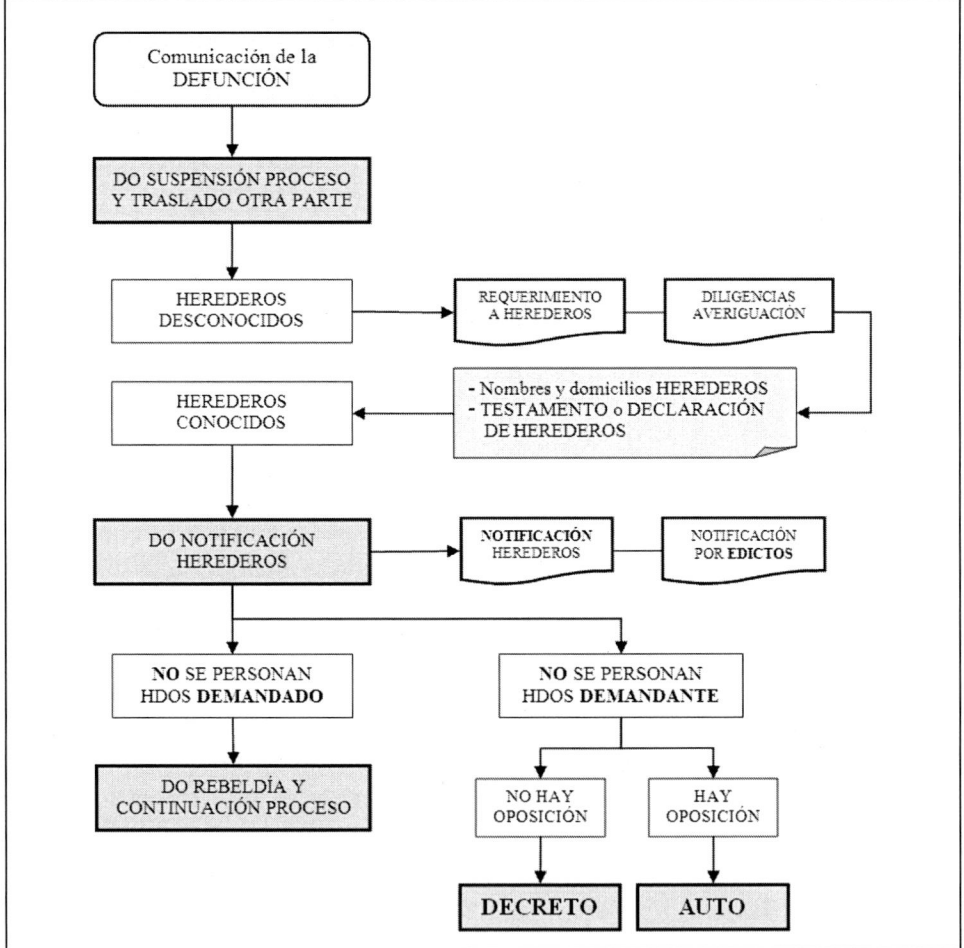

V
INTERVENCIÓN DE TERCEROS

INTERVENCIÓN DE TERCEROS	
Arts. 13, 14 y 18 LEC	
CONCEPTO	Cuando la <u>PLURALIDAD de PARTES</u> se produce durante el proceso, o una vez iniciado el proceso, se habla de INTERVENCIÓN de TERCEROS, pudiendo distinguirse dos clases: • La intervención <u>VOLUNTARIA, o adhesiva</u>, que regula el <u>art. 13 LEC</u>, en la que el tercero, como <u>demandante</u> o como <u>demandado</u>, defiende un interés legítimo y propio, pero a través de un derecho ajeno y compatible con el de otra de las partes, de modo que la sentencia también le afecta y le vincula • La intervención <u>FORZOSA, o provocada</u>, que regulan los arts. 14 y 18 LEC, que es la llamada al proceso de un tercero por parte del demandante y del demandado, la cual sólo se admite en los <u>casos expresamente establecidos</u> por la ley, y en cuyos casos el tercero, aunque tiene las mismas facultades de actuación, no ostenta la cualidad de demandante ni de demandado, por lo que no puede ser condenado ni absuelto en la sentencia, sin perjuicio de que sus consecuencias puedan afectarle
SOLICITUD	• El <u>demandante</u> debe solicitarlo en la demanda • El <u>demandado</u> debe solicitarlo, en el juicio ordinario dentro del plazo de la contestación a la demanda, y en el juicio verbal cinco días antes del día señalado para la vista

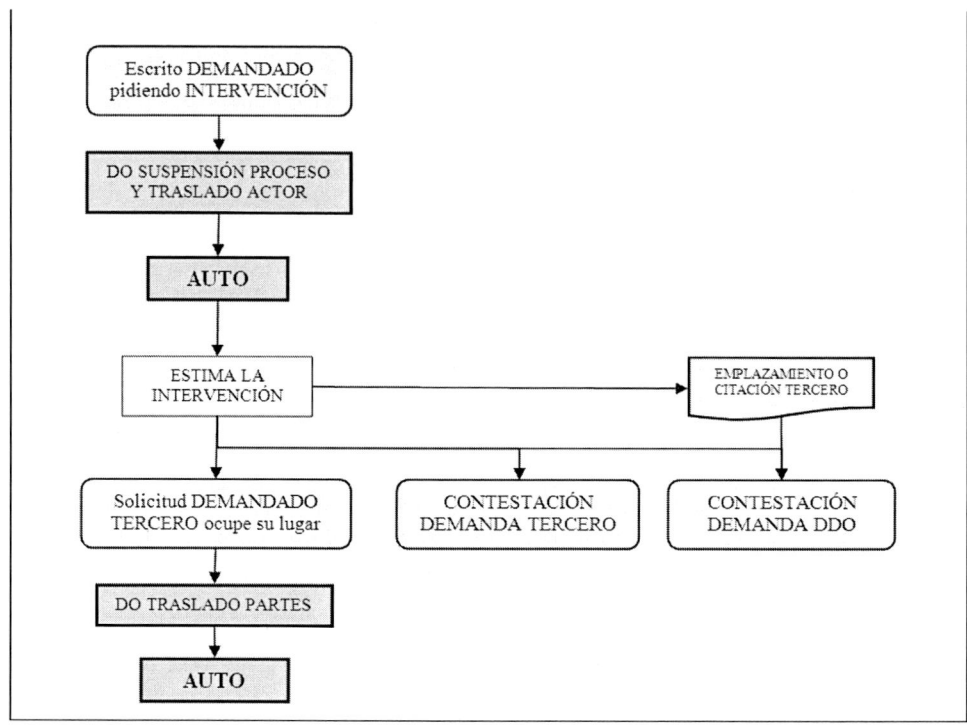

Terminación del proceso

SUMARIO:

I. TERMINACIÓN DEL PROCESO		
Terminación del proceso	Arts. 19 a 22, 206.1.3ª, 207, 209, 212 y ss. y 570 LEC	61
II. FORMAS ANORMALES DE TERMINACIÓN		
Cuadro resumen		64
Homologación de acuerdo	Arts. 19.2 LEC y 1809 y ss. CC	65
Suspensión a instancia de parte	Arts. 19.4, 179.2 y 565 LEC	65
Renuncia a la acción	Arts. 20.1 y 394 LEC y 6.2 CC	66
Desistimiento	Arts. 20.2 y 396 LEC	66
Allanamiento	Arts. 21 y 395 LEC	67
Satisfacción extraprocesal o carencia sobrevenida de objeto	Art. 22 LEC	68
Enervación del desahucio	Art. 22.4 y 5 LEC	68
Caducidad de la instancia	Arts. 236 a 240, 136 y 179 LEC	69
III. FORMAS DE TERMINACIÓN EN EJECUCIÓN		
Terminación en ejecución	Arts. 531, 570, 579, 583, 585, 586, 650.5 y 670.7 LEC y 1961 y 1965 CC	70

I
TERMINACIÓN DEL PROCESO

TERMINACIÓN DEL PROCESO	
Arts. 19 a 22, 206.1.3ª, 207, 209, 212 y ss. y 570 LEC	
CONCEPTO	• La <u>forma normal</u> de terminación de los procesos es la <u>sentencia</u> contradictoria, que es la resolución que se

	dicta tras el normal desarrollo de la fase de alegaciones y prueba del proceso • A las demás formas de paralización o terminación del proceso se las suele englobar bajo la expresión «crisis procesales», o más comúnmente, bajo la expresión «terminación anormal del proceso»
RESOLUCIONES DEFINITIVAS	• Son resoluciones DEFINITIVAS las que ponen fin al proceso, en primera instancia, en segunda instancia o en ejecución • Todas las resoluciones definitivas, tanto en fase de trámite, como en fase de ejecución, van NUMERADAS, uniéndose a los autos por TESTIMONIO, y llevándose el original al correspondiente Libro de Sentencias, Autos o Decretos definitivos del tribunal • Por cada procedimiento, en fase de trámite o en fase de ejecución, sólo puede haber una resolución definitiva numerada
NOTIFICACIÓN	• A todas las partes personadas, a través de su PROCURADOR • A la parte REBELDE, o sin Procurador, de oficio y personalmente, en su domicilio • En el caso de las sentencias, de resultar negativa la notificación personal, por medio de edicto, en extracto, a publicar en el Boletín Oficial del Estado, o de la Comunidad Autónoma
RECURSOS	• Recurso directo de REVISIÓN, si se trata de decretos definitivos • Recurso de APELACIÓN, si se trata de sentencias o de autos definitivos
FIRMEZA	• Una vez notificada en legal forma la resolución definitiva a todas las partes, transcurrido el plazo para la interposición de recurso sin que éste se haya formulado, por diligencia de ordenación se declara la firmeza de la resolución y el archivo de los autos, notificándose a las partes a fin de que, teniendo conocimiento de ello, puedan instar lo que a su derecho convenga, y en su caso, la eventual ejecución

TERMINACIÓN NORMAL EN FASE DE TRÁMITE

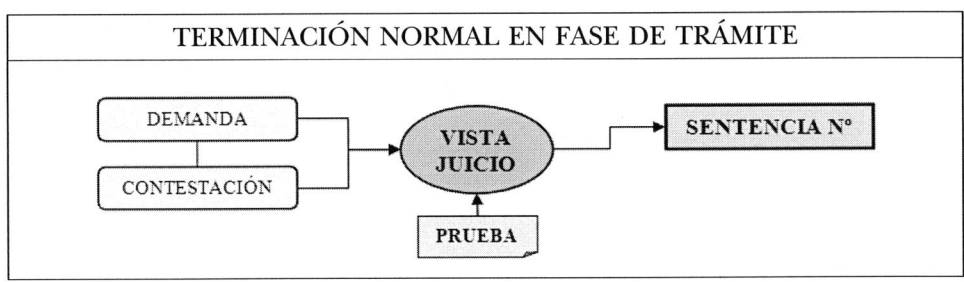

TERMINACIÓN ANORMAL EN FASE DE TRÁMITE

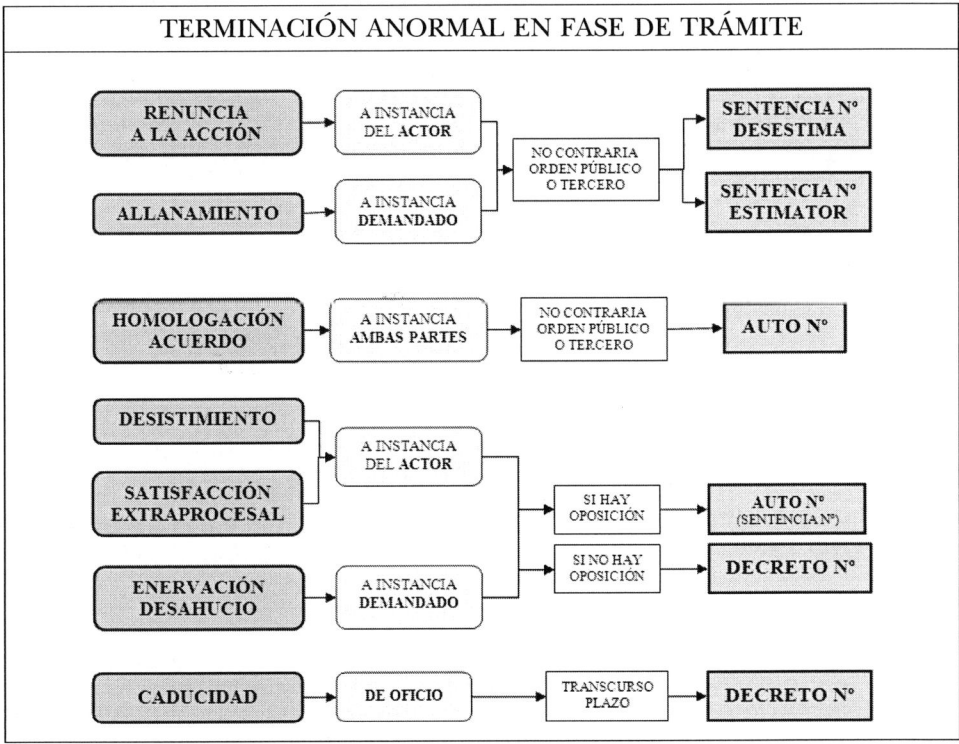

TERMINACIÓN EN FASE DE EJECUCIÓN

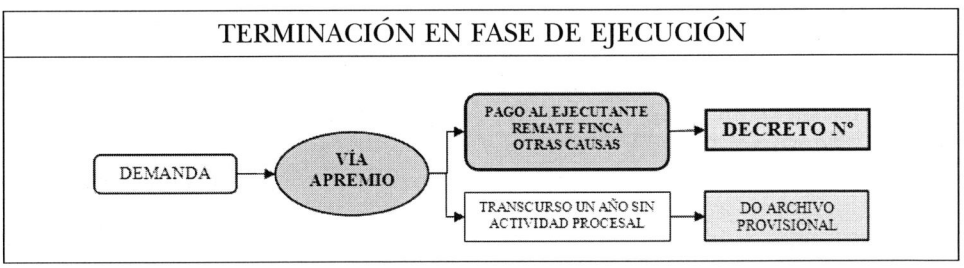

67

II
FORMAS ANORMALES DE TERMINACIÓN

CUADRO RESUMEN				
FORMA ANORMAL	**LEC**	**PETICIÓN**	**RESOLUCIÓN**	**EFECTOS**
RENUNCIA	20.1	Actor	Sentencia absolutoria	Extinción del derecho o acción
ALLANAMIENTO	21.1	Demandado	Sentencia condenatoria	Resuelve la cuestión de fondo
ALLANAMIENTO PARCIAL	21.2	Demandado	Auto	Resuelve parcialmente la cuestión de fondo
TRANSACCIÓN O ACUERDO	19.2	Ambas partes	Auto	Resuelve la cuestión de fondo
DESISTIMIENTO	20.2	Actor	Auto o decreto (con o sin oposición)	Terminación del proceso
SATISFACCIÓN EXTRAPROCESAL	22.1	Actor o demandado	Auto o decreto (con o sin oposición)	Resuelve la cuestión de fondo
ENERVACIÓN EN EL DESAHUCIO	22.4	Actor o demandado	Sentencia o decreto (con o sin oposición)	Resuelve la cuestión de fondo
CADUCIDAD	237	Inactividad Tiempo	Decreto	Terminación del proceso
SUSPENSIÓN	19.4 y 179	Actor y/o demandado	Decreto	Archivo provisional
El JUEZ o tribunal resolverá en todos los casos en que haya OPOSICIÓN de la parte contraria, sea al desistimiento unilateral del actor, sea la satisfacción procesal o carencia sobrevenida de objeto, o la enervación del juicio de desahucio (en este último caso, previa celebración de vista)				

HOMOLOGACIÓN DE ACUERDO	
Arts. 19.2 LEC y 1809 y ss. CC	
CONCEPTO	Es un acto de disposición de <u>TODAS las PARTES</u> sobre el objeto del proceso, en virtud del cual, <u>dando, prometiendo, o reteniendo</u> cada una alguna cosa, ponen término al mismo
REQUISITOS	• Las partes pueden disponer del objeto del proceso en <u>cualquier fase</u> del mismo, en primera instancia, en fase de recurso o en ejecución • No hay imposición de <u>costas</u>, y cada parte paga las suyas • El auto de homologación del acuerdo es <u>título ejecutivo</u>, pero no tiene el valor de cosa juzgada material, por cuanto la transacción es un contrato que supone el sometimiento obligacional de las partes a estar y pasar por los términos del contrato

Escrito **PARTES ACUERDO** → NO ES CONTRARIO AL INTERÉS NI ORDEN PÚBLICO NI PERJUICIO TERCERO → **AUTO Nº**

SUSPENSIÓN A INSTANCIA DE PARTE	
Arts. 19.4, 179.2 y 565 LEC	
CONCEPTO	<u>TODAS las PARTES</u> del proceso pueden pedir, conjuntamente, su <u>SUSPENSIÓN</u>, generalmente, por encontrarse en vías de llegar a un acuerdo
FASE DE TRÁMITE	• La solicitud han de hacerla <u>TODAS las partes</u> del proceso, aunque no estén aún personadas • Se acuerda por un plazo de <u>SESENTA DÍAS</u> • Transcurrido el plazo de sesenta días, sin que se inste la reanudación, se acuerda el <u>archivo provisional</u> de los autos, sin perjuicio de que pueda pedirse su reanudación, dentro del límite del plazo de <u>caducidad</u> de la instancia
FASE DE EJECUCIÓN	• La solicitud basta que se realice sólo por el <u>EJECUTANTE</u> • No se acuerda por <u>plazo</u>, procediéndose al archivo pro-

visional de la ejecución transcurrido un año sin actividad procesal

- Durante la suspensión <u>se mantienen</u> los embargos y medidas de <u>garantía</u> acordados

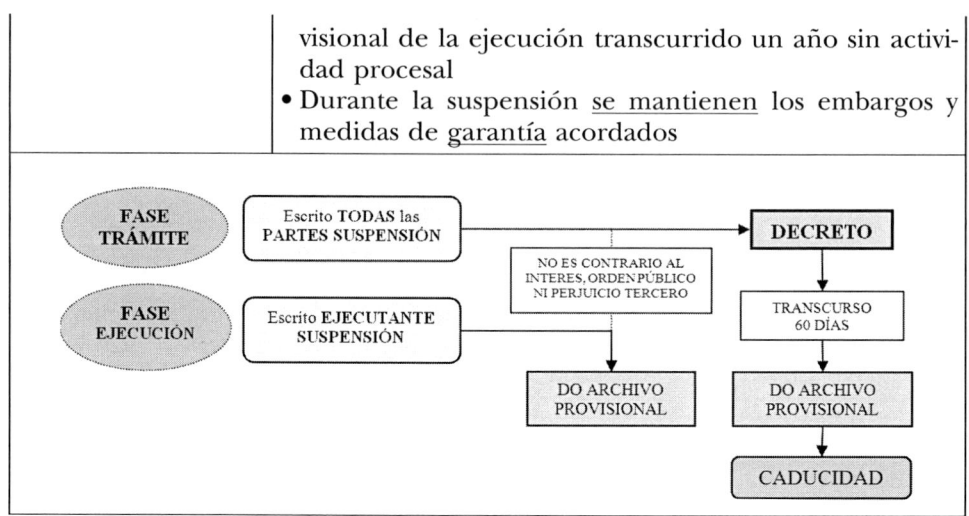

RENUNCIA A LA ACCIÓN	
Arts. 20.1 y 394 LEC y 6.2 CC	
CONCEPTO	Es la declaración de voluntad unilateral del <u>ACTOR</u> en virtud de la cual <u>renuncia</u> a la <u>acción concreta</u>, o al <u>derecho</u> en que funda su pretensión
REQUISITOS	• Es un acto de disposición del actor, que tiene los mismos efectos que una <u>sentencia desestimatoria</u> que absuelve al demandado y entra en el fondo, produciendo los efectos de la cosa juzgada • Se puede renunciar en <u>cualquier fase</u> del proceso, en primera instancia, en fase de recurso o en ejecución • No requiere la conformidad del demandado • Conforme al principio general del vencimiento, se imponen las costas al actor

```
Escrito ACTOR          NO ES CONTRARIO AL          SENTENCIA Nº
RENUNCIA       →    INTERÉS NI ORDEN PÚBLICO  →   DESESTIMATORIA
                     NI PERJUICIO TERCERO
```

DESISTIMIENTO	
Arts. 20.2 y 396 LEC	
CONCEPTO	Es la declaración de voluntad unilateral del <u>ACTOR</u> de <u>abandonar el proceso</u>, sin renunciar a la acción, dejando

	imprejuzgada la cuestión de fondo, y pudiendo promover <u>nuevo juicio</u> sobre el mismo objeto
	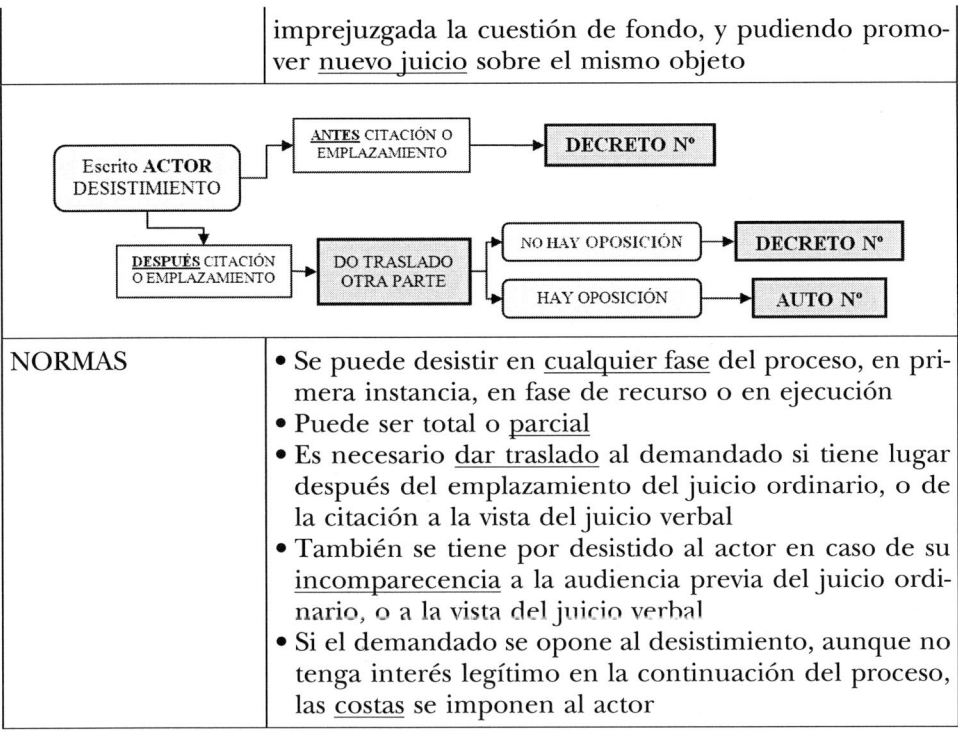
NORMAS	• Se puede desistir en <u>cualquier fase</u> del proceso, en primera instancia, en fase de recurso o en ejecución • Puede ser total o <u>parcial</u> • Es necesario <u>dar traslado</u> al demandado si tiene lugar después del emplazamiento del juicio ordinario, o de la citación a la vista del juicio verbal • También se tiene por desistido al actor en caso de su <u>incomparecencia</u> a la audiencia previa del juicio ordinario, o a la vista del juicio verbal • Si el demandado se opone al desistimiento, aunque no tenga interés legítimo en la continuación del proceso, las <u>costas</u> se imponen al actor

ALLANAMIENTO	
Arts. 21 y 395 LEC	
CONCEPTO	Es una declaración de voluntad unilateral del <u>DEMANDADO</u>, expresa e incondicional, en virtud de la cual <u>acepta las pretensiones</u> deducidas en la demanda con la intención de que el proceso no continúe
NORMAS	• Para allanarse <u>no es necesario estar personado</u>, pudiendo realizarse por simple escrito o comparecencia en la Oficina judicial, siempre que sea simple, puro y referido únicamente a las pretensiones objeto del proceso • El demandado se puede allanar en <u>cualquier fase</u> del proceso, aunque lo normal es hacerlo en fase de trámite • Cabe el allanamiento total o <u>parcial</u> • Las <u>costas</u> se imponen al demandado con carácter general, salvo que tenga lugar antes de la contestación a la demanda, y no se aprecie mala fe previa al proceso, o antes de la demanda ya hubiera habido acto de conciliación o requerimiento fehaciente de pago

	• La declaración de <u>REBELDÍA</u> implica sólo la no personación, pero no implica el allanamiento del demandado

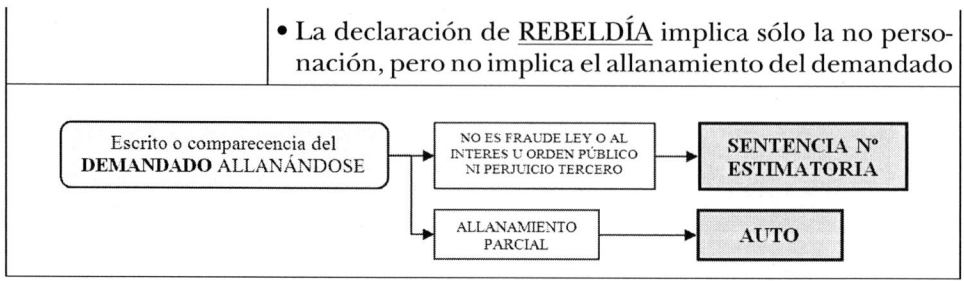

SATISFACCIÓN EXTRAPROCESAL O CARENCIA SOBREVENIDA DE OBJETO	
Art. 22 LEC	
CONCEPTO	La parte actora <u>deja de tener interés legítimo</u> en la <u>tutela judicial</u> solicitada en su demanda, bien sea por satisfacción extraprocesal, o bien sea por cualquier otra circunstancia sobrevenida
NORMAS	• Si la parte demandada no está aún personada, no es necesario <u>darle traslado</u> de la solicitud del actor • Si no hay oposición no hay condena en <u>costas</u> para ninguna de las partes, y en caso de oposición, las costas se imponen a la parte que vea rechazadas sus pretensiones • En caso de <u>oposición</u>, contra el auto que acuerda la terminación del juicio cabe <u>recurso de apelación</u>, y contra el auto que acuerda su continuación no cabe recurso alguno

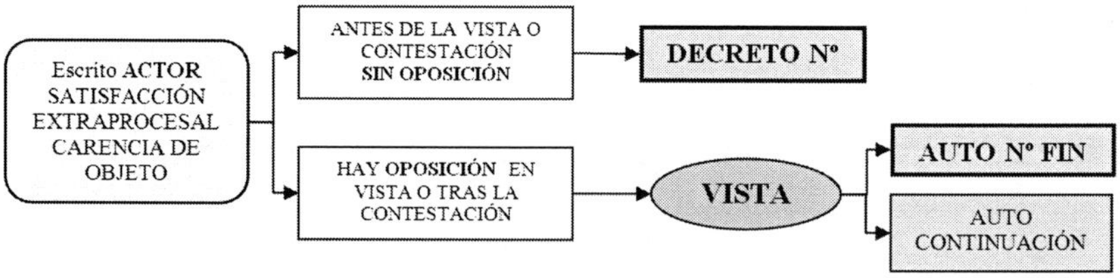

ENERVACIÓN DEL DESAHUCIO	
Arts. 22.4 y 5 LEC	
CONCEPTO	Es un supuesto especial en los casos de <u>DESAHUCIO de fincas por FALTA DE PAGO</u> en virtud del <u>PAGO</u> hecho por el demandado, por <u>una sola vez</u>, de las cantidades

	adeudadas por todos los conceptos hasta dicho momento, dentro del plazo de diez días contados desde que sea requerido de pago con la admisión de la demanda, o en caso de oposición, con carácter previo a la celebración de la vista

EXCLUSIÓN	• <u>NO CABE</u> la enervación del desahucio en dos supuestos:
	    1) Cuando el arrendador haya <u>REQUERIDO de pago</u> al arrendatario, fehacientemente, con un mes de antelación a la presentación de la demanda; y para dar por válido este requerimiento debe haberse advertido, clara y terminantemente, las consecuencias jurídicas del impago, y en particular, que el arrendatario perderá el derecho de enervar la acción de desahucio
	    2) Cuando el arrendatario ya haya enervado el desahucio en <u>UNA OCASIÓN ANTERIOR</u>
	• La excepción del derecho del arrendatario a enervar debe ser interpretada restrictivamente y en beneficio de éste

NORMAS	• Las <u>costas</u> se imponen al demandado, salvo que las rentas no se hayan cobrado por causa imputable al arrendador

```
                          ┌──► SIN OPOSICIÓN ──────► DECRETO Nº
   Escrito                │
ENERVANDO EL ─────────────┤
 DESAHUCIO                │
                          └──► OPOSICIÓN ──────► VISTA ──────► SENTENCIA Nº
                               DEL ACTOR
```

CADUCIDAD DE LA INSTANCIA	
Arts. 236 a 240, 136 y 179 LEC	

CONCEPTO	• Es la terminación anormal del proceso por la <u>SIMPLE INACTIVIDAD</u> de las partes, sin realización de actividad procesal, durante <u>el plazo</u> establecido por la ley
	• Su fundamento es la presunción legal de la falta de interés o abandono de su pretensión por la parte
	• Su <u>efectos</u> son:
	    • En primera instancia, los mismos del desistimiento
	    • En fase de recursos, la firmeza de la resolución

	• En fase de ejecución, no hay caducidad de la instancia

PLAZOS	• Los <u>PLAZOS</u> de caducidad son, contados desde la última notificación:
	  • <u>DOS AÑOS</u>, si el proceso está en primera instancia
	  • <u>UN AÑO</u>, si el proceso está en segunda instancia o casación

NORMAS	• La acción puede <u>ejercitarse de nuevo</u> en otro proceso • Los plazos se cuentan desde la <u>última notificación</u> a las partes • No se produce en caso de <u>causa no imputable</u> a la parte o fuerza mayor, por ejemplo, no cabe en caso de extravío de los autos originales, o la falta de impulso procesal de oficio no da lugar a la caducidad • Deben <u>distinguirse</u> los plazos de caducidad de la instancia del art. 237 LEC, del plazo de caducidad de cinco años para el ejercicio de la acción ejecutiva del art. 518 LEC • No hay condena en costas

```
┌──────────────────────┐
│  FASE DE TRÁMITE     │                              ┌─────────────────┐
│  PLAZO DOS AÑOS      │ ───────────────────────────▶ │  DECRETO Nº     │
│  SIN ACTIVIDAD       │                              └─────────────────┘
└──────────────────────┘
```

III
FORMAS DE TERMINACIÓN EN EJECUCIÓN

TERMINACIÓN EN EJECUCIÓN	
Arts. 531, 570, 579, 583, 585, 586, 650.5 y 670.7 LEC y 1961 y 1965 CC	
ARCHIVO DEFINITIVO *Arts. 570, 583, 586 y 579 LEC y 1964 CC*	En <u>fase de EJECUCIÓN</u>, los procesos se archivan definitivamente en alguno de los siguientes casos: • Por la <u>SATISFACCIÓN COMPLETA</u> del ejecutante, conforme al art. 570 LEC, por medio de derecho numerado • Por el <u>pago</u>, en cualquier momento, de las cantidades reclamadas en conceptos de principal, intereses y costas, conforme a los arts. 583 y 586 LEC, previa práctica de las oportunas diligencias de liquidación de intereses y tasación de costas

	• Por <u>circunstancias sobrevenidas</u> por las que deje de haber interés legítimo en la tutela ejecutiva pretendida, bien porque las partes hayan llegado a un acuerdo, bien porque se hayan satisfecho fuera del proceso las pretensiones del ejecutante, o por otras causas, por aplicación analógica del art. 22.1 LEC, por medio de decreto numerado • En las <u>ejecuciones hipotecarias</u>, por la adjudicación del bien hipotecado, conforme al art. 579 LEC, por medio de decreto numerado • Por el transcurso de <u>quince años</u> sin actividad procesal alguna, por PRESCRIPCIÓN de la acción personal ejercitada, conforme a los arts. 1961 y 1964 CC, por medio de auto numerado
PAGO *Arts. 531, 583, 585, 586, 650.5 y 670.7 LEC*	Además del archivo por satisfacción total del ejecutante, se prevé el archivo de la ejecución por la <u>consignación o PAGO</u> por el ejecutado del PRINCIPAL, INTERESES y COSTAS –previa práctica de las oportunas <u>liquidación</u> de intereses y <u>tasación de costas</u>–, en los siguientes casos: • En <u>ejecución provisional</u>, teniendo en cuenta que en estos supuestos no ha lugar a la práctica de la tasación de costas si la consignación se produce dentro del plazo de veinte días contados desde la notificación del auto de orden general de ejecución, por aplicación analógica del plazo de espera del art. 548 LEC • En el momento del <u>requerimiento de pago</u>, en los casos en que es preceptivo, en ejecución de títulos no judiciales • En evitación del <u>embargo</u>, a los fines de formular oposición, o en caso de no formularse o desestimarse, a los fines del pago • En cualquier momento anterior a la <u>adjudicación o aprobación</u> de remate de los bienes subastados
ARCHIVO PROVISIONAL	En fase de EJECUCIÓN, los procesos se archivan provisionalmente, sin perjuicio de su reapertura, en alguno de los siguientes casos: • Por <u>petición</u> de todas las partes personadas, conforme al art. 565.1 LEC, por diligencia de ordenación, si bien se admite se inste sólo por el ejecutante personado • Por la <u>falta de actividad procesal</u>, durante el transcurso de un año, por diligencia de ordenación de archivo provisional

• Por algunas de las <u>causas de suspensión</u> expresamente
establecidas en los arts. 566 a 569 LEC:
   • Por <u>rescisión o revisión</u> de sentencia firme, o por
   <u>prejudicialidad penal</u>, por medio de auto
   • Por <u>concurso de acreedores</u>, por medio de decreto

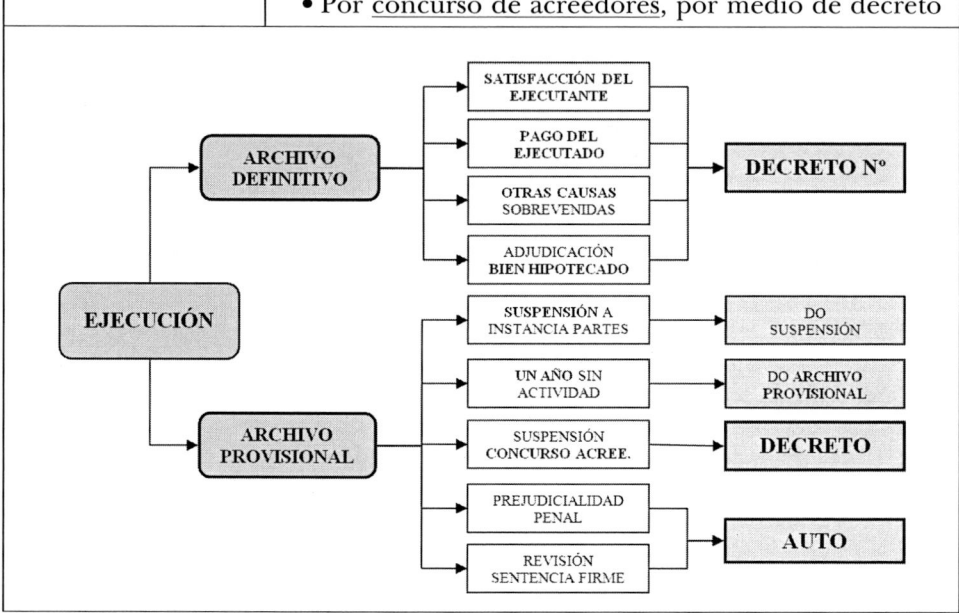

Recursos

SUMARIO:

I
CONCEPTO

CONCEPTO	
CONCEPTO	Los Tribunales también pueden <u>resolver erróneamente</u>, bien por no aplicar la norma legal adecuada, bien por no valorar correctamente los hechos litigiosos Para ello, se establece un <u>sistema de recursos</u> que permiten la <u>revisión</u>, o <u>nuevo conocimiento</u> de las cuestiones resueltas por una resolución procesal no firme, pudiendo impugnarse pronunciamientos tanto de contenido material, como de contenido procesal
CLASES	Se distinguen dos clases de recursos: • Los recursos <u>ORDINARIOS</u>, que son los recursos de reposición, revisión, apelación y queja • Los recursos <u>EXTRAORDINARIOS</u>, que sólo caben en

	los casos y con los requisitos expresamente establecidos por la ley, que son los recursos de <u>casación</u>, extraordinario por infracción procesal, y en interés de ley, los cuales son resueltos, según los casos, por el Tribunal Supremo o los Tribunales Superiores de Justicia de la Comunidad Autónoma

II **RECURSOS ORDINARIOS**

RECURSO DE REPOSICIÓN	
Arts. 210, 285 y 451 y ss. LEC y DA 15ª LOPJ	
CONCEPTO	Es un recurso, ordinario y no devolutivo –en cuanto que se interpone y se resuelve por el mismo Juzgado que ha dictado la resolución recurrida– contra <u>resoluciones de TRÁMITE</u>, en el que se solicita que se revoque la resolución recurrida, y se sustituya por otra acorde al precepto que se invoca como infringido
RESOLUCIONES RECURRIBLES	El recurso de reposición puede interponerse: 1) Contra las <u>PROVIDENCIAS y AUTOS</u> no definitivos, que es resuelto por el <u>Juez</u> 2) Contra las <u>DILIGENCIAS DE ORDENACIÓN y DECRETOS</u> no definitivos, que es resuelto por el Secretario judicial 3) Contra las <u>resoluciones ORALES</u>, que se tramita y decide también oralmente, por el Juez o Secretario judicial, según ante quién se celebre la vista o comparecencia, sin perjuicio de su documentación posterior
EFECTOS	La interposición del recurso de reposición <u>no suspende</u> la ejecución de lo acordado
REQUISITOS	1) <u>PLAZO</u> de <u>5 DÍAS</u>, contados desde el siguiente al de la notificación de la resolución recurrida, o de su aclaración desde o la denegación de ésta 2) Cita del <u>PRECEPTO INFRINGIDO</u>, admitiéndose en algunos casos la cita de preceptos genéricos como el art. 24 CE 3) Constitución del <u>DEPÓSITO</u> para recurrir de <u>25 euros</u>, en el caso de recursos contra las resoluciones del

	Juez, no exigiéndose respecto de las resoluciones del Secretario judicial por omisión de la Disposición Adicional 15ª de la LOPJ El defecto, <u>omisión</u> o error en la constitución del depósito para recurrir es <u>subsanable</u>, a cuyo efecto se concederá al recurrente, por diligencia de ordenación, un plazo de dos días, transcurrido el cual se inadmitirá a trámite el recurso

TRÁMITE	• En caso de <u>inadmisión a trámite</u>, la resolución que se dicta es:
	  • <u>Providencia</u>, no recurrible, cuando se trata de recurso de reposición contra las resoluciones del Juez
	  • <u>Decreto</u>, recurrible en revisión, cuando se trata de recurso de reposición contra las resoluciones del Secretario judicial
	• Si el recurso cumple los requisitos legales, <u>se admite a trámite</u> por diligencia de ordenación, en la que se acuerda <u>dar traslado</u> a las demás partes, por el término de cinco días, a fin de que puedan impugnar el recurso, transcurrido el cual, háyanse presentado escritos o no, se resuelve lo que proceda

RESOLUCIÓN	1) Por <u>auto del Juez</u>, si de trata de recurso contra las <u>providencias y autos</u> no definitivos
	En el auto que resuelve el recurso, se acuerda el <u>destino del depósito</u> constituido para recurrir:
	  • Si el recurso se inadmite a trámite, o es <u>desestimado</u>, el recurrente pierde el depósito, acordándose su transferencia a la cuenta especial del Tesoro Público
	  • Si el recurso es <u>estimado</u>, total o parcialmente, se acuerda su devolución al recurrente
	2) Por <u>decreto del Secretario judicial</u>, si se trata de recurso contra las <u>diligencias de ordenación y decretos</u> no definitivos

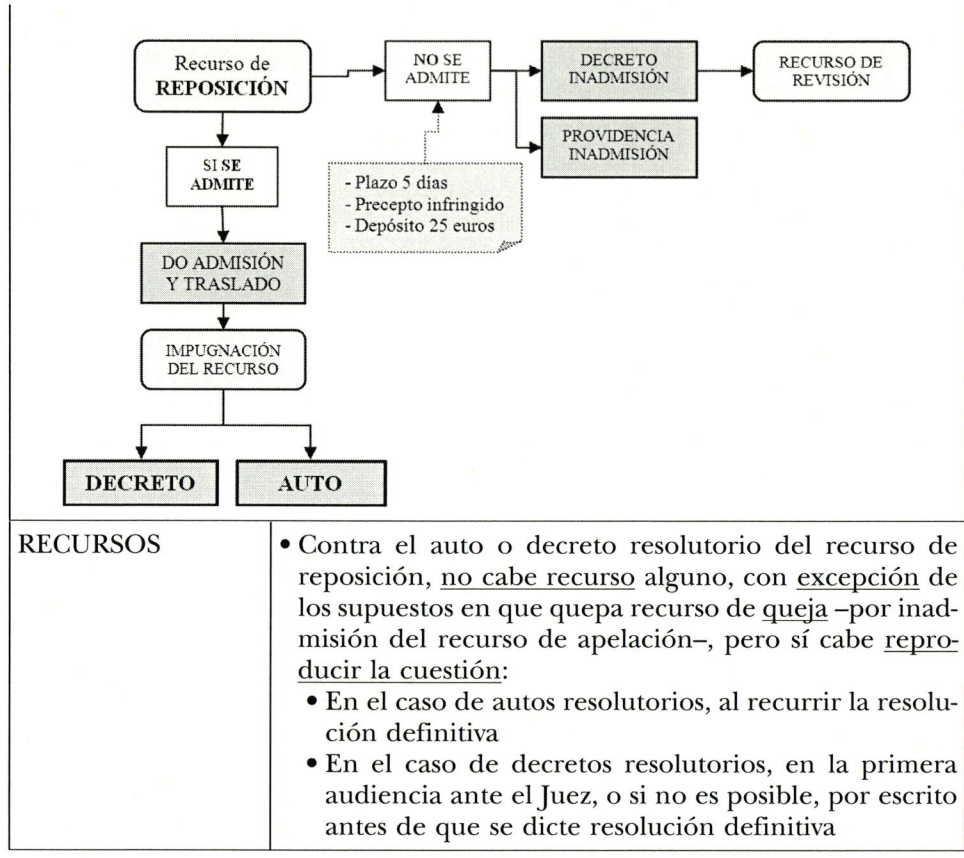

RECURSOS	• Contra el auto o decreto resolutorio del recurso de reposición, <u>no cabe recurso</u> alguno, con <u>excepción</u> de los supuestos en que quepa recurso de <u>queja</u> –por inadmisión del recurso de apelación–, pero sí cabe <u>reproducir la cuestión</u>:
	  • En el caso de autos resolutorios, al recurrir la resolución definitiva
	  • En el caso de decretos resolutorios, en la primera audiencia ante el Juez, o si no es posible, por escrito antes de que se dicte resolución definitiva

RECURSO DE REVISIÓN	
Arts. 454 Bis LEC y DA 15ª LOPJ	
CONCEPTO	Es un recurso ordinario y no devolutivo contra las <u>resoluciones del Secretario judicial</u>, que se tramita ante el mismo Juzgado y <u>se resuelve por el JUEZ</u>, en el que se solicita que este último revoque la resolución recurrida, y se sustituya por otra acorde al precepto que se invoca como infringido
RESOLUCIONES RECURRIBLES	El recurso de revisión puede interponerse contra los siguientes <u>DECRETOS</u> del Secretario judicial: 1) Los que <u>ponen fin al procedimiento</u> o impiden su continuación 2) Los DECRETOS en que <u>expresamente así se prevee</u>, entre ellos, a título de <u>ejemplo</u>, los siguientes:

	• El decreto declarando la caducidad de la instancia (art. 237.2 LEC) • El decreto aprobando la tasación de costas (art. 244 LEC) • El decreto resolviendo la impugnación de costas por excesivas o por indebidas (art. 246.3 y 4 LEC) • El decreto dando al juicio la tramitación que corresponde (art. 254.1 LEC) • El decreto inadmitiendo la oposición a medidas ejecutivas concretas en caso de no ofrecimiento de medidas alternativas (art. 528.3 LEC) • El decreto de medidas ejecutivas, averiguación de bienes y requerimiento de pago en su caso (art. 551.5 LEC) • El decreto contrario al título ejecutivo (art. 563.1 LEC) • El decreto de archivo de la ejecución por la completa satisfacción del acreedor (art. 570 LEC) • El decreto fijando multas coercitivas al ejecutado (art. 589.3 LEC) • La resolución acordando la entrega de cantidades (607.7 LEC) • El decreto de embargo, mejora o modificación de embargos (arts. 612, 700 y 706.2 LEC) • Las resoluciones sobre la administración judicial (arts. 632.3 y 690.3 LEC) • El decreto de adjudicación o de aprobación del remate de bienes subastados (arts. 650.4 y 670.4 LEC) • El decreto acordando el embargo en garantía de la ejecución no dineraria (art. 700 LEC) • El decreto de fijación del coste del hacer no personalísimo por parte de un tercero en caso de incumplimiento por el ejecutado (art. 706.1 LEC)
EFECTOS	La interposición del recurso de revisión <u>no suspende</u> la ejecución de lo acordado
REQUISITOS	Son los mismos que se exigen para el recurso de reposición contra las resoluciones del Juez, es decir: 1) <u>PLAZO</u> de <u>5 DÍAS</u> 2) Cita de <u>INFRACCIÓN</u> cometida 3) Constitución del <u>DEPÓSITO</u> para recurrir de <u>25 euros</u>

81

TRÁMITE	• En caso de <u>inadmisión a trámite</u>, se acuerda por providencia, no susceptible de recurso • Si el recurso cumple los requisitos legales, <u>se admite a trámite</u> por diligencia de ordenación –tampoco susceptible de recurso alguno–, tramitándose el recurso del mismo modo establecido para el recurso de reposición
RESOLUCIÓN	• Por medio de <u>auto</u> del Juez En el auto que resuelve el recurso, se acuerda el destino del depósito constituido para recurrir, en el mismo sentido que para el recurso de reposición, según sea inadmitido a trámite, estimado, total o parcialmente, o desestimado

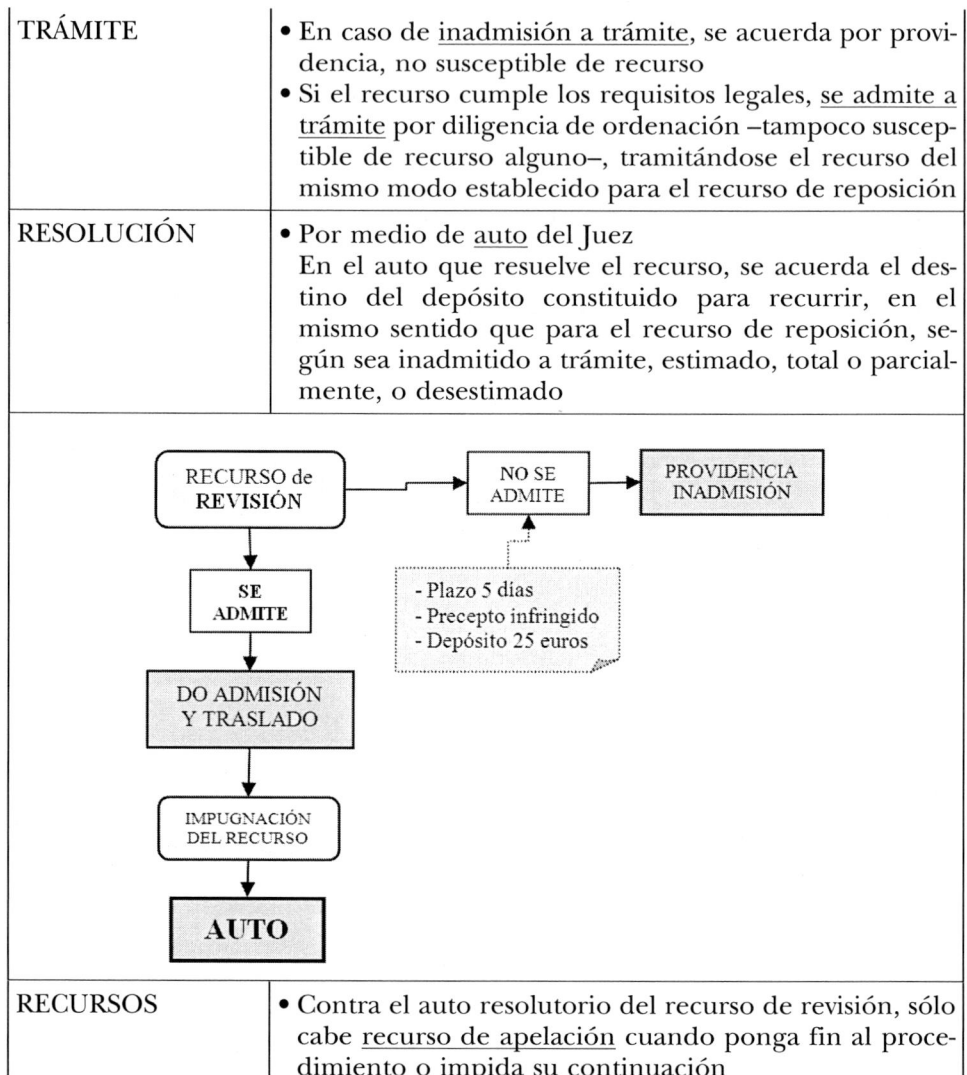

RECURSOS	• Contra el auto resolutorio del recurso de revisión, sólo cabe <u>recurso de apelación</u> cuando ponga fin al procedimiento o impida su continuación

RECURSO DE APELACIÓN	
Arts. 455 y ss. LEC y DA 15ª LOPJ	
CONCEPTO	Es un recurso ordinario y devolutivo –en cuanto se resuelve por el órgano superior–, contra <u>resoluciones DEFINITIVAS</u>, en virtud del cual se trae la cuestión objeto de la resolución recurrida al conocimiento del órgano superior, la Audiencia Provincial

	La apelación, o SEGUNDA INSTANCIA, permite un nuevo examen del asunto, sobre la base de las mismas alegaciones y pruebas practicadas en primera instancia, e incluso, la posibilidad excepcional de formular nuevas alegaciones o practicar nuevas pruebas
RESOLUCIONES RECURRIBLES	El recurso de apelación puede interponerse: 1) Contra las SENTENCIAS, con excepción de las dictadas en juicios verbales cuya cuantía no supere los 3.000 euros 2) Contra los AUTOS DEFINITIVOS o numerados 3) Contra los demás autos respecto de los que expresamente se prevea, por ejemplo, los autos denegando el despacho de la ejecución, o la adopción o denegación de una medida cautelar Respecto de estos últimos, la LEC establece un criterio restrictivo en la admisión del recurso de apelación, limitándose su admisión: • En fase de trámite, sólo contra las sentencias y autos definitivos, y excepcionalmente, contra los autos de suspensión del proceso por prejudicialidad civil o penal • En fase de ejecución, sólo en los casos expresamente establecidos –y sin efecto suspensivo–, principalmente, contra los autos que deniegan el despacho de ejecución, resuelven la oposición a la ejecución, fijan daños y perjuicios, acuerdan el sobreseimiento de la ejecución hipotecaria, o resuelven cuestiones relativas a la administración judicial (arts. 552, 561.3, 633.3, 695.4 y 716 LEC)
EFECTOS	• Si se trata de sentencia ESTIMATORIA la interposición del recurso suspende su ejecución, sin perjuicio de la posibilidad de instar la ejecución provisional • Si se trata de sentencia DESESTIMATORIA, o de auto definitivo, el recurso no suspende su ejecución
REQUISITOS	1) La INTERPOSICIÓN del recurso dentro del plazo de 20 DÍAS, contados desde el siguiente al de la notificación de la resolución recurrida, o de su aclaración, o desde la denegación de ésta 2) La exposición de las ALEGACIONES del recurso, además de la cita de la resolución recurrida y de los pronunciamientos que se impugnan 3) La CONSIGNACIÓN del PRINCIPAL objeto de con-

	dena, o de las <u>RENTAS debidas</u>, en las siguientes clases de juicios: • Juicios de accidentes de <u>tráfico</u> • Juicios de reclamaciones de <u>comunidades de propietarios</u> • Juicios de desahucio que lleven aparejado el <u>lanzamiento</u> Cuando con el recurso de apelación no se presente la acreditación documental de la constitución del depósito, dicho defecto se considera subsanable, pero siempre que conste en el documento que posteriormente se presente que la consignación se realizó <u>dentro del plazo</u> de interposición del recurso 4) La constitución del <u>DEPÓSITO</u> para recurrir de <u>50 euros</u> El defecto, <u>omisión</u> o error en la constitución del depósito para recurrir <u>es subsanable</u>, a cuyo efecto se concederá al recurrente, por diligencia de ordenación, un plazo de dos días, transcurrido el cual se inadmitirá a trámite el recurso 5) Las <u>TASAS JUDICIALES</u> en caso de ser el apelante <u>PERSONA JURÍDICA</u>, si bien su <u>no presentación</u> no es causa de inadmisión a trámite del recurso, y en caso de no presentación, el recurso se tramita, sin perjuicio de acordar librar la oportuna comunicación a la Administración Tributaria

TRÁMITE	• En caso de <u>inadmisión a trámite</u>, se acuerda por auto, contra el cual puede interponerse directamente en las siguientes fases: recurso de queja
	• Si el recurso cumple los requisitos legales, el recurso se tramita:
	  • La <u>ADMISIÓN A TRÁMITE</u> del recurso de apelación, teniéndose por interpuesto por diligencia de ordenación, y acordando dar traslado del mismo a las demás partes personadas a fin de que, en el plazo de diez días, puedan presentar escrito de <u>OPOSICIÓN al recurso</u>, o en su caso, de <u>impugnación</u> del mismo
	  • Contra la resolución teniendo por interpuesto el recurso de apelación <u>no cabe recurso</u> alguno, sin perjuicio de que pueda alegarse su inadmisibilidad en el trámite de oposición al recurso
	  • En caso de que se presente escrito de IMPUGNA-

	CIÓN –que se considera un nuevo recurso de apelación–, por diligencia de ordenación, se da nuevo traslado al apelante principal a fin de que, en el plazo de diez días, pueda formular nuevas alegaciones • La REMISIÓN de los autos, de modo que una vez presentados los escritos de oposición, o en su caso, de contestación a la impugnación, por diligencia de ordenación, se acuerda la REMISIÓN de los autos a la Audiencia Provincial, previo emplazamiento de las partes –y entrega de la oportuna cédula– por término de diez días
RESOLUCIÓN	• Por medio de auto o SENTENCIA de la Audiencia Provincial • Con la DEVOLUCIÓN y recibo de los autos de la Audiencia Provincial, junto con el testimonio de la resolución dictada en segunda instancia, se acuerda, por diligencia de ordenación, acusar recibo de la llegada de los autos, ponerlo ello en conocimiento de las partes, así como dar al depósito constituido para el recurso el destino procedente: 　• Si el recurso de apelación ha sido declarado desierto, o ha sido desestimado, se acuerda su transferencia a la cuenta especial del Tesoro Público 　• Si el recurso de apelación ha sido estimado, total o parcialmente, se acuerda la devolución del depósito al recurrente

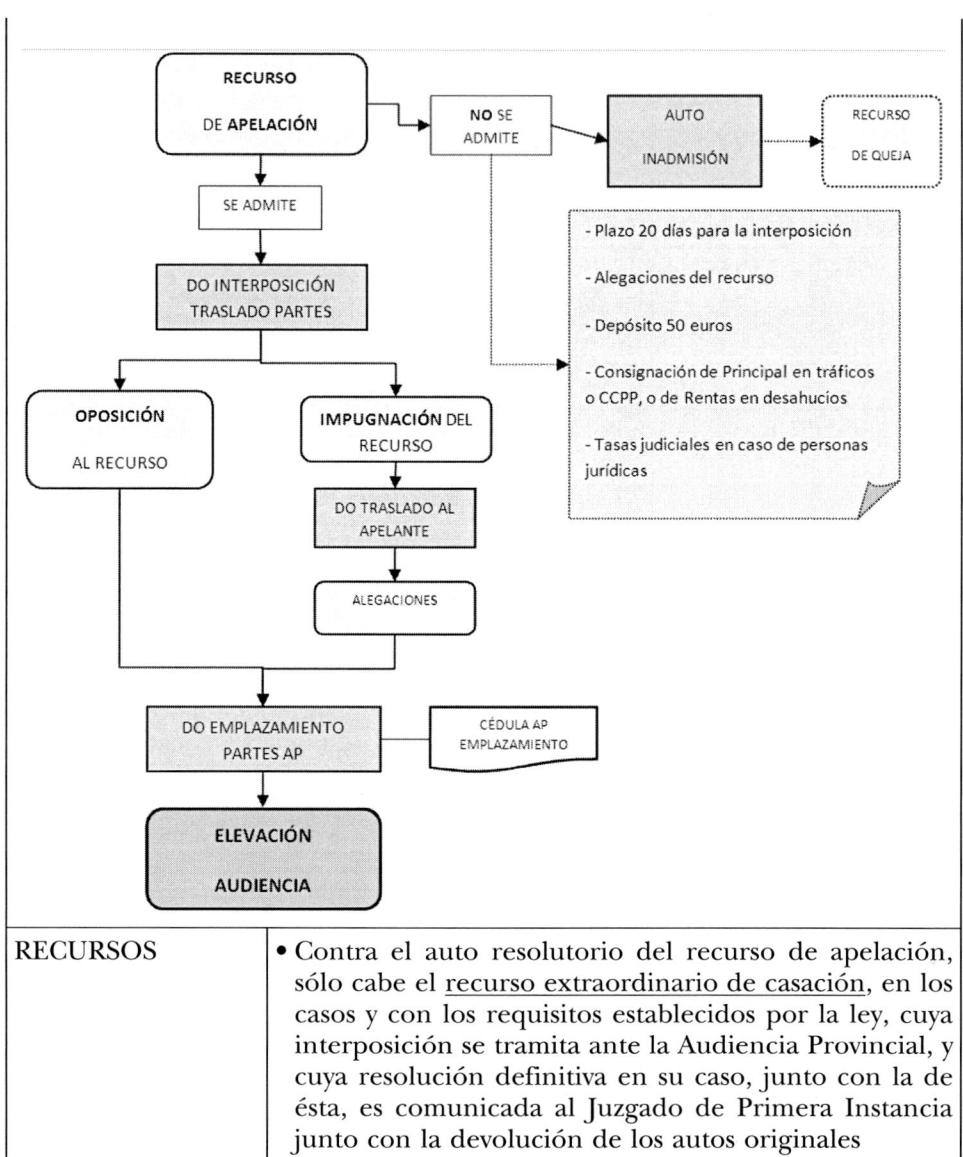

RECURSOS	• Contra el auto resolutorio del recurso de apelación, sólo cabe el <u>recurso extraordinario de casación</u>, en los casos y con los requisitos establecidos por la ley, cuya interposición se tramita ante la Audiencia Provincial, y cuya resolución definitiva en su caso, junto con la de ésta, es comunicada al Juzgado de Primera Instancia junto con la devolución de los autos originales

RECURSO DE QUEJA	
Arts. 494 y ss. LEC y DA 15ª LOPJ	
CONCEPTO	Es un recurso, ordinario y devolutivo, contra la resolución de <u>inadmisión</u> de un <u>recurso de apelación</u>, en virtud del cual se solicita del órgano superior, la <u>Audiencia</u>

	Provincial, que se declare la procedencia del recurso de apelación indebidamente admitido por el Juzgado de primera instancia
RESOLUCIONES RECURRIBLES	• Contra el auto INADMITIENDO a trámite el recurso de APELACIÓN • No se admite en los juicios de desahucio
TRÁMITE	• El recurso de queja ya no se prepara ante el Juzgado de 1ª Instancia • El recurso de queja se INTERPONE directamente ante la Audiencia Provincial, en el plazo de diez días, acompañando al recurso copia de la resolución recurrida, y el depósito necesario para recurrir • La interposición del recurso de queja no suspende la ejecución de lo acordado • La Audiencia Provincial, sin más trámite, resuelve por auto si estima bien o mal denegada la tramitación del recurso, lo que se comunica al Juzgado de 1ª Instancia a efectos de constancia, o de tramitación del recurso en su caso • Contra el auto que resuelve el recurso de queja no cabe recurso alguno

III
DEPÓSITOS PARA RECURRIR

DEPÓSITOS PARA RECURRIR DA 15ª LOPJ	
CONCEPTO	• Es una pequeña cantidad de dinero, exigida con la finalidad de desincentivar la presentación de recursos sin fundamento alguno, que la parte que se propone interponer un recurso debe consignar judicialmente, como requisito para la ADMISIÓN A TRÁMITE de dicho recurso • Hay que distinguir dos requisitos económicos de los recursos, que deben acreditarse en el momento de su interposición: • El DEPÓSITO PARA RECURRIR, que deben constituir, mediante su ingreso en la cuenta de consignaciones del tribunal, todos aquellos que interponen un recurso de reposición, revisión o apelación con-

	tra una resolución judicial o procesal, excepto cuando el recurrente tenga reconocido el beneficio de justicia gratuita, o se trate del Estado o del Ministerio Fiscal • Las <u>TASAS JUDICIALES</u>, que deben presentar, necesariamente en el <u>Modelo 696</u> de la Administración Tributaria, las partes que sean <u>personas jurídicas</u> al interponer recurso de apelación contra sentencia o auto, y aunque en su caso particular la declaración resulte negativa		
SUPUESTOS E IMPORTE	CLASE DE RECURSO	Momento de constitución	Importe
	• Recurso de reposición contra resoluciones del Juez	Interposición del recurso	25 €
	• Recurso de reposición contra resoluciones del Secretario Judicial	No necesita depósito	—
	• Recurso de revisión	Interposición del recurso	25 €
	• Recurso de apelación	Interposición del recurso	50 €
	• Recurso de queja	En la Audiencia Provincial	30 €
SUPUESTOS EXCLUIDOS	<u>No es necesaria</u> la constitución del depósito para recurrir en los siguientes casos: • Cuando el recurrente tenga reconocido el beneficio de la <u>justicia gratuita</u> • Cuando el recurrente sea el <u>Estado</u>, las Comunidades Autónomas, los entes locales, o sus organismos autónomos • Cuando el recurrente sea el <u>Ministerio Fiscal</u> • En los recursos contra resoluciones orales		
SUBSANACIÓN	• En la <u>notificación</u> de todas las resoluciones a las partes es necesaria, además de la indicación general de los recursos, la <u>indicación</u> en su caso de la necesidad de constitución del depósito para recurrir, así como de la forma de efectuarlo • En caso de que la parte haya incurrido en <u>defecto</u>, <u>OMISIÓN</u> o error en la constitución del depósito, por		

	diligencia de ordenación se le concede un plazo de dos días para la subsanación del defecto
DESTINO	• El depósito se DEVUELVE al recurrente, si el recurso es estimado, total o parcialmente • El depósito se TRANSFIERE a la cuenta especial del Tesoro Público, si el recurso es <u>inadmitido a trámite</u> por cualquier causa, es declarado <u>desierto</u> en caso de falta de personación ante el órgano competente, o es <u>desestimado</u>

Competencia, acumulación y suspensión

SUMARIO:

Otros supuestos de suspensión	Arts. 14, 16, 17, 64, 88.2, 102.2, 227 y 598.1 LEC, 163 CE, 35 y ss. LOTC, y 177 TCE	106

I JURISDICCIÓN Y COMPETENCIA

CONCEPTO	
Arts. 36, 44 a 47, 50 a 54 y 61 LEC y 9 LOPJ	
CONCEPTO	La COMPETENCIA es el <u>conjunto de procesos</u> de que un Juzgado o Tribunal puede conocer conforme a la ley, ejerciendo su función jurisdiccional de juzgar y hacer ejecutar lo juzgado

JURISDICCIÓN	
Arts. 36 LEC y 9 LOPJ	
CONCEPTO	La competencia genérica, o <u>JURISDICCIÓN</u>, es la que atribuye el conocimiento de los asuntos, dentro de la jurisdicción ordinaria, a <u>cada uno de las órdenes juris-diccionales</u>, o fuera de ella, a <u>otros tribunales o adminis-tración pública</u>, pudiendo distinguirse: • La jurisdicción <u>contencioso-administrativa</u> • La jurisdicción <u>social</u> • La jurisdicción <u>penal</u> • La jurisdicción militar • La sumisión a arbitraje o a mediación • Los Tribunales extranjeros • El Tribunal de cuentas • Otra administración pública

COMPETENCIA	
Arts. 44 a 47, 50 a 54 y 61 LEC	
CONCEPTO	La competencia específica, es la que distingue el conoci-miento de los asuntos dentro de los tribunales <u>CIVILES</u> Dentro de la competencia específica pueden distin-guirse, a su vez, tres <u>CLASES</u> de competencia: • La competencia OBJETIVA • La competencia FUNCIONAL • La competencia TERRITORIAL

COMPETENCIA OBJETIVA	
Arts. 44 a 47 LEC	
CONCEPTO	• La competencia OBJETIVA atribuye el conocimiento de los procesos civiles, en primera instancia, en función de la cuantía o naturaleza del asunto, pudiendo atribuirse el conocimiento de determinados asuntos a órganos especializados como: • Los Juzgados de Familia • Los Juzgados de Incapacidades • Los Juzgados de Violencia sobre lo Mujer • Los Juzgados de lo Mercantil • Los Juzgados de Paz

COMPETENCIA FUNCIONAL	
Art. 61 LEC	

CONCEPTO	• La competencia FUNCIONAL, atribuye el conocimiento de los asuntos en función dc las distintas FASES del proceso, distinguiéndose:
	  • El tribunal competente para conocer del asunto en primera instancia, es competente para dictar la primera sentencia, así como para conocer de todas las incidencias del proceso, y de la ejecución
	  • El tribunal competente para conocer del asunto en segunda instancia, que es la Audiencia Provincial

COMPETENCIA TERRITORIAL	
Arts. 50 a 53 LEC	

CONCEPTO	• La competencia TERRITORIAL atribuye el conocimiento de los asuntos, entre los distintos tribunales del mismo tipo, en función del territorio, en función de los llamados fueros, dentro de los cuales se distinguen:
	  • El FUERO GENERAL de los arts. 50 y 51 LEC, que determina el tribunal territorialmente competente para conocer de un asunto, para el caso de que no exista fuero especial de aplicación al caso concreto
	  • Los FUEROS ESPECIALES del art. 52 LEC, que determinan los tribunales territorialmente competentes para conocer de determinadas clases de asuntos

FUERO GENERAL	• Es el del juzgado del <u>domicilio del DEMANDADO</u>, su residencia, y en el caso de las personas jurídicas, el de su domicilio o lugar donde tengan establecimiento abierto al público
FUEROS ESPECIALES	Se establecen en el art. 52.1 LEC, y los más importantes son los que establecen la competencia territorial para conocer del asunto a favor de los siguientes tribunales: • Cuando se ejerciten acciones reales sobre <u>bienes inmuebles</u>, será tribunal competente, el del lugar en que esté sita la cosa litigiosa • En los <u>arrendamientos</u> de inmuebles y <u>desahucios</u>, el del lugar en que esté sita la finca • En materia de <u>propiedad horizontal</u>, el del lugar en que radique la finca • En las reclamaciones derivadas de la circulación de <u>vehículos de motor</u>, el del lugar en que se causaron los daños • En materia de <u>cuestiones hereditarias</u>, el del lugar en que el causante tuviera su último domicilio • Cuando se ejerciten acciones sobre cláusulas de <u>condiciones generales de la contratación</u>, el del domicilio del demandante • En la impugnación de <u>acuerdos sociales</u>, el del lugar del domicilio social • Cuando se ejerciten acciones sobre presentación y aprobación de las <u>cuentas</u> que de los <u>administradores</u> de bienes ajenos, el del lugar donde deban presentarse dichas cuentas • Cuando se ejerciten acciones sobre <u>obligaciones de garantía</u>, el que lo sea para conocer, o esté conociendo, de la obligación principal • En materia de derechos <u>al honor, a la intimidad personal y familiar y a la propia imagen</u> y, en general, en materia de protección civil de derechos fundamentales, el del domicilio del demandante • En materia de <u>incapaces</u>, el del lugar de residencia de éstos • En materia de <u>propiedad intelectual</u>, el del lugar en que la infracción se haya cometido • En materia de <u>competencia desleal</u>, el del lugar en que el demandado tenga su establecimiento

	• En las <u>tercerías</u> de dominio o de mejor derecho relacionadas con un <u>procedimiento administrativo</u>, el del domicilio del órgano que acordó el embargo • En materia de defensa de los intereses de <u>consumidores y usuarios</u>, el del lugar donde el demandado tenga un establecimiento
REGLAS ESPECIALES	• En caso de <u>ACUMULACIÓN de acciones</u>, es competente el Juzgado que lo sea para conocer de la acción principal o fundamento de la otra, o, el que lo sea para conocer del mayor número de acciones o las más importante cuantitativamente • En caso de <u>PLURALIDAD de demandados</u>, es competente el Juzgado que sea competente para conocer respecto de cualquiera de ellos

EXAMEN DE LA JURISDICCIÓN Y COMPETENCIA
Arts. 37 a 39, 48 a 49 Bis, 54 a 60, 62 a 67, 545.3, 684, 813 y 820 LEC y 15 LAJEIP

EXAMEN DE OFICIO	• Se aprecian <u>DE OFICIO</u>, tan pronto como sean advertidas:
	  • La falta de <u>JURISDICCIÓN</u>, por corresponder el conocimiento del asunto a tribunales extranjeros, arbitraje, mediación al Tribunal de Cuentas o a otra administración pública, o a tribunales de las jurisdicciones contencioso administrativo, social, penal o militar
	  • La falta de <u>COMPETENCIA OBJETIVA o FUNCIONAL</u>, por corresponder el conocimiento del asunto a los Juzgados de Familia, de Incapacidades, de lo Mercantil, de Violencia sobre la Mujer o de Paz, o el conocimiento de un recurso a la Audiencia Provincial

EXAMEN DE LA COMPETENCIA TERRITORIAL	• Como <u>regla general</u>, la reglas sobre <u>COMPETENCIA TERRITORIAL</u> tienen carácter <u>dispositivo</u>, y no imperativo, aplicándose sólo <u>en defecto de sumisión</u> expresa o tácita entre las partes:
	  • La sumisión <u>expresa</u> es el pacto de las partes por el que, de común acuerdo, fijan la circunscripción del tribunal al que se someten en caso de litigio entre ellos
	  • La sumisión <u>tácita</u> se produce:
	    • Para el demandante, por la mera presentación de la demanda

- Para el demandado, por cualquier actuación que realice ante el tribunal que no sea proponer en forma la declinatoria
- Por excepción, las reglas de competencia territorial son <u>imperativas</u> en los siguientes casos:
  - En los juicios ordinarios a que se refieren los números 1º y 4º a 15º del art. 52.1 LEC
  - En los juicios sobre contratos de adhesión, celebrados con consumidores o usuarios, o con condiciones generales
  - En los demás juicios respecto de los que expresamente así se establezca en la ley, como sucede en el caso de los juicios verbales, monitorios o cambiarios
- La competencia territorial sólo <u>se aprecia DE OFICIO</u> cuando venga fijada por <u>reglas imperativas</u>, en cuyo caso tampoco cabe la sumisión expresa o tácita, y por tanto, en resumen, puede decirse que la competencia territorial se examinará de oficio en los siguientes casos:
  - En los <u>juicios verbales</u>
  - En los juicios sobre <u>contratos de adhesión</u>, con condiciones generales, o celebrados con <u>consumidores</u> o <u>usuarios</u>
  - En los juicios ordinarios en los que sea de aplicación alguno de los fueros imperativos establecidos en los <u>números 1º y 4º a 15º del apartado uno y el apartado dos del art. 52 LEC</u>, entre los cuales destacan los siguientes:
    - Los juicios de desahucio o arrendamientos
    - Los juicios sobre propiedad horizontal
    - Los juicios en que se ejerciten acciones reales
    - Los juicios de accidentes de tráfico
    - Los juicios sobre herencias
  - En los <u>juicios monitorios</u>
  - En los <u>juicios cambiarios</u>
  - En las <u>ejecuciones de títulos no judiciales</u>
  - En las <u>ejecuciones hipotecarias</u>
  - En los juicios en que sea parte el <u>Estado u organismos públicos</u> –el Consorcio de Compensación de Seguros (la capital de provincia, conforme al art. 15 de la Ley para las que sólo son territorialmente competentes de Asistencia Jurídica al Estado e Instituciones Públicas)–

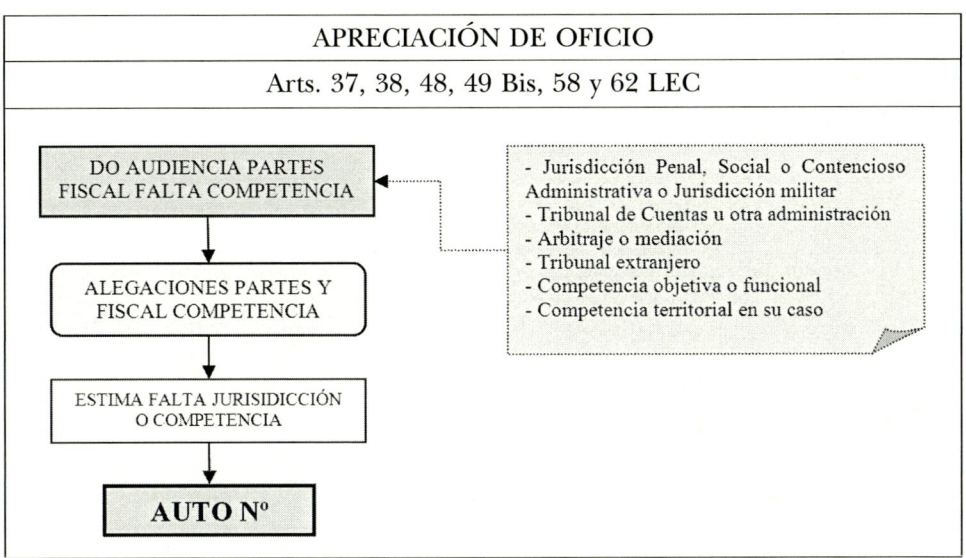

APRECIACIÓN DE OFICIO
Arts. 37, 38, 48, 49 Bis, 58 y 62 LEC

DO AUDIENCIA PARTES FISCAL FALTA COMPETENCIA

- Jurisdicción Penal, Social o Contencioso Administrativa o Jurisdicción militar
- Tribunal de Cuentas u otra administración
- Arbitraje o mediación
- Tribunal extranjero
- Competencia objetiva o funcional
- Competencia territorial en su caso

ALEGACIONES PARTES Y FISCAL COMPETENCIA

ESTIMA FALTA JURISIDICCIÓN O COMPETENCIA

AUTO Nº

DECLINATORIA	
Arts. 39, 49, 59 y 63 a 66 LEC	

EXAMEN SÓLO A INSTANCIA DE PARTE	• El <u>demandado</u> puede denunciar también, mediante la presentación de <u>DECLINATORIA</u>:
	  • La falta de <u>jurisdicción</u>, por corresponder el conocimiento del asunto a tribunales extranjeros, arbitraje, mediación al Tribunal de Cuentas o a otra administración pública, o a tribunales de las jurisdicciones contencioso administrativo, social, penal o militar
	  • La falta de <u>competencia</u>, sea competencia objetiva, funcional o territorial, pero en caso de competencia territorial el demandado ha de indicar el tribunal que considera territorialmente competente

TRÁMITE	• La declinatoria debe presentarse:
	  • Dentro del plazo de los <u>diez primeros días</u> del concedido para contestar a la demanda en el juicio <u>ordinario</u>, o dentro de los <u>cinco días</u> posteriores a la <u>citación</u> a la vista en el juicio <u>verbal</u>
	  • Ante el <u>tribunal</u> que se considera <u>carece de jurisdicción o competencia</u>, pero puede presentarse también ante el Juzgado del domicilio del demando, en cuyo caso éste la hará llegar al primero por el medio más rápido

- Presentada la declinatoria, por diligencia de ordenación se acuerda la suspensión del proceso, <u>dándose traslado</u> a las demás partes para que pueden formular alegaciones en el plazo de cinco días, resolviéndose seguidamente por auto

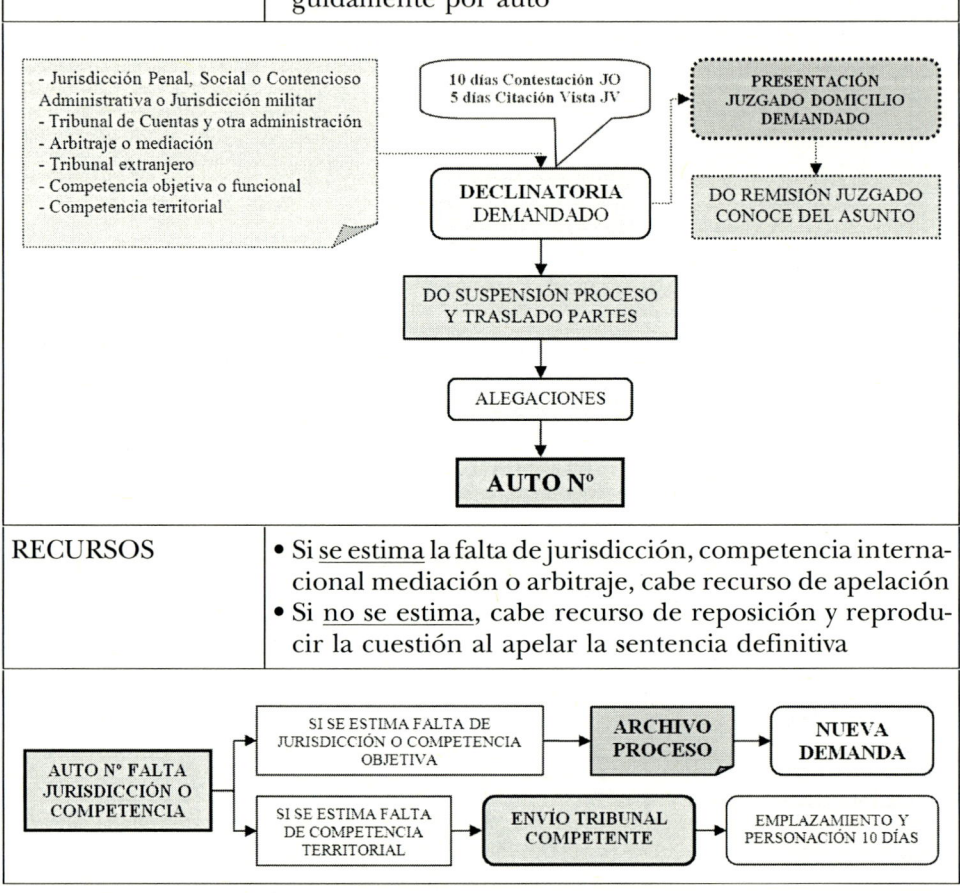

RECURSOS	• Si <u>se estima</u> la falta de jurisdicción, competencia internacional mediación o arbitraje, cabe recurso de apelación • Si <u>no se estima</u>, cabe recurso de reposición y reproducir la cuestión al apelar la sentencia definitiva

II
ACUMULACIÓN DE ACCIONES Y DE PROCESOS

ACUMULACIÓN DE ACCIONES	
Arts. 71 a 73 LEC	
ACUMULACIÓN OBJETIVA	• El actor, por razones de economía procesal, concentración y unidad de sentencia, puede acumular en la de-

	manda <u>TODAS</u> las <u>ACCIONES</u> que le competen contra el <u>mismo DEMANDADO</u>, aunque provengan de diferentes títulos, siempre que no se excluyan mutuamente, o sean contrarias entre sí, de suerte que la elección de una impida el ejercicio de la otra u otras • Se pueden acumular acciones <u>incompatibles</u> siempre que una se exprese como <u>principal</u>, y la otra u otras como <u>subsidiarias</u>, para el caso de que la principal no sea estimada
ACUMULACIÓN SUBJETIVA	• En la acumulación subjetiva o <u>LITISCONSORCIO</u>, el actor o los actores pueden acumular todas las acciones que tengan contra uno o varios demandados, siempre que entre ellas exista un nexo por razón del título o causa de pedir, o porque se funden en unos mismos hechos
REQUISITOS	• Que el tribunal tenga jurisdicción y competencia objetiva, por razón de la cuantía y de la materia, para conocer de todas las acciones acumuladas • Que la ley no prohíba la acumulación, por razón de su materia o por razón del tipo de juicio a seguir • Que los juicios por los que deban sustanciarse sean del mismo tipo, homogéneos o de la misma naturaleza: • Pueden acumularse las acciones que deban ventilarse en un juicio verbal a las de un juicio ordinario, pero no al revés
TRÁMITE	• Si se aprecia un indebida acumulación de acciones, en la demanda –o en la reconvención en su caso–, <u>se requiere</u> por diligencia de ordenación al actor para que la <u>subsane</u>, resolviéndose por medio de auto en caso de inadmisión, o por medio decreto en caso de admisión

ACUMULACIÓN DE PROCESOS
Arts. 74 a 98 LEC
CONCEPTO	• Es la <u>REUNIÓN</u> en un solo proceso, y para ser resuel-

	tos en una sola sentencia, de <u>dos o más procesos</u> que han nacido independientes, cada uno, con su propia demanda y su procedimiento respectivo
REQUISITOS	Son requisitos que deben tenerse en cuenta para acceder o no la acumulación de procesos: • Que la <u>sentencia</u> que haya de dictarse en uno de los juicios produzca <u>efectos prejudiciales</u> en el otro • Que las sentencias que pudieran dictarse puedan contener pronunciamientos <u>contradictorios, incompatibles</u> o mutuamente excluyentes entre sí • Que los juicios se encuentren en <u>primera instancia</u>, y no estén conclusos para sentencia • Que los juicios sean de la <u>misma clase</u>, o su tramitación <u>pueda unificarse</u> sin pérdida de derechos procesales Se admite la acumulación de juicios verbales y juicios ordinarios, siempre que no tengan especialidades, pero no de juicios sumarios o especiales • Que el tribunal que conozca del juicio más antiguo tenga <u>competencia objetiva</u> para conocer de los acumulados • Que no se vulnere una norma de <u>competencia territorial imperativa</u> • Que no pueda alegarse la <u>excepción de litispendencia</u> porque los juicios tengan identidad de objeto • Que, tratándose de un mismo demandante o demandado, no haya podido evitarse el segundo juicio mediante la <u>ampliación de la demanda</u>, o la formulación de <u>reconvención</u> • Que no se trate de un <u>segundo incidente</u> de acumulación, a instancia de una misma parte, que haya iniciado el segundo juicio que se pretende acumular
COMPETENCIA	• La competencia para conocer de los procesos acumulados corresponde al tribunal que esté conociendo del <u>proceso más antiguo</u>, determinado por la <u>fecha</u> de presentación de la <u>demanda</u>

TRÁMITE	• La tramitación es diferente según los procesos se sigan ante el mismo, o ante distinto tribunal
	  • De seguirse <u>ante el mismo tribunal</u>, el trámite se reduce a dar traslado, por diligencia de ordenación, a las demás partes de la solicitud de acumulación, resolviéndose por medio de auto
	  • De seguirse <u>ante distintos tribunales</u>, además del

traslado a las partes personadas, resuelta la acumulación por medio de auto, de estimarse procedente, se requiere al otro tribunal la remisión de los autos, el cual, a su vez, previo traslado, debe resolver sobre si accede o no a la acumulación solicitada, con diferentes posibilidades según cuál sea su pronunciamiento
- Acordada la acumulación y recibidos los autos acumulados, por diligencia de ordenación, se acuerda la <u>suspensión</u> del proceso <u>más avanzado</u>, hasta que el otro llegue al <u>mismo estado procesal</u>, momento en el cual continuará unificada la tramitación de todos

1) ACUMULACIÓN DE JUICIOS ANTE EL MISMO TRIBUNAL
Arts. 81 a 85 LEC

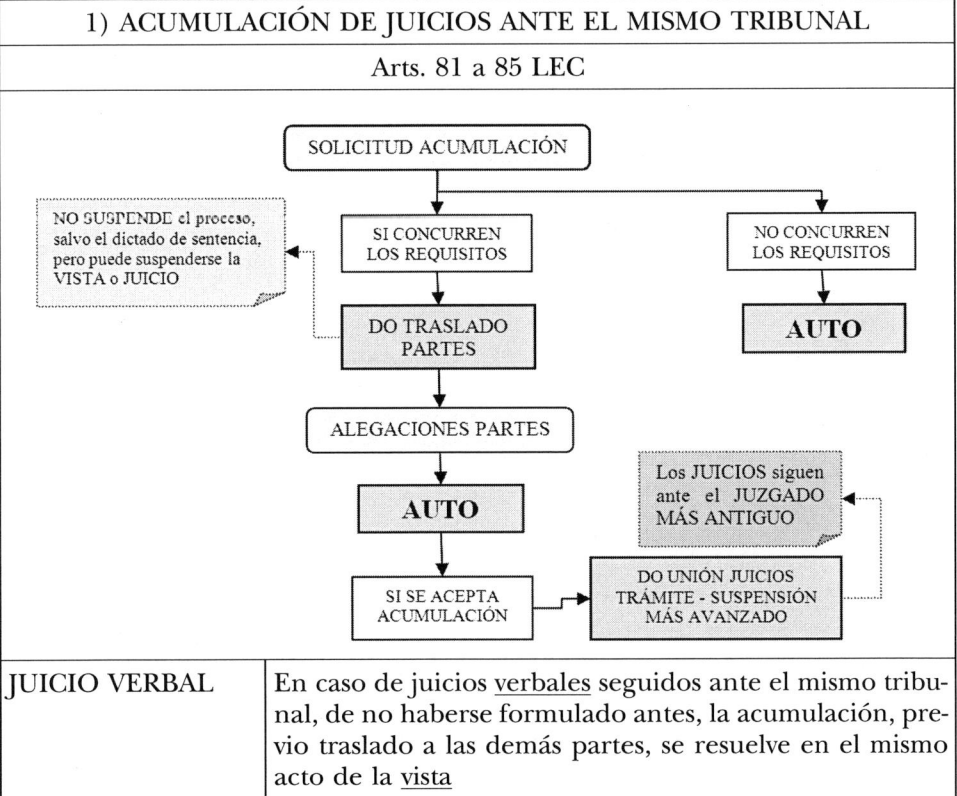

JUICIO VERBAL	En caso de juicios <u>verbales</u> seguidos ante el mismo tribunal, de no haberse formulado antes, la acumulación, previo traslado a las demás partes, se resuelve en el mismo acto de la <u>vista</u>

2) ACUMULACIÓN DE JUICIOS ANTE DISTINTOS TRIBUNALES

Arts. 86 a 97 LEC

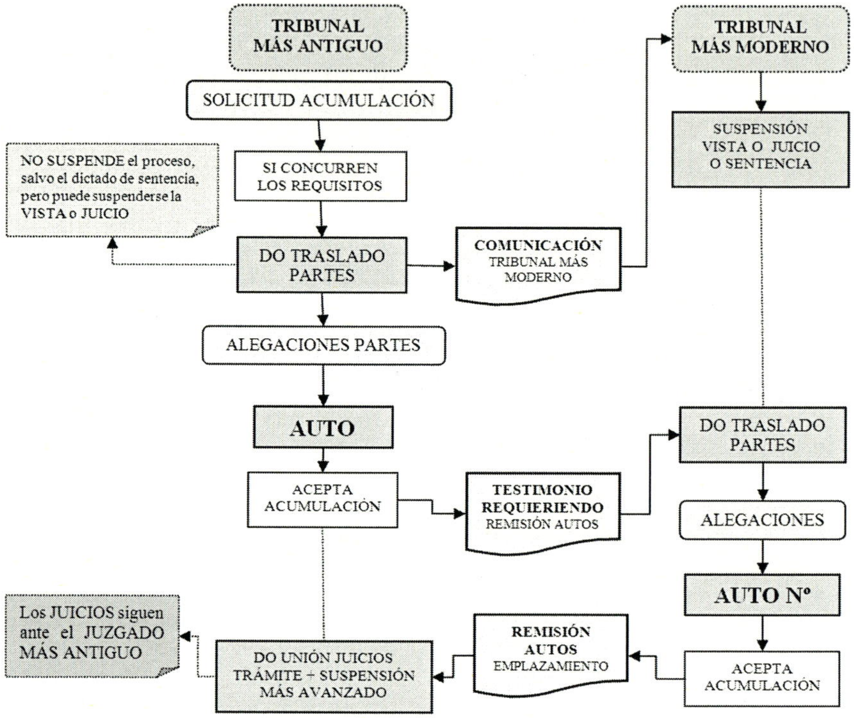

TRIBUNAL MÁS ANTIGUO

SOLICITUD ACUMULACIÓN

NO SUSPENDE el proceso, salvo el dictado de sentencia, pero puede suspenderse la VISTA o JUICIO

SI CONCURREN LOS REQUISITOS

DO TRASLADO PARTES

COMUNICACIÓN TRIBUNAL MÁS MODERNO

ALEGACIONES PARTES

AUTO

ACEPTA ACUMULACIÓN

TESTIMONIO REQUIRIENDO REMISIÓN AUTOS

Los JUICIOS siguen ante el JUZGADO MÁS ANTIGUO

DO UNIÓN JUICIOS TRÁMITE + SUSPENSIÓN MÁS AVANZADO

REMISIÓN AUTOS EMPLAZAMIENTO

TRIBUNAL MÁS MODERNO

SUSPENSIÓN VISTA O JUICIO O SENTENCIA

DO TRASLADO PARTES

ALEGACIONES

AUTO N°

ACEPTA ACUMULACIÓN

RECURSOS	• Contra el auto resolutorio sólo cabe recurso de reposición

III
SUSPENSIÓN DEL PROCESO

SUSPENSIÓN A INSTANCIA DE PARTE	
Arts. 19.4, 179.2 y 565 LEC	
CONCEPTO	<u>TODAS</u> las PARTES del proceso pueden pedir, conjuntamente, su SUSPENSIÓN, normalmente por estar en vías de alcanzar un acuerdo

FASE DE TRÁMITE	• La solicitud han de hacerla <u>TODAS las partes</u> del proceso, aunque no estén aún personadas • Se acuerda por un plazo de SESENTA DÍAS • Transcurrido el plazo de sesenta días, sin que se inste la reanudación, se acuerda el <u>archivo provisional</u> de los autos, sin perjuicio de que pueda pedirse su reanudación, dentro del límite del plazo de <u>caducidad</u> de la instancia
FASE DE EJECUCIÓN	• La solicitud basta que se realice sólo por el <u>EJECUTANTE</u> • No se acuerda por <u>plazo</u>, procediéndose al archivo provisional de la ejecución transcurrido un año sin actividad procesal • Durante la suspensión <u>se mantienen</u> los embargos y medidas de garantía acordados

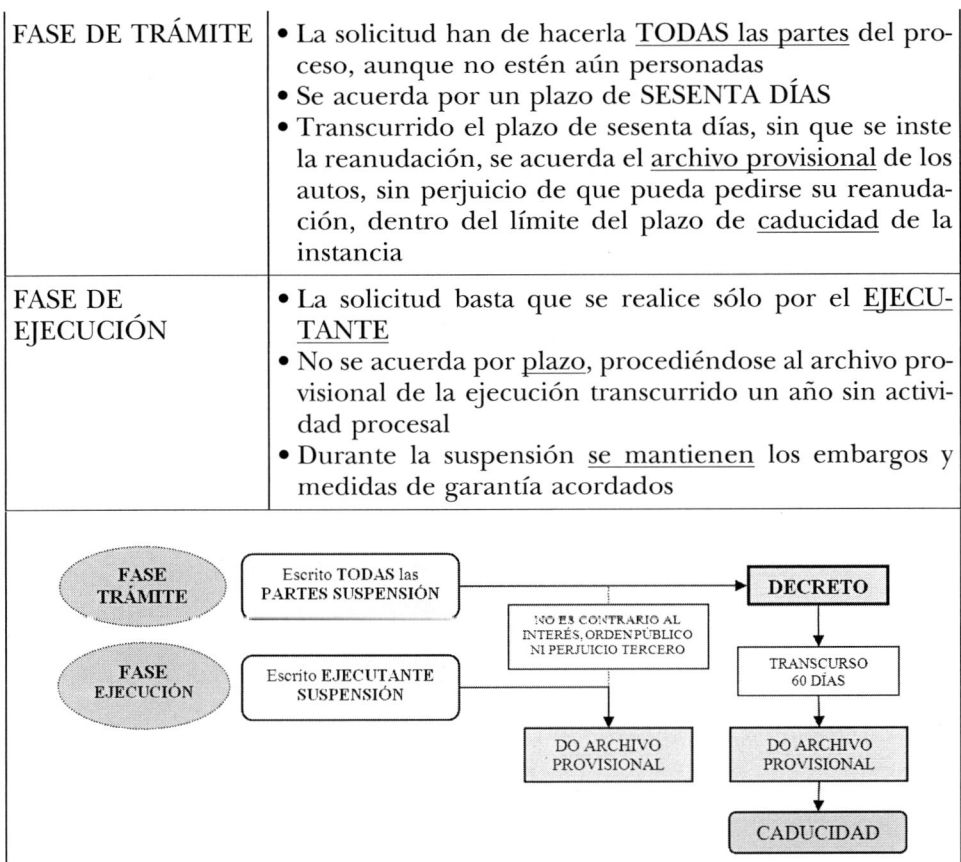

PREJUDICIALIDAD CIVIL
Art. 43 LEC

CONCEPTO	La <u>CUESTIÓN PREJUDICIAL</u> supone la existencia de una cuestión distinta de la principal, que constituye el objeto de otro proceso, pero que está relacionada, o cuya resolución puede incidir en la resolución de la cuestión principal La cuestión prejudicial <u>CIVIL</u> constituye el objeto de <u>otro proceso civil pendiente</u>, ante el mismo o distinto tribunal, y que es necesario decidir para resolver el objeto del litigio principal El principio general es que, salvo que se trate de una cuestión prejudicial penal, por razones de economía procesal y a fin de evitar dilaciones indebidas, el Juez

103

	que resuelva la cuestión principal, <u>decida también la pre-judicial</u>, aunque esta resolución no produce efectos de cosa juzgada, y la cuestión prejudicial pueda ser planteada de nuevo ante el tribunal competente y por el proceso que resulte procedente
REQUISITOS	• Que para resolver el objeto principal del proceso, <u>sea necesario</u> decidir la cuestión prejudicial que, a su vez, constituye el objeto de otro proceso pendiente ante el mismo o distinto tribunal • Que <u>no sea posible</u> la <u>acumulación de procesos</u>
TRÁMITE	El trámite se reduce al <u>traslado a las partes</u> de la solicitud, por diligencia de ordenación, y a la resolución por medio de auto
	  Escrito PARTE **PREJUDICIALIDAD** ES NECESARIO RESOLVER PREVIAMENTE EL OBJETO OTRO JUICIO PENDIENTE DO TRASLADO PARTES ALEGACIONES **AUTO**
RECURSOS	• Contra el auto que deniega la suspensión, cabe recurso de reposición • Contra el auto que acuerda la suspensión, cabe recurso de apelación

PREJUDICIALIDAD PENAL
Arts. 40, 41 y 569 LEC

CONCEPTO	La <u>cuestión prejudicial penal</u>, en sentido estricto, supone que el proceso civil en marcha no puede ser resuelto sin la previa resolución de la cuestión penal

	(arts.10 LOPJ y 114 LECrim), si bien su apreciación debe realizarse siempre con <u>carácter excepcional y restrictivo</u>
REQUISITOS	• Que el proceso penal esté iniciado, al menos, con la admisión a trámite de la <u>denuncia o querella</u> • Que la cuestión prejudicial penal afecte al objeto mismo del proceso civil, a su suplico o a su causa de pedir, es decir, que tenga <u>influencia decisiva</u> en la resolución del proceso civil

FASE DE TRÁMITE	• El Juez, por medio de auto, puede acordar la <u>SUSPENSIÓN</u> del proceso por prejudicialidad penal en dos supuestos:
	  • Sólo cuando el proceso civil esté <u>pendiente de sentencia</u>, cuando se siga proceso penal por un hecho que tenga apariencia de <u>DELITO</u> o falta, sea de los que <u>fundamente las pretensiones</u> de alguna de las partes, y la decisión penal tenga influencia decisiva en la decisión del proceso civil
	  • Tan pronto <u>se acredite</u>, cuando se siga proceso penal por un posible <u>delito de falsedad</u> de alguno de los <u>documentos</u> presentados, que tenga influencia decisiva en la resolución del proceso civil, salvo que la parte a la que favorezca el documento renuncie a él
	• La suspensión <u>se alza</u> por diligencia de ordenación del Secretario judicial cuando se acredite la terminación del juicio criminal, o su paralización por motivos que impidan su normal continuación
	• La parte perjudicada puede pedir indemnización de <u>daños y perjuicios</u> si, finalmente, se archiva la causa penal

FASE DE EJECUCIÓN	• La existencia de causa criminal por delitos relacionados con el título ejecutivo o el despacho de ejecución, no SUSPENDEN por sí solos la ejecución, sino que sólo puede acordarse, por auto del Juez, cuando puede determinar <u>la falsedad o nulidad del título</u>, o la <u>invalidez o ilicitud del despacho</u> de la ejecución • El ejecutante puede evitar la suspensión de la ejecución si presta <u>caución</u> suficiente, y puede pedir indemnización de <u>daños y perjuicios</u> si, finalmente, se archiva la causa penal

TRÁMITE	El trámite se reduce al <u>traslado a las partes</u> de la solicitud, y también al <u>Ministerio Fiscal</u> en este caso, por diligencia de ordenación, y a la resolución por medio de auto

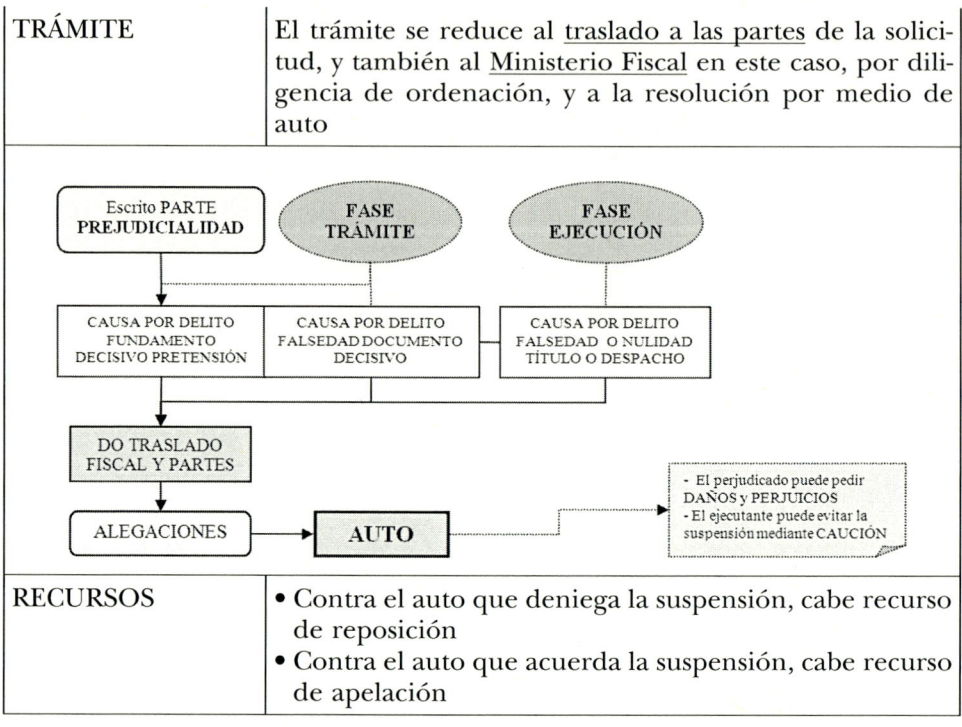

RECURSOS	• Contra el auto que deniega la suspensión, cabe recurso de reposición • Contra el auto que acuerda la suspensión, cabe recurso de apelación

PREJUDICIALIDAD SOCIAL O CONTENCIOSO-ADMINISTRATIVA	
Art. 42 LEC	
CONCEPTO	• Por <u>acuerdo de las partes</u>, el Secretario judicial puede acordar la <u>SUSPENSIÓN</u> del proceso civil hasta que la cuestión prejudicial sea resuelta por la Administración pública competente, por el Tribunal de Cuentas o por los tribunales del orden jurisdiccional que corresponda, en cuyo caso el tribunal civil queda vinculado por la decisión de la cuestión prejudicial • El tribunal civil también puede conocer, <u>a los solos efectos prejudiciales</u>, de asuntos atribuidos a los tribunales contencioso-administrativos o sociales, si bien en estos casos su decisión no produce efectos fuera del proceso civil, y la cuestión puede plantearse de nuevo ante los tribunales competentes

CONCURSO DE ACREEDORES	
Arts. 50, 55 y 56 LC y 568 LEC	
CONCEPTO	El concurso de acreedores es un proceso universal, seguido ante los JUZGADOS DE LO MERCANTIL, contra un deudor que se encuentra en situación de INSOLVENCIA, por no contar con medios suficientes para pagar sus deudas –siendo, por tanto, su pasivo superior a su activo–, en virtud del cual, a través del nombramiento de un administrador concursal, todos los acreedores se agrupan de forma colectiva, con el objeto de aprobar un convenio que permita el pago de las deudas con todo el patrimonio del deudor, generalmente, mediante una quita o espera de sus créditos, o en su defecto, procediendo a la liquidación del patrimonio del concursado El proceso UNIVERSAL de concurso de acreedores, precisamente, porque su objeto es todo el patrimonio del concursado y afecta a todos sus acreedores, afecta también a la tramitación de los procesos individuales que se siguen contra el deudor, impidiendo su inicio, permitiendo sólo su terminación en fase de trámite hasta el dictado de sentencia firme –a fin de que el acreedor pueda obtener el reconocimiento legal de su crédito–, o provocando su suspensión cuando se encuentran en fase de ejecución
FASE DE TRÁMITE	• Si el concurso de acreedores es ANTERIOR a la fecha de presentación de la demanda, se inadmite a trámite la demanda por auto del Juez, y en caso de que se acredite tal circunstancia durante la tramitación del proceso, se acuerda su archivo por ser anterior • Si el concurso de acreedores es POSTERIOR a la fecha de presentación de la demanda, se continúa la tramitación del proceso hasta el dictado de sentencia firme
	• Si se trata de los juicios especiales MONITORIO o cambiario y el concurso es posterior a la fecha de presentación de la demanda, por analogía con los juicios declarativos ordinarios, se practica el requerimiento de pago, continuando el juicio hasta dictarse la resolución que proceda dando por terminado el juicio monitorio o el juicio cambiario
FASE DE EJECUCIÓN	• Si el concurso de acreedores es ANTERIOR a la fecha de presentación de la demanda ejecutiva, se dicta auto

	denegando el despacho de ejecución, y en caso de que se acredite tal circunstancia durante la tramitación de la ejecución, se procede al archivo de la ejecución, alzando las medidas ejecutivas acordadas en su caso • Si el concurso de acreedores es <u>POSTERIOR</u> a la presentación de la demanda de ejecución, se dicta decreto acordando la <u>SUSPENSIÓN</u> de la ejecución hasta tanto se resuelva el concurso • Si la ejecución se dirige contra <u>varios ejecutados</u>, y sólo uno ha sido declarado en concurso, la ejecución continuará respecto de los no concursados
	• Como regla general, <u>no se suspenden</u>, por la declaración de concurso de acreedores, las <u>ejecuciones HIPOTECARIAS</u>, salvo que así se acuerde expresamente por el Juzgado de lo Mercantil, a instancia de los administradores, a fin de garantizar la actividad productiva del concursado • Por <u>excepción</u>, no puede despacharse ejecución hipotecaria, o iniciada, se acuerda su suspensión, cuando la ejecución se dirija contra bienes del concursado <u>afectos a su ACTIVIDAD PROFESIONAL</u> o empresarial, o a una unidad productiva de su titularidad, salvo que a la fecha de la declaración de concurso ya estuvieran publicados los anuncios de la subasta del bien En estos casos, la competencia para conocer de la ejecución hipotecaria corresponde al Juzgado de lo Mercantil, remitiéndole los autos, a requerimiento de éste o de oficio, previo traslado a las partes
	• Si el concursado es el <u>EJECUTANTE</u>, en lugar del ejecutado, se continúa la tramitación de la ejecución, si bien las cantidades que se obtenga se transfieren al Juzgado de lo Mercantil que conoce del concurso a fin de que pasen a formar parte de la masa del activo
RECURSOS	• Contra el auto inadmitiendo a trámite la demanda, acordando su archivo por concurso anterior, o denegando el despacho de ejecución, cabe recurso de apelación –en caso de denegación del despacho, previo recurso de reposición en su caso– • Contra el decreto acordando la suspensión de la ejecución por concurso, cabe recurso de reposición ante el Secretario Judicial, y contra la desestimación de éste, recurso de revisión ante el Juez

DEMANDA DE RESCISIÓN O DE REVISIÓN	
Arts. 566, 504 y 515 LEC	
CONCEPTO	• Son instrumentos <u>extraordinarios</u> de <u>anulación de sentencias firmes</u> que sólo pueden ser utilizados en casos expresamente establecidos por la ley, dentro de determinados plazos, y cuya admisión debe ser interpretada con carácter restrictivo y excepcional
	• La demanda de <u>RESCISIÓN</u> de sentencia, o <u>audiencia al rebelde</u>, es un juicio ordinario seguido ante el mismo tribunal que dictó una sentencia firme, y que tiene por objeto la anulación de ésta, cuando haya sido dictada, estando el demandado declarado en rebeldía, en los siguientes casos: • Por causa de <u>fuerza mayor ininterrumpida</u> que haya impedido al demandado comparecer en juicio pese a haber sido citado o emplazado • Cuando el demandado haya sido emplazado personalmente pero la demanda <u>no haya llegado a su conocimiento</u> por causa no imputable al mismo • Cuando el demandado haya sido emplazado por medio de <u>edictos</u> y haya estado ausente del lugar del juicio
	• La demanda de <u>REVISIÓN</u> de sentencia es un remedio extraordinario que tiene por objeto la revisión de una sentencia firme, por parte de los Tribunales Supremo o Superior de Justicia, cuando se hayan obtenido <u>después documentos decisivos</u>, los tenidos en cuenta hayan sido <u>declarados falsos</u>, o los testigos o peritos hubieran sido condenados por falso testimonio
SUSPENSIÓN	• La <u>admisión a trámite</u> –y no la mera <u>presentación</u>– de la demanda de rescisión de sentencia firme dictada en rebeldía, y de la demanda de revisión, sólo suspenden la ejecución a que se refieren, cuando así lo soliciten las partes y las <u>circunstancias del caso</u> lo aconsejen, previa audiencia del Fiscal, y previa prestación de <u>caución</u> por el valor del litigio y de los posibles daños y perjuicios

OTROS SUPUESTOS DE SUSPENSIÓN	
Arts. 14, 16, 17, 64, 88.2, 102.2, 227 y 598.1 LEC, 163 CE, 35 y ss. LOTC y 177 TCE	
OTROS SUPUESTOS LEGALES	Existen **OTROS SUPUESTOS** de incidentes en los que se acuerda la SUSPENSIÓN del proceso, así por ejemplo: • En la llamada a la intervención de tercero (art. 14 LEC) • En la sucesión procesal por muerte (art. 16 LEC) • En la sucesión por transmisión del objeto litigioso (art. 17 LEC) • En la proposición de declinatoria (art. 64 LEC) • En la acumulación de procesos suspendiendo, el dictado de sentencia, o el juicio o vista (art. 88.2 LEC) • En la abstención del Juez (art. 102.2 LEC) • En el incidente de nulidad de actuaciones, con carácter excepcional (art. 227 LEC) • La admisión de la tercería de dominio respecto del bien a que se refiera (art. 598.1 LEC) • En la cuestión de inconstitucionalidad (arts. 163 CE y 35 y ss. LOTC) • En la cuestión prejudicial comunitaria (art. 177 TCE) • El ejercicio de la acción de anulación del laudo arbitral, previa prestación de caución (art. 45 LA)

Celebración de juicios y vistas

SUMARIO:

I
SEÑALAMIENTOS DE JUICIOS Y VISTAS

SEÑALAMIENTOS	
Arts. 182, 184 a 187, 190 a 192 Bis, y 194 a 200 LEC	
PRINCIPIOS GENERALES *Arts. 184, 186, 194 y 200 LEC*	• La <u>dirección de los debates</u> corresponde al Juez o Presidente, o al Secretario judicial en el caso de vistas celebradas exclusivamente ante él • Para la celebración de las vistas se pueden emplear todas las <u>horas hábiles y habilitadas</u> del día, en <u>una o más sesiones</u> y, en caso necesario, continuar el día o días siguientes La celebración de las vistas es una de las excepciones a la regla general del art. 130 LEC, que establece que las horas hábiles finalizan a las ocho de la tarde, por lo que las vistas pueden continuar fuera de ese horario sin necesidad de habilitación expresa • Como principio general, entre el <u>señalamiento</u> y la <u>celebración</u> de la vista deben mediar, <u>al menos, diez días hábiles</u> • Cuando después del señalamiento y antes de la celebración de la vista <u>cambie el Juez</u>, o algún Magistrado del

	tribunal, <u>se hará saber</u> dicho cambio a las partes, en todo caso, antes del inicio de la vista, sin perjuicio de proceder a su celebración, a no ser que en el acto sea recusado, aunque sea verbalmente • Cuando en caso de <u>interrupción</u> del juicio o vista, no pueda reanudarse la vista <u>dentro de los veinte días siguientes</u>, o el Juez que celebró la primera deba ser sustituido por otro, deberá procederse a la celebración de <u>nuevo juicio o vista</u> • Cuando después de la vista <u>se imposibilitare el Juez</u> que la haya celebrado y no pueda dictar la resolución, se celebrará <u>nueva vista</u> por el Juez que le sustituya • En los asuntos que deban fallarse después de la celebración de una vista o juicio, la redacción y firma de la resolución, se realizará por el <u>Juez que la haya celebrado</u>, aunque después haya dejado de ejercer sus funciones en el tribunal que conozca del asunto

SEÑALAMIENTOS POR EL JUEZ
Art. 182.1 y 2 LEC
	• El <u>SEÑALAMIENTO</u> del día y hora de los <u>JUICIOS o VISTAS</u> corresponde <u>al JUEZ</u> cuando la decisión de convocar, reanudar o señalar de nuevo un juicio o vista se adopte en el <u>transcurso de un acto procesal ya iniciado</u> y que presida
	• En todos los demás casos, el Juez fija las <u>INSTRUCCIONES concretas</u> de los señalamientos, y en particular:
	  • La fijación de los <u>días predeterminados</u> para su celebración
	  • Las <u>horas de audiencia</u>
	  • El número de señalamientos
	  • La duración aproximada de las vistas en concreto, una vez estudiado el asunto, la naturaleza y complejidad de los asuntos
	  • Cualquier otra circunstancia que se estime pertinente

SEÑALAMIENTOS POR EL SECRETARIO JUDICIAL
Art. 182.4 LEC
	• El Secretario judicial establecerá la <u>FECHA y HORA de los JUICIOS y VISTAS</u>, conforme a las instrucciones del Juez y previa <u>dación de cuenta</u> al mismo, teniendo en cuenta, además, las siguientes circunstancias:
	  • El orden en que los procedimientos <u>lleguen a estado</u> en que deba celebrarse juicio o vista
	  • La disponibilidad de <u>salas de vistas</u>
	  • La organización de <u>recursos humanos</u> de la Oficina judicial

	• El tiempo necesario para las <u>citaciones de los testigos y peritos</u>

SUSPENSIÓN E INTERRUPCIÓN	
Arts. 183, 188, 189, 189 bis, 190.2 y 193 LEC	
SUSPENSIÓN ANTICIPADA ANTES DEL DÍA DE LA VISTA *Arts. 183.2 LEC*	La <u>SUSPENSIÓN ANTICIPADA</u> de las vistas puede acordarse por la imposibilidad de asistencia de cualquiera de las personas que deba asistir, por causa de FUERZA MAYOR u otro motivo análogo, distinguiéndose: • Si se trata de <u>Abogado</u> o de una <u>parte</u> que haya de responder al interrogatorio, o sea necesaria su asistencia personal, el Secretario judicial hará nuevo señalamiento siempre que se acredita la imposibilidad • Si se trata de un <u>perito</u> o un <u>testigo</u>, previa audiencia de las partes, el Juez decidirá lo que estime conveniente
SUSPENSIÓN SOBREVENIDA EL DÍA DE LA VISTA *Arts. 188 y 190.2 LEC*	Las causas de <u>SUSPENSIÓN SOBREVENIDA</u> de las vistas son: • Por impedirla la <u>continuación de otra pendiente del día anterior</u> • Por <u>indisposición sobrevenida del Juez o del Secretario judicial</u>, si no pudieren ser sustituidos • Por solicitarlo de <u>acuerdo las partes</u>, alegando justa causa a juicio del Secretario judicial • Por <u>imposibilidad absoluta</u> de cualquiera de las partes citadas para ser interrogadas, siempre que se justifique suficientemente, y siempre que se haya producido cuando ya no era posible solicitar nuevo señalamiento • Por <u>muerte, enfermedad o imposibilidad absoluta</u> o baja por maternidad o paternidad del <u>Abogado</u>, justificadas suficientemente, siempre que se haya producido cuando ya no era posible solicitar nuevo señalamiento y siempre que no se cause indefensión • Por tener el Abogado defensor <u>dos señalamientos</u> de vistas para el mismo día en distintos Tribunales, resultando <u>imposible</u>, por el horario fijado, su <u>asistencia a ambos</u>, siempre que se comunique dentro de los tres días siguientes a la notificación del segundo señalamiento y se acredite suficientemente que se intentó sin éxito un nuevo señalamiento, salvo que se trate de causa criminal con preso, en cuyo caso se acordará la suspensión en todo caso

	• Por haberse acordado la <u>suspensión</u> del curso del <u>proceso</u> por causa legal • Por la <u>abstención o recusación</u> del Juez

PREFERENCIA
Art. 188.1.6° LEC
	• En caso de coincidencia de señalamientos tendrán preferencia:
	  • Las vistas señaladas en procedimientos del <u>Tribunal del Jurado</u>
	  • Las vistas relativas a <u>causa criminal con preso</u>
	  • En defecto de las anteriores, las vistas correspondientes al <u>señalamiento más antiguo</u>, y si los dos señalamientos fuesen de la misma fecha, la vista correspondiente al procedimiento más antiguo

INTERRUPCIÓN *Art. 193 LEC*	Las causas de <u>INTERRUPCIÓN</u> de las vistas, una vez iniciadas, son: • Cuando se deba resolver alguna <u>cuestión incidental</u> que no pueda resolverse en el acto • Cuando se deba practicar alguna diligencia de <u>prueba fuera de la sede</u> del Tribunal • Cuando <u>no comparezcan los testigos o peritos</u> citados judicialmente, y se considere imprescindible su declaración • Cuando, después de iniciada la vista, se produzca alguna de las circunstancias que habrían determinado la suspensión de la celebración

PREPARACIÓN DE JUICIOS Y VISTAS	
PREPARACIÓN Y REPASO	A efectos de mantener la eficacia de los señalamientos deben tenerse en cuenta las siguientes normas de preparación: • Todos los procesos con juicio o vista señalado se conservarán en un lugar o <u>espacio común de la Oficina judicial</u>, a efectos de control y seguimiento • Aproximadamente, con <u>dos semanas de antelación</u> al día señalado para la celebración del juicio o vista, <u>se repasará</u> cada juicio, adoptándose las actuaciones necesarias respecto de las diligencias negativas que procedan • En el caso de los juicios ordinarios, se elaborará un <u>guión de señalamiento</u> una vez se celebre la audiencia previa, que se conservará en los autos, y que se formará con los nombres de las partes, sus Abogados y Procura-

dores, y las pruebas admitidas, más documentales, testi-
ficales y periciales, tanto de parte como judiciales
- En el guión de señalamiento, o en su defecto, en la
  carátula de los juicios verbales, <u>se irán haciendo cons-
  tar</u>, a medida que se vayan practicando, el resultado
  de las <u>diligencias de citación o de prueba</u> practicadas,
  señalándose con la indicación «C», «OK» u otra simi-
  lar, en caso de haber resultado positiva la citación o
  prueba de que se trate
- En caso de <u>citaciones negativas</u> de partes, testigos o
  peritos, tan pronto se reciba el despacho, <u>se dará tras-
  lado</u> a la parte proponente a fin de que pueda instar
  lo que a su derecho convenga, haciéndolo constar asi-
  mismo en el guión de señalamiento, o en la carátula
  del juicio

Intervención de terceros

SUMARIO:

I
INTERVENCIÓN DE TERCEROS

PERITOS	
Arts. 105, 124 a 128, 292 y 335 a 352 LEC	
INTERVENCIÓN	• Los PERITOS son terceras personas con CONOCIMIENTOS CIENTÍFICOS, artísticos, técnicos o prácticos para valorar o adquirir certeza sobre hechos o circunstancias relevantes en el asunto Los peritos no declaran sobre lo que han visto u oído, sino que aportan al proceso sus conocimientos científicos o técnicos • El Juez valora la prueba pericial según las reglas de la SANA CRÍTICA • La ratificación de los peritos se realiza en la sede del tribunal que conoce del asunto, aunque tenga su domicilio fuera del partido judicial, salvo que por razón de la distancia, la dificultad del desplazamiento, circunstancias personales o cualquier otra análoga resulte imposible o muy gravosa su comparecencia, en cuyo caso se puede practicar por medio de exhorto • Al emitir su dictamen el perito debe prestar JURA-

	MENTO o PROMESA de decir verdad y de haber actuado con la máxima objetividad
	• Cada parte puede TACHAR los peritos de la contraria, desde su admisión como prueba hasta la vista o juicio, y formulada se tiene por hecha, sin que ello impida la ratificación de su informe ni sea necesaria resolución expresa sobre ella, teniéndose en cuenta, en su caso, ulteriormente, en el momento de la valoración de la prueba por parte del Juez
	• Salvo acuerdo de las partes no se puede solicitar dictamen de un perito que haya intervenido en mediación o arbitraje relacionados con el asunto
	• Los peritos tienen OBLIGACIÓN de comparecer al juicio o vista, con el apercibimiento de imposición de multa de 180 a 600 euros a la primera comparecencia, y a la segunda citación, con apercibimiento de incurrir en un delito de desobediencia a la autoridad judicial La MULTA se impone por auto del Juez, previa audiencia del interesado, contra el cual cabe interponer recurso de alzada por tratarse de una sanción gubernativa, y no jurisdiccional
	• La incomparecencia del perito puede dar lugar a la suspensión o INTERRUPCIÓN de la vista, o a su práctica como diligencia final, que, previo traslado a las partes, se acuerda por el Juez cuando la ratificación del informe se considere imprescindible
	• Los dictámenes del perito se pueden aportar por las PARTES, o solicitarse se emita dictamen por perito designado por el JUZGADO

INFORME PERICIAL DE PARTE	• Los informes periciales de PARTE deben presentarse:
	  • Con la demanda o contestación escrita
	  • De no ser posible con la demanda o contestación, anunciada en éstas su presentación por medio de otrosí digo, con cinco días de antelación a la audiencia previa del juicio ordinario, o a la vista del juicio verbal
	  • De tener su origen en la contestación a la demanda, o en las alegaciones complementarias formuladas en la audiencia previa, con cinco días de antelación a la celebración del juicio ordinario

INFORME PERICIAL JUDICIAL	• La solicitud de práctica de informe por <u>perito NOMBRADO JUDICIALMENTE</u> deben formularse, por la parte a quien interese, por medio de <u>otrosí digo</u>, en su escrito de <u>demanda</u> o de <u>contestación</u> a la demanda, y el demandado en el juicio verbal, al menos, con <u>diez días de antelación</u> a la celebración de la <u>vista</u>
	• Hecha la solicitud en forma, por la Oficina judicial se procede:
	  • Al <u>nombramiento</u> de perito judicial de entre las listas oficiales que constan y conforme al <u>turno</u> establecido y aprobado según las reglas del art. 341 LEC
	  • A la citación del perito judicial, por medio de burofax, para que comparezca en la Oficina judicial para la <u>aceptación y juramento</u> del cargo, y en su caso, solicitar la oportuna provisión de fondos
	  • A requerir, por diligencia de ordenación, a la parte o partes proponentes de la prueba a fin de que, en el término de cinco días, procedan a la <u>consignación</u> de la <u>provisión de fondos</u> del perito, en caso de ser varias las partes proponentes, la parte proporcional que corresponda a cada una de ellas
	  En caso de que una de las partes no consigne la parte de provisión que le corresponde, por diligencia de ordenación, se ofrece a la otra la posibilidad de completar la consignación
	  • Hecha la consignación de la provisión de fondos, avisar al perito para la <u>presentación y ratificación</u> del informe pericial judicial, y en dicho acto, proceder a la entrega al perito judicial del mandamiento de devolución por sus honorarios, y en su caso, a su <u>citación</u> al acto del juicio o vista si así se ha interesado
	  • El informe pericial judicial, previo nombramiento y aceptación del cargo, debe presentarse <u>cinco días antes de la audiencia previa</u>, o de la <u>vista del juicio verbal</u>

NOMBRAMIENTO DE PERITO JUDICIAL	
Arts. 342 a 346 LEC	

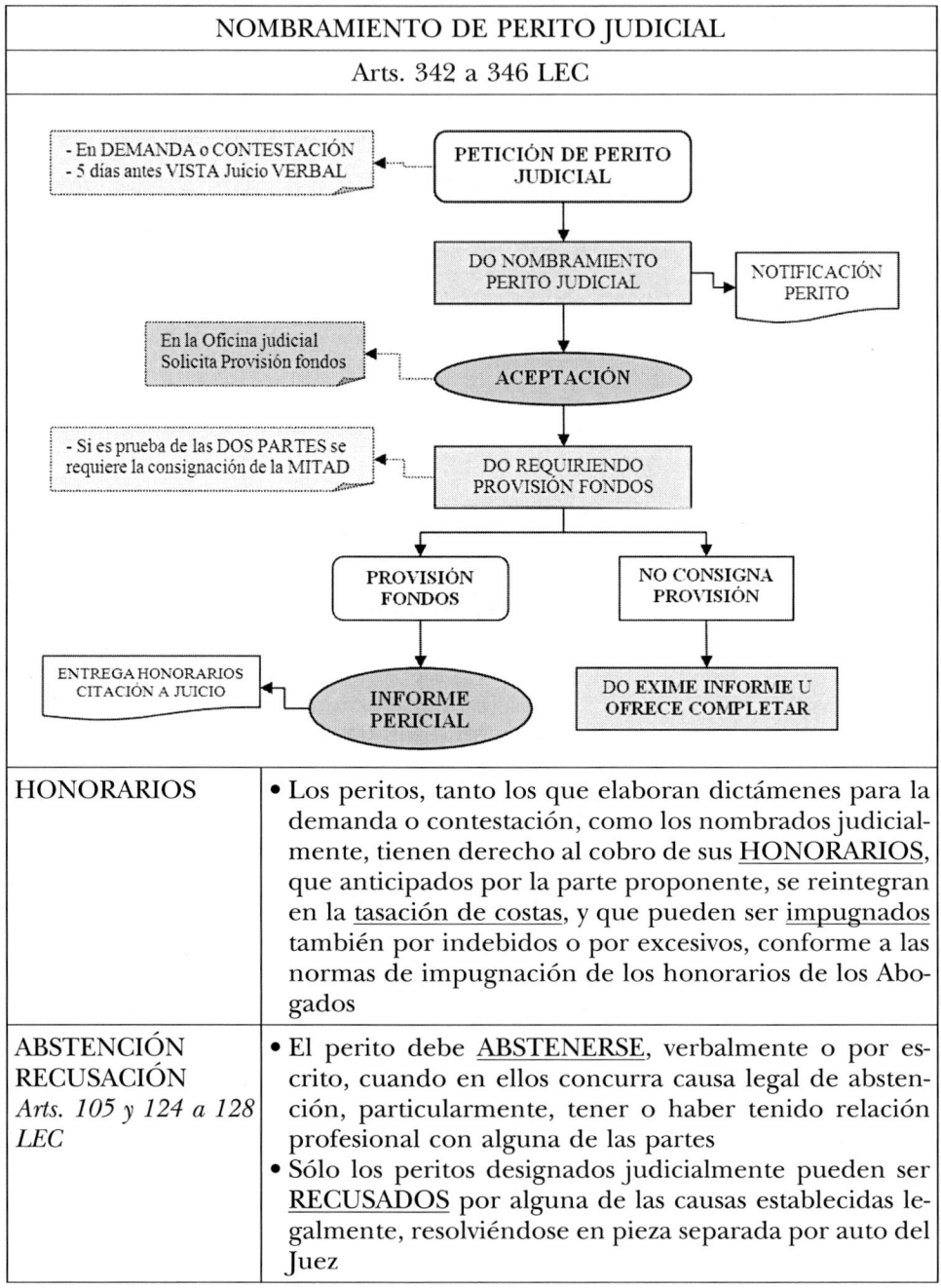

HONORARIOS	• Los peritos, tanto los que elaboran dictámenes para la demanda o contestación, como los nombrados judicialmente, tienen derecho al cobro de sus <u>HONORARIOS</u>, que anticipados por la parte proponente, se reintegran en la <u>tasación de costas</u>, y que pueden ser <u>impugnados</u> también por indebidos o por excesivos, conforme a las normas de impugnación de los honorarios de los Abogados
ABSTENCIÓN RECUSACIÓN *Arts. 105 y 124 a 128 LEC*	• El perito debe <u>ABSTENERSE</u>, verbalmente o por escrito, cuando en ellos concurra causa legal de abstención, particularmente, tener o haber tenido relación profesional con alguna de las partes • Sólo los peritos designados judicialmente pueden ser <u>RECUSADOS</u> por alguna de las causas establecidas legalmente, resolviéndose en pieza separada por auto del Juez

CITACIÓN *Art. 159 LEC*	• Las citaciones de testigos, peritos e intérpretes se realiza por <u>BUROFAX</u> o correo certificado con <u>ACUSE DE RECIBO</u>, y en caso de resultar negativa, puede realizarse personalmente • Puede llevarse a cabo la <u>averiguación de domicilio</u> en los archivos o registros públicos prevista en el art. 156 LEC

TESTIGOS
Arts. 159, 169.4, 292, y 360 a 381 LEC

INTERVENCIÓN	• Los <u>TESTIGOS</u> son terceras personas que tiene <u>noticia de hechos controvertidos</u> relativos a lo que es objeto del juicio Los menores de catorce años pueden declarar también como testigos si el tribunal considera que tienen discernimiento suficiente Se distingue entre el testigo <u>presencial</u>, que es el que conoce los hechos porque los ha presenciado, y el testigo <u>referencial</u>, que los conoce por otros medios, o a través de terceras personas • El Juez <u>valora</u> la fuerza probatoria de las declaraciones de los testigos conforme a las reglas de la <u>sana crítica</u>, tomando en consideración la razón de ciencia que hayan dado, las circunstancias que en ellos concurran y, en su caso, las tachas formuladas • Cada parte puede <u>TACHAR</u> los testigos de la contraria, desde su admisión como prueba hasta la vista o juicio, y formulada se tiene por hecha, sin que ello impida la declaración del testigo ni sea necesaria resolución expresa sobre ella, teniéndose en cuenta, en su caso, ulteriormente, en el momento de la valoración de la prueba por parte del Juez • Las <u>PERSONAS JURÍDICAS</u> y entidades públicas pueden responder <u>por escrito</u>, con diez días de antelación a la vista, sobre hechos relevantes del proceso, cuando se refieran a su actividad y no sea necesario individualizar en personas físicas determinadas • La declaración de los testigos se realiza en la <u>sede del tribunal</u> que conoce del asunto, aunque tenga su domicilio fuera del partido judicial, salvo que por razón de la <u>distancia</u>, la dificultad del desplazamiento, <u>circunstancias personales</u> o cualquier otra análoga resulte im-

posible o muy gravosa su comparecencia, en cuyo caso se puede practicar por medio de <u>exhorto</u>

- Los testigos <u>no pueden comunicarse</u> entre sí, ni asistir a las declaraciones de los otros testigos
- Las partes pueden proponer cuantos testigos estimen conveniente, pero los <u>gastos</u> de los que <u>excedan de TRES</u> por cada hecho discutido, serán de cuenta de la parte que los haya presentado
- Cuando el tribunal haya escuchado el testimonio de, <u>al menos, TRES TESTIGOS</u> con relación a un hecho controvertido, puede prescindir de los testigos que faltan si se considera suficientemente ilustrado
- Antes de declarar el testigo debe prestar <u>JURAMENTO o PROMESA</u> de decir verdad, con el apercibimiento de poder incurrir en un delito de falso testimonio en causa civil, y contestar con carácter previo a su declaración, a las <u>generales de la ley</u>
- Los testigos, cuando posean conocimientos científicos, técnicos, artísticos o prácticos sobre los hechos del interrogatorio, pueden declarar en <u>calidad de TESTIGO-PERITO</u> cuando así lo admita el tribunal, agregando las declaraciones que haga en virtud de dichos conocimientos
- Los testigos tienen <u>OBLIGACIÓN de comparecer</u> al juicio o vista, con el apercibimiento de imposición de multa de 180 a 600 euros a la primera incomparecencia, y a la segunda citación, con apercibimiento de incurrir en un delito de desobediencia a la autoridad judicial
  La <u>MULTA</u> se impone por <u>auto del tribunal</u>, previa audiencia del interesado, contra el cual cabe interponer recurso de alzada por tratarse de una sanción gubernativa, y no jurisdiccional
- La <u>incomparecencia</u> del testigo puede dar lugar a la <u>suspensión o INTERRUPCIÓN</u> de la vista, o a su práctica como diligencia final, que, previo traslado a las partes, se acuerda por el Juez cuando el testimonio se considere imprescindible
- Los testigos que atendiendo a la citación realizada comparezcan ante el tribunal, tienen derecho a una <u>INDEMNIZACIÓN</u> por los gastos y perjuicios que sería abonado por la parte que los ha propuesto, indemnización que se fija por <u>decreto</u> del Secretario Judicial
  Contra el decreto que fija la indemnización sólo cabe interponer recurso de reposición

CITACIÓN *Art. 159 LEC*	• Las citaciones de testigos, peritos e intérpretes se realiza por <u>BUROFAX</u> o correo certificado con <u>ACUSE DE RECIBO</u>, y en caso de resultar negativa, puede realizarse personalmente • Puede llevarse a cabo la <u>averiguación de domicilio</u> en los archivos o registros públicos prevista en el art. 156 LEC

INTÉRPRETES	
Arts. 142.5, 143, 144 y 159 LEC	
INTERVENCIÓN	• La intervención de <u>INTÉRPRETE</u> es necesaria cuando la persona que vaya a intervenir en el juicio o vista <u>no conozca la LENGUA OFICIAL</u> o cooficial del Estado o de la Comunidad Autónoma, o sea <u>sorda</u> y precise la intervención de intérprete del lenguaje de signos • En el proceso civil, conforme a los arts. 241.1 y 242.1 LEC, salvo que la parte proponente tenga reconocido el beneficio de la justicia gratuita, los <u>honorarios</u> de los intérpretes <u>deberán ser anticipados</u> por la parte que <u>haya propuesto</u> la PRUEBA o intervención de la persona que necesite la asistencia de intérprete, sin perjuicio de su ulterior reintegro en el momento de la tasación de costas • Los intérpretes deben prestar <u>juramento o promesa</u> de desempeñar su cargo de traducción bien y fielmente • Para las <u>actuaciones ORALES</u>, el tribunal, en los juicios o vistas, puede <u>habilitar de intérprete</u> a cualquier <u>persona conocedora del idioma</u>, y también, el Secretario judicial puede, por medio de decreto, habilitar como intérprete a cualquier persona conocedora del idioma, en ambos casos, previa prestación de juramento o promesa • Cuando se trate de <u>DOCUMENTOS</u> redactados en idioma no oficial, la parte que lo presente debe acompañar la traducción del mismo, que puede ser privada, y en caso de que sea impugnada por alguna de las partes, se acuerda la traducción oficial de la parte respecto de la que exista discrepancia • En las <u>actuaciones</u> debe constar, en todo caso, el texto en idioma original y su traducción al idioma oficial

CITACIÓN *Art. 159 LEC*	• Las citaciones de testigos, peritos e intérpretes se realiza por <u>BUROFAX</u> o correo certificado con <u>ACUSE DE RECIBO</u>, y en caso de resultar negativa, puede realizarse personalmente

PARTE II
FASE DE TRÁMITE

Juicios declarativos

SUMARIO:

I. JUICIOS DECLARATIVOS		
Concepto	Art. 248 LEC	123
Clases	Arts. 248 y ss., 447.2, 3 y 4, 497.2 y 3 LEC	124
Cuadro resumen de las clases de procesos del Juzgado de 1ª Instancia		128

I
JUICIOS DECLARATIVOS

CONCEPTO		
	Art. 248 LEC	
CONCEPTO	Los juicios DECLARATIVOS son aquéllos a través de los cuales el tribunal conoce de toda clase de contiendas judiciales para declarar el derecho en el caso concreto El art. 248 LEC establece que: «1. *Toda contienda judicial entre partes que no tenga señalada por la ley otra tramitación, será ventilada y decidida en el proceso declarativo que corresponda. 2. Pertenecen a la clase de los procesos declarativos: 1º. El juicio ordinario. 2º. El juicio verbal»*	
FASES	En los juicios declarativos es posible distinguir TRES fases: • La fase de ALEGACIONES, que incluye la demanda, la contestación, la reconvención en su caso y su contestación, y la resolución de las excepciones procesales que no hayan de resolverse en sentencia • La fase de PRUEBA, que se practica en unidad de acto, con contradicción y publicidad, y por el siguiente orden:	

	• Documental pública y privada • Interrogatorio de las partes • Interrogatorio de testigos • Declaraciones de peritos • Reconocimiento judicial • Reproducción de palabras, imágenes y/o sonidos • La fase <u>DECISORIA</u>, constituida por la sentencia o resolución final que pone término al proceso hasta su firmeza

CLASES
Arts. 248 y ss., 447.2, 3 y 4, y 497.2 y 3 LEC

CLASES: JUICIOS ORDINARIOS Y ESPECIALES	Dentro de los juicios declarativos se distinguen: • Los juicios <u>declarativos ORDINARIOS</u>, cuando no se pretende una tutela especialmente regulada, que son dos: 　• El <u>juicio ordinario</u> 　• El <u>juicio verbal</u>
	• Los <u>juicios declarativos ESPECIALES</u>, que son aquellos que persiguen una tutela específica, respecto de la cual la ley ha previsto que determinadas contiendas judiciales tengan una tramitación especial, juicios especiales dentro de los cuales se encuentran: 　• El juicio <u>monitorio</u> 　• El juicio <u>cambiario</u> 　• El juicio sobre <u>capacidad</u> 　• Los juicios sobre <u>filiación, menores, paternidad, o maternidad</u> 　• Los juicios <u>matrimoniales</u> 　• El juicio de <u>división de patrimonio</u>, sea de herencia, o sea de la sociedad de gananciales
JUICIOS PLENARIOS Y JUICIOS SUMARIOS	Dentro de los juicios declarativos puede distinguirse también entre: • Los juicios <u>declarativos PLENARIOS</u>, que son aquellos en los que el tribunal conoce de forma plena, es decir, en toda su amplitud, de la contienda judicial, sin limitación alguna de alegaciones, prueba o conocimiento, y en los que su sentencia, por tanto, produce plenos efectos de <u>cosa juzgada material</u>, impidiendo un nuevo proceso sobre el mismo objeto que haya sido resuelto, e impidiendo una indebida repetición de juicios

	• Los juicios <u>declarativos SUMARIOS</u>, en los que la ley limita el contenido y objeto de la contienda, así como limita las causas de oposición a la demanda, dentro de los cuales se encuentran los juicios verbales de los <u>números 1º, 3º, 4º, 5º, 6º, 7º, 10º y 11º del art. 250.1 LEC</u>, a saber:
	  • El juicio de desahucio por falta de pago de la renta o expiración de plazo
	  • El juicio de posesión de bienes hereditarios
	  • El juicio de recuperación de la posesión de una cosa de la que se haya sido despojado o perturbado
	  • El juicio de suspensión de obra nueva
	  • El juicio de demolición o derribo de obra, edificio u objeto análogo en ruina
	  • El juicio de efectividad de derechos reales inscritos en el Registro de la Propiedad
	  • El juicio de incumplimiento de contratos inscritos en el Registro de Venta de Bienes Muebles a Plazos, de arrendamiento financiero, de arrendamiento de bienes muebles, o contrato de venta a plazos con reserva de dominio inscritos

	• La <u>SENTENCIA</u> dictada en los juicios sumarios no produce plenos efectos de <u>cosa juzgada material</u>, no impidiendo el planteamiento de un nuevo juicio plenario sobre el mismo objeto • Otra especialidad de los juicios sumarios, conforme al art. 497.2 y 3 LEC, es su régimen de <u>notificación de la sentencia</u> al demandado <u>rebelde</u>, que no es necesario se publique en el Boletín Oficial de la Comunidad Autónoma o del Estado, bastando su publicación en el tablón de anuncios de la <u>Oficina judicial</u>

CRITERIOS Y DETERMINACIÓN DE LA CUANTÍA	• El <u>ÁMBITO</u> objetivo de aplicación entre los dos juicios declarativos ordinarios, el juicio verbal y el juicio ordinario, se determina en función de dos <u>CRITERIOS</u>:
	  • El criterio de la <u>MATERIA</u>, que es prioritario, estableciéndose que determinadas materias se seguirán por los trámites de una determinada clase de juicio
	  • El criterio de la <u>CUANTÍA</u>, que es subsidiario respecto del de la materia

	El art. 251 LEC establece las <u>REGLAS GENERALES</u> para la determinación de la <u>CUANTÍA</u>:

- La cuantía será la <u>cantidad reclamada</u>, cuando lo que se interesa sea la condena a dicha cantidad
- La cuantía será el <u>valor de los bienes, muebles o in-muebles</u>, conforme a su valor de mercado, o valoración oficial, al tiempo de la demanda, en los siguientes casos:
  - Cuando se discuta el <u>dominio</u> del bien, la validez o eficacia del título de dominio, o se ejercite un derecho a adquirir la propiedad del bien, cualquiera que sea el modo de su adquisición
  - Cuando se trate de <u>división de la cosa común</u>
  - Cuando se pida el deslinde o amojonamiento
  - Cuando se trate de <u>condena a dar</u> el bien, ya se base la reclamación en derechos personales o reales
  - Cuando se discuta la posesión del bien, siempre que no sea de aplicación otra regla de determinación de la cuantía
- La cuantía será el <u>valor de lo debido</u>, aunque sea pagadero a plazos, cuando se trate de la existencia o validez de un título obligacional
- La cuantía será la de <u>una anualidad de renta</u>, cuando se trate de arrendamientos de bienes, salvo cuando se reclamen rentas, en que se estará al importe de las reclamadas
- La cuantía será el importe de una <u>anualidad</u> multiplicado por diez, cuando se trate de exigir prestaciones periodicas
- La cuantía será la <u>base imponible tributaria</u> sobre la que gire el respetivo impuesto, cuando se trate de la mayoría de los <u>derechos reales limitativos</u> del dominio, entre ellos, la nuda propiedad, el usufructo, o el uso o habitación
- La cuantía será su <u>precio de constitución</u>, cuando se trate del derecho real de servidumbre
- La cuantía será el importe de las <u>sumas garantizadas</u>, cuando se trate de derechos reales de garantía
- La cuantía será el <u>coste del hacer</u>, o de los daños y perjuicios reclamados, cuando se trate de condena a hacer alguna cosa
- La cuantía será la <u>suma del valor de los bienes</u>, derechos o créditos que lo integran, calculados conforme a las reglas generales, cuando se trate de herencias, patrimonios o masas patrimoniales

	• Cuando, con ninguna de las reglas establecidas, puede fijarse de modo concreto el valor de lo pedido, ni siquiera de forma relativa, la demanda se considera de cuantía INESTIMABLE

	El art. 252 LEC establece las reglas ESPECIALES de determinación de la cuantía del juicio en caso de pluralidad de objetos:
	• La acción de mayor valor, cuando se ejerciten varias acciones principales que no provengan de un mismo título, o se acumulen de forma subsidiaria
	• La suma de todas las acciones líquidas, cuando se ejerciten varias acciones principales que provengan del mismo título, o se pidan, accesoriamente, intereses, frutos o rentas, o daños y perjuicios
	• La acción de mayor valor, cuando se acumulen las acciones de desahucio, por falta de pago o por expiración de plazo, y la de reclamación de rentas
	• No afecta a la cuantía de la demanda, o a la de la clase dc juicio a seguir por razón de la cuantía:
	  • Ni la concurrencia de varios demandantes, o de varios demandados
	  • Ni la reconvención
	  • Ni la acumulación de autos

IMPUGNACIÓN DE LA CUANTÍA	La cuantía del juicio puede impugnarse por el demandado: • En el juicio ordinario, en el escrito de contestación a la demanda, resolviéndose por el Juez en el acto de la audiencia previa • En el juicio verbal, en el mismo acto de la vista, resolviéndose por el Juez en el mismo acto

CUADRO RESUMEN DE LAS CLASES DE PROCESOS DEL JUZGADO 1ª INSTANCIA

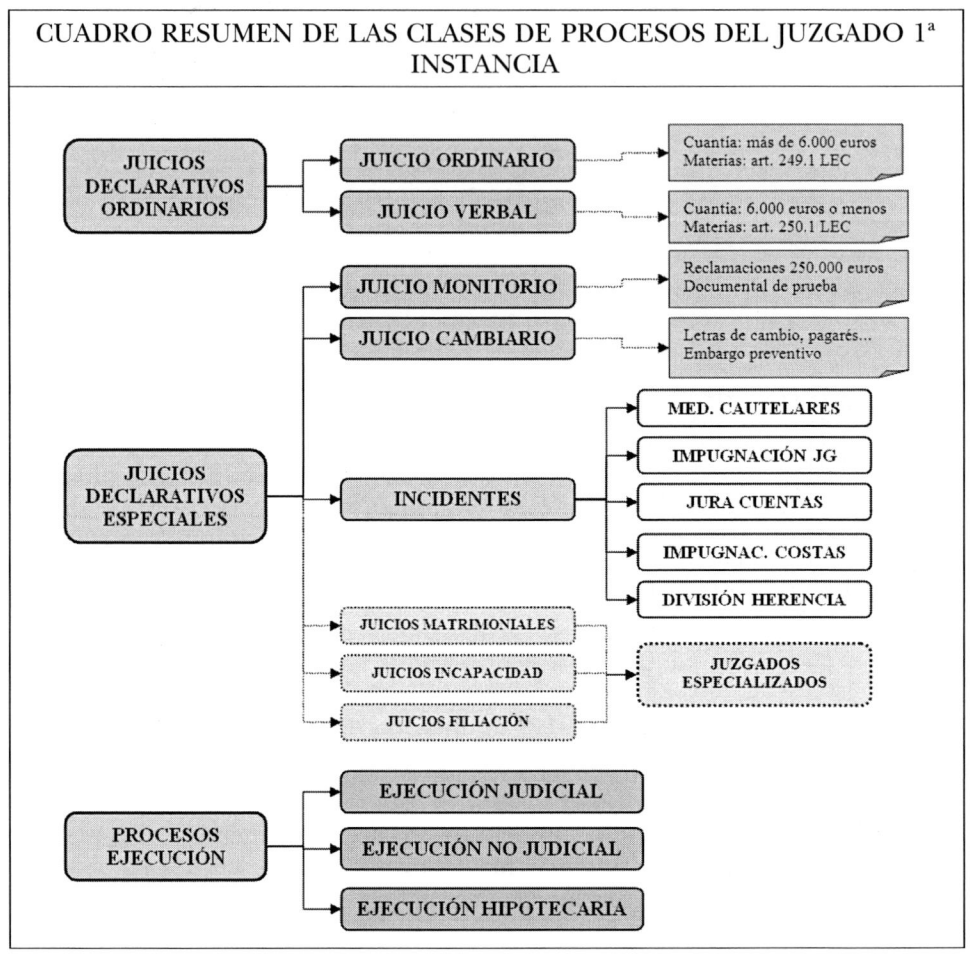

Juicio ordinario

SUMARIO:

I
JUICIO ORDINARIO

CONCEPTO	
Arts. 249 y 399 a 436 LEC	
CONCEPTO	Es el juicio declarativo, ordinario y plenario, a través del cual el tribunal conoce, con toda su extensión y sin limitación alguna, de aquellas contiendas judiciales determinadas por la ley, <u>por razón de la materia</u>, o cuya <u>cuantía</u> exceda de <u>SEIS MIL EUROS</u>, sea <u>indeterminada</u> o imposible de calcular

ÁMBITO MATERIAL	Conforme al art. 249.1 LEC, se decidirán en juicio ordinario por razón de la MATERIA, cualquiera que sea su cuantía, las siguientes demandas: • Las relativas a derechos honoríficos de la persona • Las relativas al derecho al honor, a la intimidad y a la propia imagen, o la tutela de otro derecho fundamental, salvo las que se refieran al derecho de rectificación. Estos procesos tienen tramitación preferente, y en ellos es siempre parte el Ministerio Fiscal • Las de impugnación de acuerdos sociales • Las de competencia desleal o defensa de la competencia, propiedad industrial, propiedad intelectual o publicidad • Las relativas a condiciones generales de contratación • Las relativas a arrendamientos urbanos o rústicos, salvo que se trate de reclamaciones de rentas o cantidades dcbidas por el arrendatario, o de desahucio por falta de pago o por expiración del plazo, que se tramitan, todos ellos, con independencia de su cuantía, por los cauces del juicio verbal • Las de juicio de retracto • Las de la Ley de Propiedad Horizontal relativas a los propietarios o juntas de propietarios, salvo que versen exclusivamente sobre reclamaciones de cantidad

FASE DE ALEGACIONES
Arts. 399 a 413 y 414 a 430 LEC

TRÁMITE	La tramitación del juicio ordinario se reduce a los siguientes trámites: • La ADMISIÓN A TRÁMITE de la demanda, EMPLAZANDO al demandado para que, en el término de veinte días, se persone y conteste a la demanda, con el apercibimiento de que de no verificarlo, se le declarará en rebeldía, librándose al efecto los despachos necesarios, incluida la averiguación de domicilio en su caso • La CONTESTACIÓN a la demanda, y en caso de presentación, teniendo por personado y parte al demandado, y por contestada la demanda, o declarando su rebeldía procesal si no se persona dentro de plazo, con señalamiento, en ambos casos, de día y hora para la celebración de la audiencia previa En caso de haberse formulado, también, reconvención

	por el demandado, previo traslado de la reconvención al demandante para que, en el plazo de diez días, pueda contestarla • La celebración de la <u>AUDIENCIA PREVIA</u>, fijándose en ella los hechos controvertidos, admitiéndose las pruebas pertinentes, y señalándose día y hora para la celebración del juicio, librándose, después de su celebración, por la Oficina judicial, los despachos oportunos para la práctica de las pruebas admitidas • La celebración del <u>JUICIO</u>, con la <u>práctica de las pruebas</u> admitidas, quedando en el acto los autos vistos para sentencia, salvo que se acuerde la práctica de diligencias finales de prueba • El dictado de <u>SENTENCIA</u>, y su notificación a las partes, a través de Procurador, personalmente o por medio de edictos
DEMANDA *Art. 399 LEC*	• La <u>DEMANDA</u> es el escrito del demandante en el que, consignados los datos y circunstancias de identificación, y domicilio, tanto suyos como del demandado, expone, en párrafos numerados y separados, los hechos y los fundamentos de derecho de la contienda, tanto procesales como de fondo, fijando con claridad y precisión lo que se pide a través del suplico • Desde el momento de la interposición de la demanda, los cambios que se produzcan en cuanto a domicilio no varían la jurisdicción y competencia del tribunal
AMPLIACIÓN DE DEMANDA *Arts. 401.2 y 412 LEC*	• <u>ANTES</u> de la contestación a la demanda, el demandante puede <u>ampliar</u> su demanda con nuevas acciones o reclamaciones, o dirigiéndola contra nuevos demandados • Se prohíbe el <u>CAMBIO</u> de demanda, o del objeto del proceso, después de la demanda, la contestación, y en su caso, la reconvención, sin perjuicio de las alegaciones complementarias que pueden producirse en el acto de la audiencia previa
ADMISIÓN DE DEMANDA *Arts. 404, 404 y 231 LEC*	• Se establece un <u>sistema mixto</u> de <u>ADMISIÓN</u> de la demanda, en virtud del cual: • El Secretario judicial <u>ADMITE</u> la demanda, por <u>decreto</u>, en caso de considerar cumplidos los requisitos y formalidades exigidos por la ley • El Secretario judicial <u>dará cuenta</u> al tribunal para que resuelva, por <u>auto</u>, sobre la <u>INADMISIÓN</u> o admisión

	de la demanda, cuando estime falta de jurisdicción o competencia del tribunal, o cuando la demanda adolezca de defectos formales insubsanables, o no subsanados pese al plazo concedido para ello • La demanda <u>sólo se inadmitirá</u> en los casos y por las causas <u>expresamente establecidas</u> por la ley, y el principio general es que los defectos procesales de la demanda se consideran siempre subsanables
EXAMEN DE LA DEMANDA *Arts. 68.2, 399, 6 a 9, 23 y 31, 26.1, 28.1, 31.1, 37 y 38, 45 a 49, 50 a 58, 61 y 62, 71 a 73, 253 y 254, 264, 266, 275 y 596 LEC, 454.3 LOPJ y Ley 53/02*	Los <u>REQUISITOS</u> de la demanda que deben examinarse en el momento de su admisión, en síntesis, son: • La constancia de la diligencia de <u>REPARTO</u>, y que se ajuste a las normas de reparto vigentes No se admitirá a trámite ninguna demanda en la que no conste la diligencia de reparto, o que haya sido erróneamente repartida conforme a las normas de reparto vigentes
	• La presentación de las <u>TASAS JUDICIALES</u>, cuando el actor sea persona jurídica • El modelo 696 debe <u>completarse por el Juzgado</u>, en el espacio reservado a la Administración de Justicia, con los datos relativos a la cuenta de consignaciones judiciales, la fecha de presentación de la demanda, su cuantía, y el tipo de proceso que constituye el hecho imponible • En caso de <u>no presentación</u> de la tasa judicial, pese a ser requerido para ello, sin perjuicio de la comunicación de tal circunstancia a la Administración Tributaria, <u>se dará trámite</u> a la demanda, no siendo causa de su inadmisión a trámite
	• La <u>FORMA</u> de la demanda, la identificación clara del demandante y del demandado, y el suplico claro y concreto
	• La <u>CAPACIDAD PROCESAL</u> y capacidad para ser parte, en caso de personas jurídicas, menores, incapacitados o personas o entidades declaradas en concurso de acreedores
	• La intervención preceptiva de <u>ABOGADO y PROCURADOR</u>, y sus firmas en el escrito de demanda
	• La presentación de los <u>DOCUMENTOS PROCESALES</u> exigidos, que son: • La copia del <u>PODER para pleitos</u> ante Notario, o en

su defecto, el anuncio de su otorgamiento por <u>com-parecencia apud acta</u> ante Secretario judicial

- El documento que acredite la <u>REPRESENTACIÓN</u>, en caso de ser el actor <u>persona jurídica</u>
- El documento que acredite el valor de la cosa, cuando sea éste el que fije la cuantía del juicio
  Los documentos relativos al <u>fondo del asunto</u> no condicionan la admisión o inadmisión a trámite de la demanda, y por tanto, no deben exigirse en este momento, sin perjuicio de las consecuencias procesales que, en caso de no presentación en el momento procesal oportuno, puedan derivarse para la resolución de fondo que recaiga en el proceso

---

- La <u>JURISDICCIÓN</u> y <u>COMPETENCIA</u> del tribunal:
- El orden jurisdiccional civil competente
- La competencia funcional del Juzgado, para conocer del asunto en primera instancia, en ejecución o de los incidentes
- La <u>competencia objetiva</u> del Juzgado de 1ª Instancia, que no se trate de asuntos cuyo conocimiento corresponda a los Juzgados de Familia, de Incapacidades de lo Mercantil de Violencia sobre la Mujer, o de Paz
- La <u>competencia territorial</u>, sólo cuando se trate de los <u>fueros imperativos</u> de los números 1º, 4ª a 15ª del art. 52.1 y 2 LEC, especialmente, en los siguientes juicios ordinarios:
  - En los de arrendamientos
  - En los de propiedad horizontal
  - En los que se ejerciten acciones reales
  - En los de accidentes de tráfico
  - En los de herencia

- La <u>ACUMULACIÓN DE ACCIONES</u>, objetiva y subjetiva, en los supuestos admitidos por la ley

---

- La adecuación de la <u>CLASE</u> de juicio, y la fijación en la demanda de la <u>CUANTÍA</u> del juicio, pudiendo distinguirse los siguientes supuestos:
  - Cuando en la demanda <u>no se exprese</u> su cuantía, se requerirá al actor por diligencia de ordenación, para que la fije por medio de diligencia de ordenación
  - Cuando la cuantía del juicio se haya fijado <u>erróneamente</u> por un simple error aritmético, puede <u>corregirse</u> de oficio siempre que existan elementos en la demanda para hacerlo

	• Cuando la cuantía del juicio se haya fijado <u>errónea-mente</u> y afecte a la clase de juicio, de oficio, se le dará por decreto el trámite que corresponda, sin estar vinculado por lo expresado en la demanda
	• La presentación de las <u>COPIAS</u> de la demanda y documentos La no presentación de las copias de la demanda, dentro del plazo concedido para la subsanación del defecto, da lugar a la inadmisión a trámite de la demanda por auto del tribunal

	• En el juicio de <u>RETRACTO</u>, además, se exigen otros dos requisitos especiales:
	  • Los <u>documentos</u> que acrediten un <u>principio de prueba</u> por escrito
	  • La consignación del precio, o su anuncio

	• En el juicio de <u>TERCERÍA DE DOMINIO</u>, además, se exigen otros dos requisitos especiales: • Los <u>documentos</u> que acrediten un <u>principio de prueba</u> por escrito • La consignación del <u>precio</u>, o su anuncio
OTROSÍES DIGO	• Las solicitudes que se realicen por medio de <u>OTROSÍ DIGO</u>, o solicitud independiente, deben <u>resolverse</u> expresamente en la parte dispositiva del decreto de admisión a trámite, sea para dar cuenta por separado al Juez, cuando se trate de solicitud de prueba anticipada, sea para la formación de pieza separada, cuando se solicite, por ejemplo, la adopción de medidas cautelares

CONTESTACIÓN A LA DEMANDA
Art. 405 LEC
	• La <u>CONTESTACIÓN</u> a la demanda se redacta en la misma forma que la demanda, y debe examinarse en ella, principalmente y de modo paralelo a la demanda, los siguientes <u>requisitos</u>:
	  • Su <u>forma</u>, del mismo modo que la de la demanda
	  • La <u>capacidad procesal</u> y capacidad para ser parte
	  • La intervención preceptiva de <u>abogado y procurador</u>, y sus <u>firmas</u> en el escrito de contestación
	  • La presentación de los <u>documentos procesales</u>, la copia del <u>poder para pleitos</u> ante notario, o el anuncio de su otorgamiento por <u>comparecencia apud acta</u>; y el documento que acredite la <u>representación</u> en caso de ser persona jurídica

	• La presentación de las <u>copias</u> de la contestación y documentos
RECONVENCIÓN *Art. 406 LEC*	• La <u>RECONVENCIÓN</u> es una <u>nueva demanda</u>, planteada en el escrito de contestación por el <u>demandado contra el actor</u>, en virtud de la cual el demandado ejercita una acción nueva e independiente, pero relacionada con la de la demanda principal, contra el actor o contra un tercero, para su resolución en el mismo proceso y en la misma sentencia • Puede dirigirse sólo contra el actor, o contra el actor y también <u>contra terceros no demandantes</u> • Debe reunir la <u>misma forma</u> y requisitos que una demanda, articulándose, de forma independiente, a continuación de la contestación a la demanda • Si el demandado alega en su contestación las excepciones de <u>COMPENSACIÓN o NULIDAD del negocio jurídico</u>, el actor puede contestarlas en el mismo plazo establecido para la contestación a la reconvención
REBELDÍA *Art. 496 LEC*	• La <u>REBELDÍA</u> es la falta de contestación a la demanda por parte del demandado, transcurrido el término del emplazamiento, declaración que se realiza por diligencia de ordenación en el juicio ordinaria En el juicio verbal, en cambio, en caso de incomparecencia o no personación en forma del demandado debidamente citado, la declaración de rebeldía se acuerda por el propio Juez en el acto de la vista • La declaración de rebeldía no equivale a un allanamiento, sino que debe entenderse como una oposición tácita a la demanda

AUDIENCIA PREVIA	• Es un <u>acto procesal complejo</u>, celebrado a presencia judicial, que tiene por objeto cumplir varias <u>finalidades</u>:
	  • Intentar un <u>acuerdo</u> o transacción entre las partes que ponga fin al proceso informando a las partes de la posibilidad de acudir a la mediación, pudiendo las partes solicitar la suspensión del proceso a tal fin
	  • Contestar, y resolver en su caso, las <u>cuestiones y excepciones procesales</u> planteadas
	  • Fijar con precisión el objeto y los hechos controvertidos del proceso, pudiendo formularse, en su caso, alegaciones complementarias, o hechos de nueva noticia

139

- Proponer y admitir la prueba, posicionándose las partes sobre los documentos y dictámenes presentados de contrario
- Señalar día y hora para la celebración del juicio
- Las resoluciones orales que se dicten en una vista o audiencia deben documentarse, con expresión del fallo y su sucinta motivación, pudiendo declararse en el acto su firmeza si todas las partes presentes expresan su decisión de no recurrir
- Contra las resoluciones sobre prueba, en el juicio ordinario –a diferencia del juicio verbal–, sólo cabe interponer recurso de reposición, que se formula y resuelve oralmente en el mismo acto de la audiencia previa, y en caso de desestimación, el recurrente puede formular su protesta a los efectos de hacer valer su derecho en la segunda instancia

FASES DE PRUEBA Y DECISORIA	
Arts. 431 a 436 LEC	
JUICIO	Conforme a la propia definición legal del art. 431 LEC, el JUICIO tiene por objeto la práctica de las pruebas admitidas, y la formulación de conclusiones sobre las practicadas
DILIGENCIAS FINALES	A instancia de parte, como facultad discrecional del Juez, se pueda acordar la práctica de DILIGENCIAS FINALES de prueba en los siguientes casos: • Cuando la prueba admitida no se haya podido practicar por causas ajenas a la parte proponente • Cuando la prueba no se haya podido proponer en tiempo y forma, o verse sobre hechos nuevos o de nueva noticia • Excepcionalmente, de oficio, cuando la prueba practicada no haya sido conducente por circunstancias ya desaparecidas
SENTENCIA	Es la resolución final que tiene por objeto poner fin al proceso, en primera o en segunda instancia, una vez concluida la tramitación normal del asunto

II
ESQUEMAS PROCESALES

EXAMEN DE LA DEMANDA DE JUICIO ORDINARIO

Arts. 6 a 9, 23, 26.1, 28.1, 31, 37, 38, 45 a 49, 50 a 58, 61, 62, 68.2, 71 a 73, 253, 254, 264, 266, 275, 399 y 596 LEC, 454.3 LOPJ y Ley 53/02

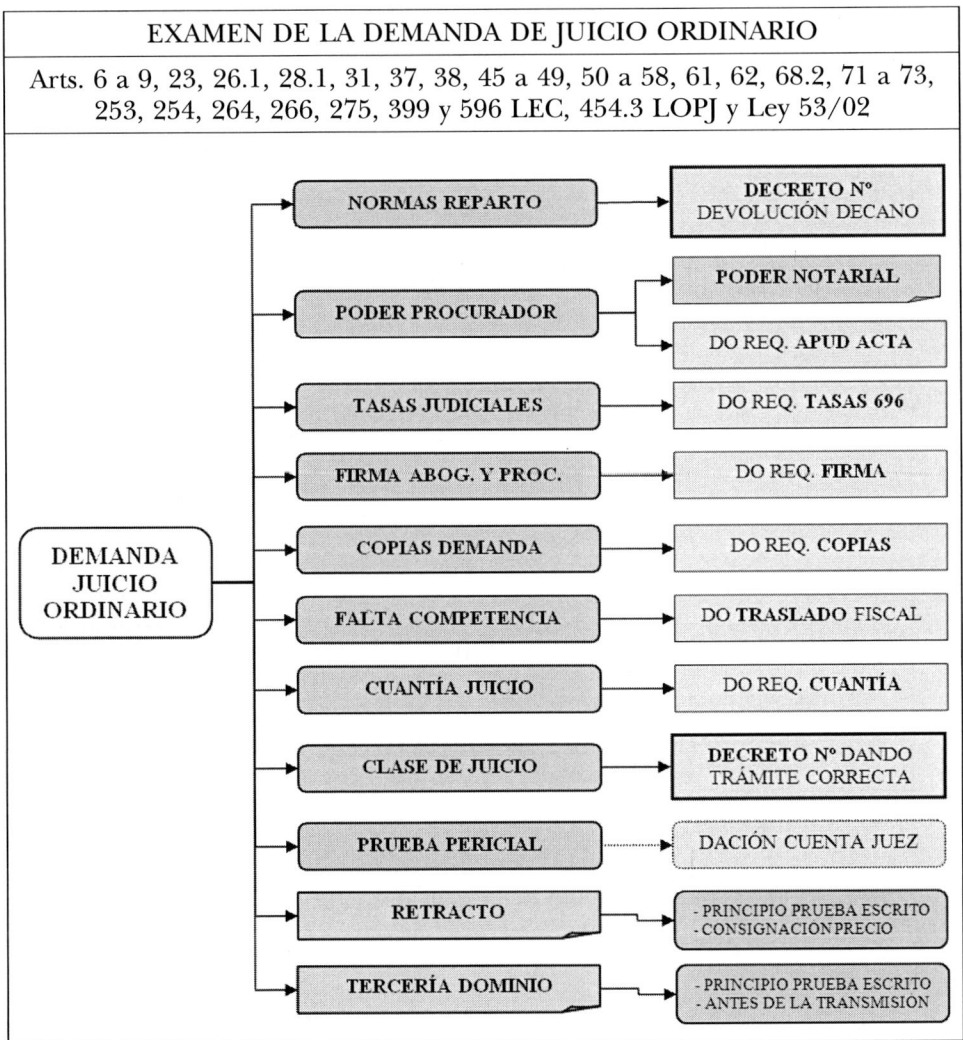

EXAMEN DE LA CONTESTACIÓN A LA DEMANDA DE JUICIO ORDINARIO	
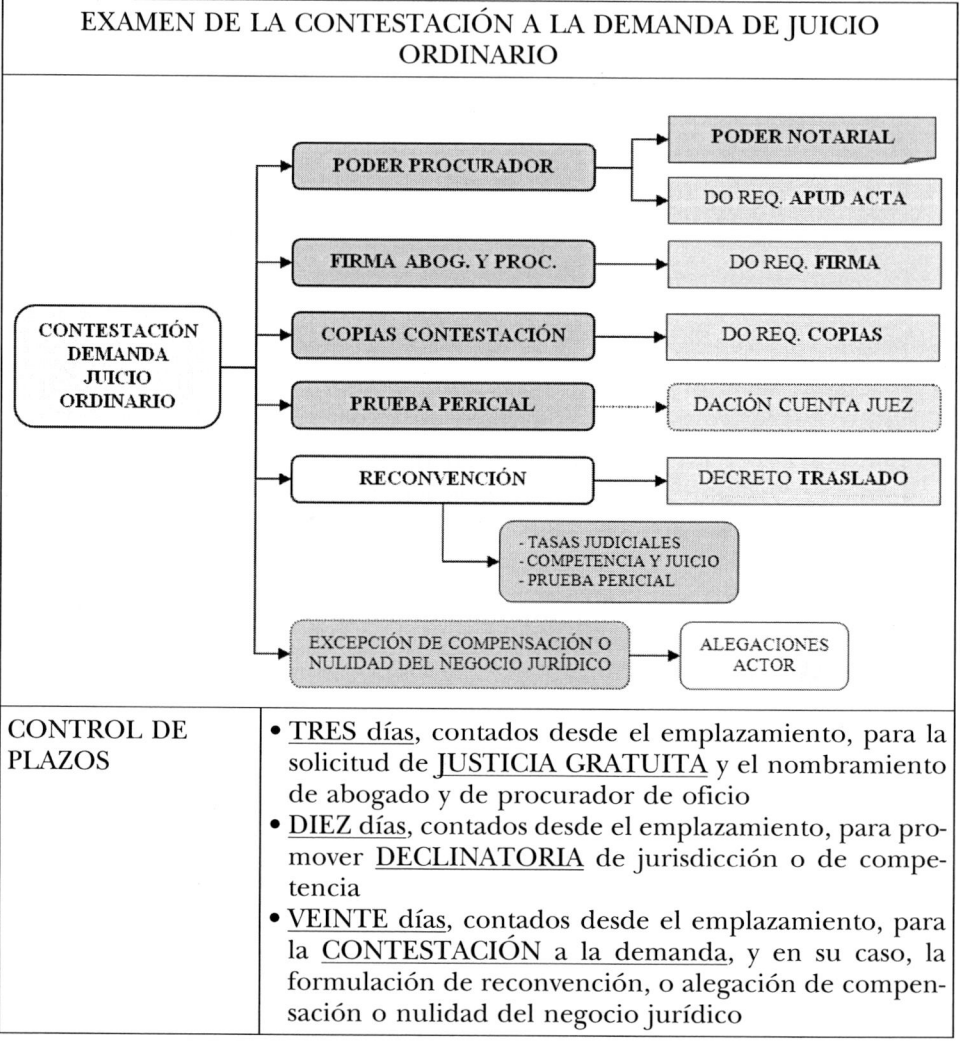	
CONTROL DE PLAZOS	• <u>TRES</u> días, contados desde el emplazamiento, para la solicitud de <u>JUSTICIA GRATUITA</u> y el nombramiento de abogado y de procurador de oficio • <u>DIEZ</u> días, contados desde el emplazamiento, para promover <u>DECLINATORIA</u> de jurisdicción o de competencia • <u>VEINTE</u> días, contados desde el emplazamiento, para la <u>CONTESTACIÓN a la demanda</u>, y en su caso, la formulación de reconvención, o alegación de compensación o nulidad del negocio jurídico

TRAMITACIÓN DEL JUICIO ORDINARIO

FASE DE ALEGACIONES

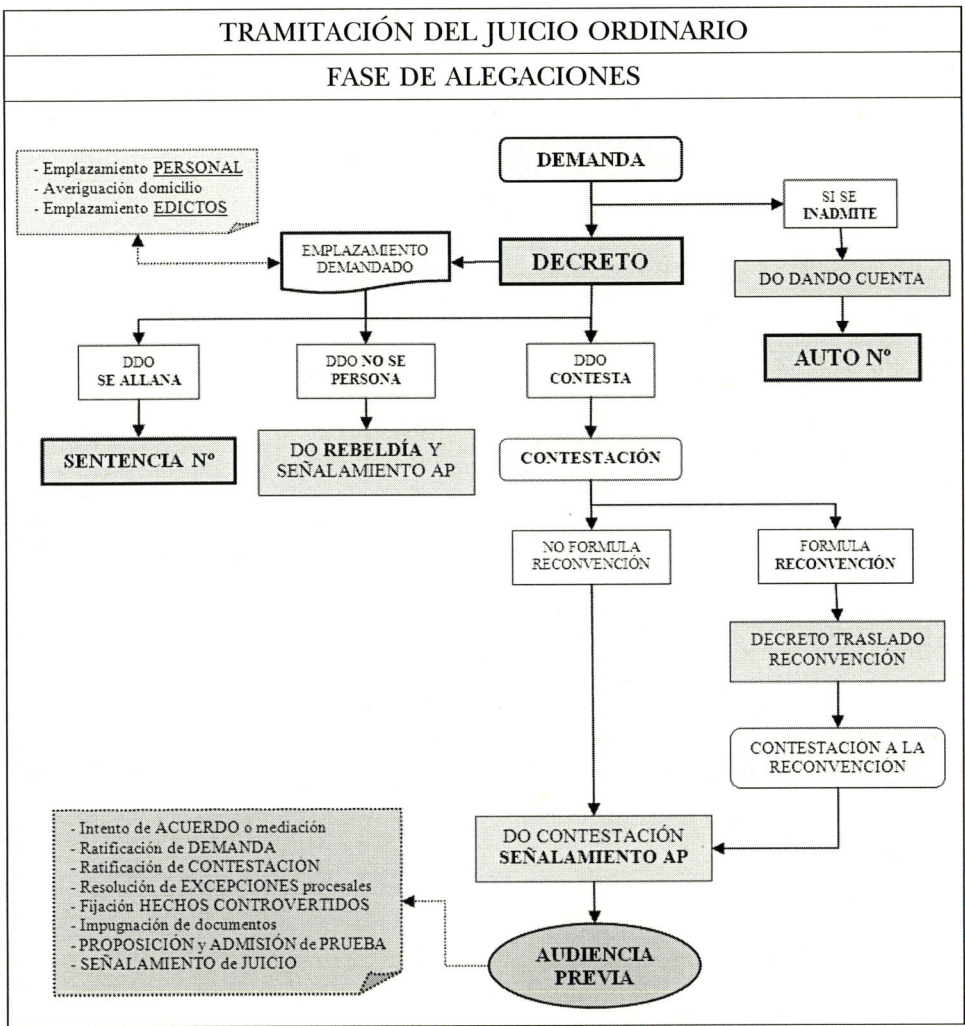

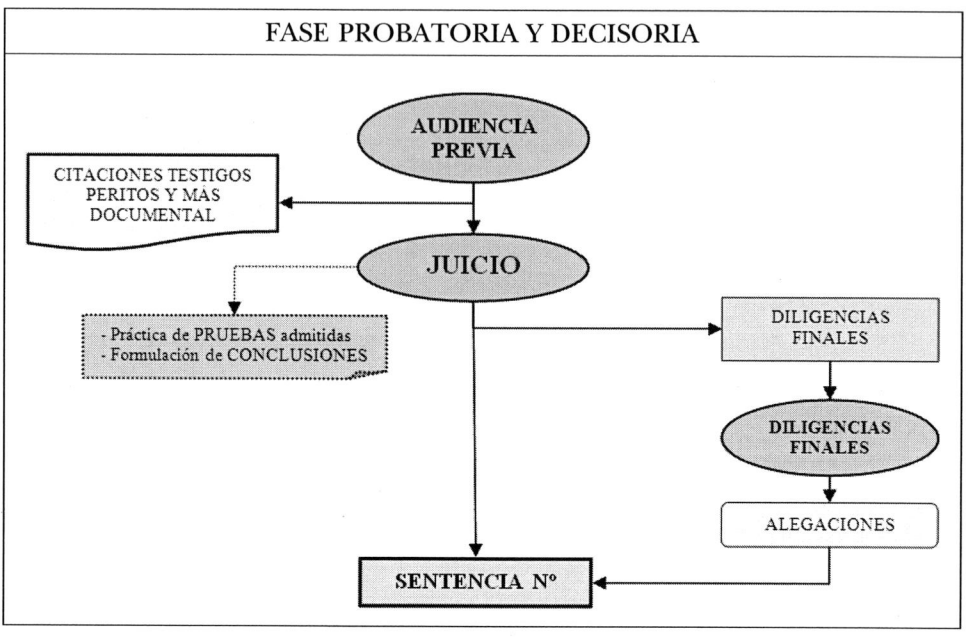

Juicio verbal

SUMARIO:

I
JUICIO VERBAL

CONCEPTO	
Art. 250 LEC	
CONCEPTO	Es el juicio declarativo, ordinario y plenario, a través del cual el tribunal conoce, con toda su extensión y sin limitación alguna, de aquellas contiendas judiciales determinadas por la ley, <u>por razón de la materia</u>, o cuya cuantía no exceda de SEIS MIL EUROS
ÁMBITO MATERIAL	Conforme al <u>art. 250.1 LEC</u>, se decidirán en juicio verbal por razón de la <u>materia</u>, cualquiera que sea su cuantía, las siguientes demandas: • Las de desahucio por falta de pago de las rentas o cantidades debidas por el arrendatario, o por expiración del plazo • Las de desahucio por precario • Las de posesión de bienes adquiridos por herencia

	• Las de recobrar la tenencia o posesión de una cosa o derecho por quien haya sido despojado o perturbado en ellas • Las de suspensión de una obra nueva • Las de demolición o derribo de obra, edificio, árbol, columna u otro objeto en estado de ruina • Las de efectividad de derechos reales inscritos en el Registro de la Propiedad • Las de alimentos debidos por disposición legal o por otro título • Las que ejercitan la acción de rectificación • Las de incumplimiento de los contratos inscritos en el Registro de Venta a Plazos de Bienes Muebles inscritos, de arrendamiento financiero, arrendamiento de bienes muebles, o de venta a plazos con reserva de dominio • Las de incumplimiento de un contrato de arrendamiento financiero o contrato de venta a plazos con reserva de dominio • Las de defensa de los intereses colectivos de los consumidores y usuarios • Las de régimen de visitas de los padres y abuelos

TRAMITACIÓN	
Arts. 437 a 447 LEC	
TRÁMITE	La tramitación del juicio verbal se reduce a los siguientes trámites: • La <u>ADMISIÓN A TRÁMITE</u> de la demanda, <u>CITANDO</u> al demandado <u>a la VISTA</u>, con todos los apercibimientos legales, y el de que, de no personarse, se le declarará en rebeldía, librándose al efecto los despachos necesarios, incluida la averiguación de domicilio en su caso En caso de solicitarse <u>anticipadamente</u> la aportación de documentos, o la citación de testigos, se librarán, por la Oficina judicial, los <u>despachos</u> oportunos, salvo en el caso de los peritos, cuya citación judicial no es obligatoria • La celebración de la <u>VISTA</u>, en la que tienen lugar la contestación a la demanda, la contestación a la reconvención en su caso, y la proposición y <u>práctica de las pruebas</u> pertinentes, quedando en el acto los autos vistos para sentencia

	• El dictado de <u>SENTENCIA</u>, y su notificación a las partes, a través de Procurador, personalmente o por medio de edictos
DEMANDA *Art. 437 LEC*	• La <u>DEMANDA</u>, aunque puede ser sucinta, debe revestir la forma de demanda del art. 399 LEC • Por <u>excepción</u>, cuando se reclame una cantidad inferior a 900 euros, la demanda se puede presentar conforme a un <u>IMPRESO NORMALIZADO</u>, que debe estar a disposición de todos los ciudadanos en todas las Oficinas judiciales • Antes de la VISTA –momento de la contestación a la demanda–, el demandante puede <u>ampliar</u> su demanda con nuevas acciones o reclamaciones, o dirigiéndolas contra nuevos demandados

ADMISIÓN DE DEMANDA
Art. 440.1 LEC
	• Se establece el mismo <u>sistema mixto</u> de <u>ADMISIÓN de</u> la demanda del juicio ordinario:
	  • El Secretario judicial <u>ADMITE</u> la demanda, por decreto
	  • El Secretario judicial <u>dará cuenta</u> al tribunal para que resuelva, por <u>auto</u>, sobre la <u>INADMISIÓN</u> o admisión de la demanda, cuando estime falta de jurisdicción o competencia del tribunal, o cuando la demanda adolezca de defectos formales insubsanables, o no subsanados dentro del plazo concedido

EXAMEN DE LA DEMANDA *Arts. 47, 68.2, 399, 6 a 9, 23 y 31, 26.1, 28.1, 31.1, 37 y 38, 45 a 49, 50 a 58, 61 y 62, 71 a 73, 253 y 254, 264, 266, 275, 438.3 LEC, 454.3 LOPJ y Ley 53/02*	Los <u>REQUISITOS</u> de la demanda, que deben examinarse en el momento de su admisión, son los mismos del juicio ordinario, con las <u>especialidades</u> siguientes: • La constancia de la <u>diligencia de reparto</u> • La aplicación de las <u>normas de REPARTO</u> vigentes • La presentación de las <u>TASAS JUDICIALES</u>, cuando el actor sea persona jurídica • La <u>FORMA</u> de la demanda, la identificación clara del demandante y del demandado, y el suplico claro y concreto • La <u>CAPACIDAD PROCESAL</u> y capacidad para ser parte, en caso de personas jurídicas, menores, incapacitados o declarados en concurso • La intervención preceptiva de <u>ABOGADO y PROCURADOR</u>, y sus firmas en el escrito de demanda No es preceptiva la intervención de Procurador y Abogado cuando la cuantía del juicio verbal <u>NO SUPERE</u> los 2.000 euros

- La presentación de los DOCUMENTOS PROCESA-LES, en especial, la copia del PODER para pleitos ante Notario, o en su defecto, el anuncio de su otorgamiento por comparecencia apud acta ante Secretario judicial; pero también el documento que acredite la representación en su caso, y el documento que acredite el valor de la cosa litigiosa, cuando sea el que fije la cuantía del juicio
- La JURISDICCIÓN y COMPETENCIA del tribunal

  En el juicio verbal se aprecia siempre de OFICIO, incluso en el caso de competencia territorial, no siendo de aplicación las normas sobre sumisión expresa o tácita

  Los Juzgados de PAZ son competentes, objetivamente, para conocer de los juicios verbales por razón de la cuantía cuando en ellos se reclame cantidad inferior a noventa euros
- La ACUMULACIÓN DE ACCIONES, que en el juicio verbal sólo se admite:
  - Cuando las acciones se basen en unos mismos hechos, siempre que, en todo caso, proceda, el juicio verbal
  - En el juicio de desahucio por falta de pago o expiración del plazo, la acumulación de la acción de reclamación de rentas o cantidades debidas, con independencia de la cantidad que se reclame, y las acciones dirigidas contra el fiador o avalista solidario, previo requerimiento de pago no satisfecho
  - La acumulación de la acción de reclamación de daños y perjuicios, a otra acción que sea prejudicial de ella
- La adecuación de la CLASE de juicio, y la fijación en la demanda de la CUANTÍA del juicio, requiriéndose a la actora para que la fije cuando no la haya expresado, corrigiéndose de oficio cuando se haya incurrido en un simple error aritmético, o dando al juicio el trámite que corresponda cuando afecte a la clase de juicio
- La presentación de las COPIAS de la demanda y documentos

REQUISITOS ESPECIALES en juicios verbales especiales:

1) En los DESAHUCIO por falta de pago, la indicación de si cabe o no la enervación del juicio desahucio

	2) En las demandas de <u>retener o de recobrar la POSE-SIÓN</u>, el plazo de <u>un año</u> a contar desde el acto de perturbación o despojo 3) En las demandas para la <u>efectividad de DERECHOS REALES INSCRITOS</u>, la presentación de la <u>certificación literal</u> del Registro de la Propiedad que acredite la vigencia del asiento, la <u>caución</u> que haya de prestar el demandado en caso de contestar, y las <u>medidas</u> que considere necesarias para asegurar la eficacia de la sentencia 4) En las demandas de posesión de bienes adquiridos por <u>HERENCIA</u>, el documento que acredite la <u>sucesión mortis causa</u>, y la relación de los <u>testigos</u> que vayan a declarar 5) En las demandas de <u>ALIMENTOS</u>, el documento que justifique el <u>título</u> en cuya virtud se piden
CONTESTACIÓN A LA DEMANDA, RECONVENCIÓN Y REBELDÍA *Arts. 438 y 442.2 LEC*	• La <u>CONTESTACIÓN a la demanda</u> se formula oralmente en el mismo acto de la vista • El <u>apoderamiento APUD ACTA</u>, de personarse el demandado con Abogado y Procurador, en caso de no estar presente el Secretario judicial en la vista, deberá otorgarse con anterioridad a la celebración de la vista, o inmediatamente después de su celebración por tratarse de un acto subsanable • Las cuestiones procesales se resuelven en el mismo acto de la vista • La <u>RECONVENCIÓN</u>, igual que la alegación de compensación, deben notificarse al actor, por escrito, al menos, CINCO DÍAS antes de la vista, siempre que no determine la improcedencia del juicio verbal • La <u>REBELDÍA</u> del demandado, en caso de no asistencia o no personación en forma, se declara por el Juez en el mismo acto de la vista
ACTUACIONES PREVIAS A LA VISTA EN JUICIOS ESPECIALES *Art. 441 LEC*	En determinados juicios verbales especiales, antes de la vista, deben practicarse determinadas actuaciones previas: • La orden inmediata de suspensión de la obra al dueño o encargado, en los juicios de suspensión de <u>OBRA NUEVA</u>, • La práctica de la información testifical ofrecida, en los juicios de posesión de <u>BIENES HEREDITARIOS</u>

	• Las medidas de aseguramiento de la sentencia solicitadas, en los juicios para la efectividad de <u>DERECHOS REALES inscritos</u> • La exhibición, embargo preventivo y depósito del bien reclamado, en los juicios por incumplimiento de contratos de <u>ARRENDAMIENTO FINANCIERO</u>, arrendamiento de bienes muebles, o de VENTA A PLAZOS con reserva de dominio, en los que, de no oponerse el demandado tras su citación, se dictará, sin necesidad de vista y sin más trámite, sentencia estimatoria sin más trámite
JUICIO O VISTA *Arts. 442 y 443 LEC*	• Excepto la demanda, todas las demás actuaciones de la fase de trámite del juicio verbal, la contestación a la demanda, y la proposición, admisión y práctica de prueba, se concentran en un acto oral y único, que es la <u>VISTA</u> • No se prevé expresamente trámite de <u>conclusiones</u>, salvo respecto de los juicios sobre filiación, capacidad, matrimonio y menores –art. 753.2 LEC–, pero, en cualquier caso, conforme al art. 185.4 LEC, el Juez puede conceder la palabra a las partes cuando lo estime oportuno

---

II
ESQUEMAS PROCESALES

EXAMEN DE LA DEMANDA DE JUICIO VERBAL

Arts. 6 a 9, 23, 26.1, 28.1, 31, 37, 38, 45 a 49, 50 a 58, 61, 62, 68.2, 71 a 73, 253, 254, 264, 266, 275, 399 y 438.3 LEC, 454.3 LOPJ y Ley 53/02

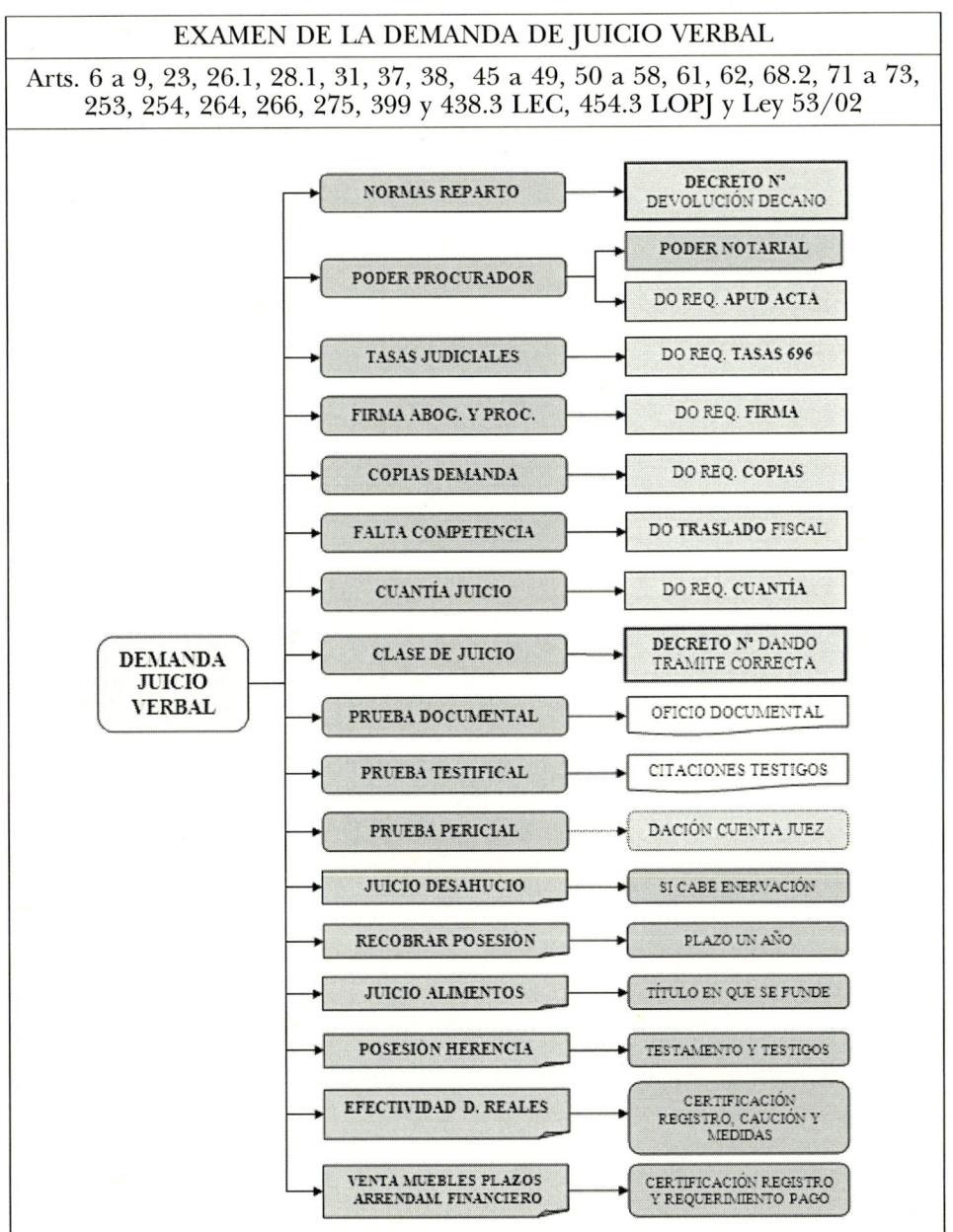

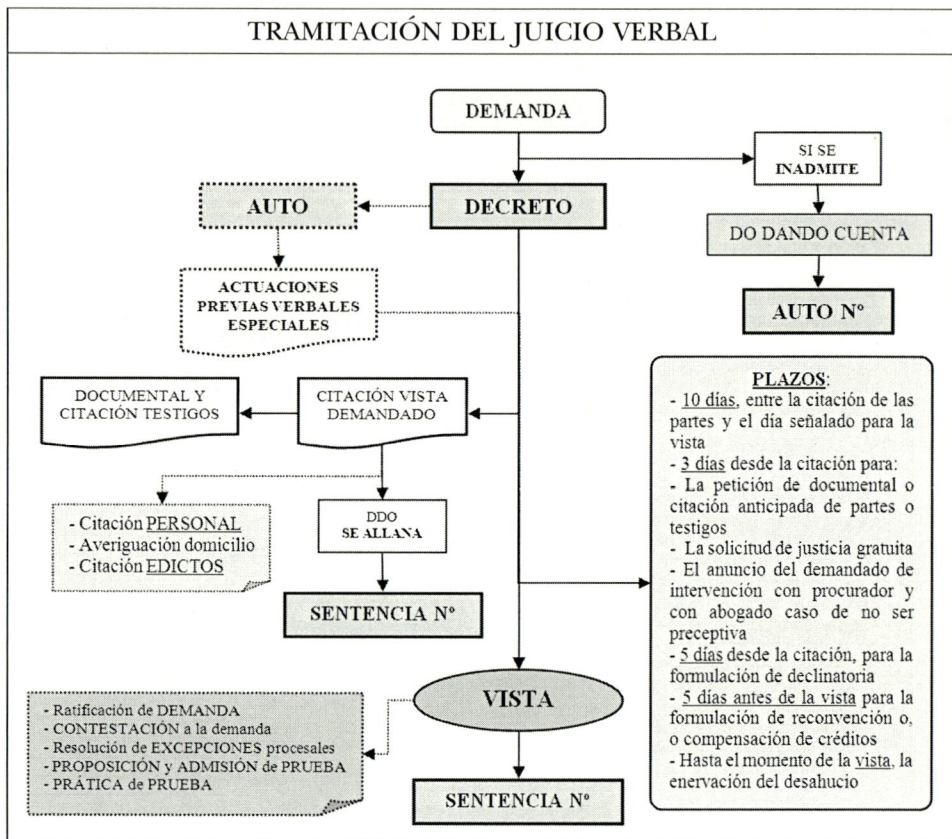

TRAMITACIÓN DEL JUICIO VERBAL

DEMANDA

SI SE INADMITE

AUTO ◀ DECRETO

DO DANDO CUENTA

AUTO Nº

ACTUACIONES PREVIAS VERBALES ESPECIALES

DOCUMENTAL Y CITACIÓN TESTIGOS ◀ CITACIÓN VISTA DEMANDADO

- Citación <u>PERSONAL</u>
- Averiguación domicilio
- Citación <u>EDICTOS</u>

DDO SE ALLANA

SENTENCIA Nº

PLAZOS:
- <u>10 días</u>, entre la citación de las partes y el día señalado para la vista
- <u>3 días</u> desde la citación para:
- La petición de documental o citación anticipada de partes o testigos
- La solicitud de justicia gratuita
- El anuncio del demandado de intervención con procurador y con abogado caso de no ser preceptiva
- <u>5 días</u> desde la citación, para la formulación de declinatoria
- <u>5 días antes de la vista</u> para la formulación de reconvención o, o compensación de créditos
- Hasta el momento de la <u>vista</u>, la enervación del desahucio

- Ratificación de DEMANDA
- CONTESTACIÓN a la demanda
- Resolución de EXCEPCIONES procesales
- PROPOSICIÓN y ADMISIÓN de PRUEBA
- PRÁTICA de PRUEBA

VISTA

SENTENCIA Nº

CONTROL DE PLAZOS *Arts. 64, 438 y 440 LEC*	• <u>DIEZ días</u>, contados desde la citación de las partes, entre dicha citación y el día señalado para la <u>celebración de la VISTA</u> • <u>TRES días</u>, contados desde la citación, para la solicitud de <u>JUSTICIA GRATUITA</u> y el nombramiento de abogado y de procurador de oficio • <u>TRES días</u>, contados desde la citación de las partes, para la solicitud de <u>citación judicial de TESTIGOS</u> o partes, o de <u>DOCUMENTAL</u> de respuestas escritas por parte de personas jurídicas o entidades públicas • <u>TRES días</u>, contados desde la citación del demandado, para que éste anuncie su personación con ABOGADO y PROCURADOR cuando no sea preceptiva su intervención • <u>CINCO días</u>, contados desde la citación al demandado, para promover <u>DECLINATORIA</u> de jurisdicción o de

| | competencia, sin perjuicio de su apreciación de oficio por el tribunal
• <u>CINCO</u> días antes de la vista para formular RECON-VENCIÓN, o alegar compensación de créditos
• Hasta el acto de la <u>VISTA</u>, la consignación por el demandado de las cantidades adeudadas a efectos de <u>ENERVACIÓN</u> de la acción de desahucio por falta de pago |

Juicio de desahucio

I
CONCEPTO

CONCEPTO	
Arts. 250 y 447 LEC	
CONCEPTO	• Es un juicio declarativo, especial y sumario, a través del cual el arrendador pretende la <u>recuperación de la FINCA dada en arrendamiento</u>, por la falta de pago de la renta o de las cantidades asimiladas a ésta, o por la expiración del plazo fijado legal o contractualmente • Es un juicio <u>especial</u> porque persigue una tutela específica, cual es la recuperación de las fincas dadas en arrendamiento a través de una tramitación específica, la cual actualmente sigue un <u>sistema mixto entre el juicio MONITORIO y el juicio VERBAL</u>, de modo que, tras un <u>REQUERIMIENTO</u> inicial, en caso de que el

155

	arrendatario no desaloje el inmueble, pague o formule oposición, se accede directamente a la ejecución y lanzamiento de la finca, y en caso de oposición, se celebra la vista eventualmente señalada • Es un juicio <u>sumario</u> porque su objeto está limitado, no pudiendo plantearse cuestiones distintas de las que constituyen su objeto, y por ello, el art. 444.1 LEC, sólo permite al demandado la contestación relativa al pago o a la enervación, de modo que la sentencia que recaiga en su caso no produce los efectos de cosa juzgada material, pudiendo las partes plantear un nuevo juicio plenario sobre el mismo objeto
PRECARIO	• El juicio de <u>**PRECARIO**</u> es un juicio declarativo, especial y plenario, que tiene por objeto la recuperación de una finca por quien la ocupa <u>sin pagar renta o merced alguna, ni título jurídico</u> distinto de la mera liberalidad o tolerancia del propietario o poseedor real de la finca • A diferencia del juicio de desahucio, el juicio de precario es un juicio <u>plenario</u>, y por tanto, su sentencia sí que produce todos los efectos de la cosa juzgada material, no pudiendo plantearse un nuevo juicio sobre el mismo objeto
ÁMBITO MATERIAL	Conforme al <u>art. 250.1 LEC</u>, se decidirán en juicio verbal por razón de la materia, cualquiera que sea su cuantía, las siguientes demandas: • Las DESAHUCIO por falta de pago de las rentas, o cantidades debidas por el arrendatario, o por expiración del plazo • Las de desahucio por PRECARIO

TRÁMITE	La tramitación del juicio de desahucio sigue un sistema mixto, el trámite del <u>JUICIO MONITORIO</u> para la admisión a trámite y el supuesto que no haya oposición, y el trámite del <u>JUICIO VERBAL</u> para el caso que se formule oposición, con las siguientes especialidades:
	• En el decreto de admisión a trámite de la demanda se acuerda <u>REQUERIR al demandado</u>, por el término de diez días y con el apercibimiento de que, de no verificar ninguna manifestación, se procederá a su lanzamiento en el día y hora señalados, y sin necesidad de ninguna otra notificación, a fin de que:
	  • Bien <u>desaloje</u> el inmueble
	  • Bien <u>pague</u> al actor, o en su caso, enerve la acción mediante el pago de las cantidades reclamadas y las que deba hasta el momento de la enervación

- Bien formule <u>oposición</u>, exponiendo las razones por las que no debe, en todo o en parte, las cantidades reclamadas, o concurren las circunstancias procedentes para la enervación
- La forma de TERMINACIÓN del juicio, en caso de que el demandado <u>no atienda el requerimiento</u> de pago, no se allane o <u>NO SE OPONGA</u>, o atienda el requerimiento en cuanto al desalojo, pero no formule oposición en cuanto a la cantidad reclamada, que se acuerda por decreto del Secretario judicial, dando por terminado el juicio y dando traslado al ejecutante para inste el despacho de ejecución
- El <u>DOMICILIO</u> del demandado, respecto del cual <u>no se realiza averiguación de domicilio</u>, practicándose todas las comunicaciones en el domicilio pactado, o en su defecto, en la finca objeto del desahucio, y en caso de resultar negativa la primera comunicación, por medio de edictos que se publican únicamente en el tablón de anuncios de la Oficina judicial
- La posibilidad de ENERVACIÓN del juicio de desahucio, si el demandado, antes de la eventual vista, paga al actor todas las cantidades reclamadas en la demanda, y las que deba hasta el momento de la enervación
- El señalamiento de <u>DÍA y HORA</u> para la celebración de la <u>eventual VISTA</u>, en el caso de que el demandado formule oposición, para la que servirá de citación la notificación inicial del decreto de admisión a trámite de la demanda y requerimiento, en el que se habrá incluido dicho señalamiento
- El señalamiento de <u>DÍA y HORA</u> para la práctica del LANZAMIENTO en la resolución de admisión a trámite del juicio, con todos los apercibimientos especiales establecidos para el mismo
- La <u>notificación de la SENTENCIA</u> en su caso, que no es necesario se publique en Boletín Oficial en caso de resultar desconocido el domicilio del demandado, bastando con su publicación en el <u>tablón de anuncios</u> de la Oficina judicial
- La <u>EJECUCIÓN DIRECTA del lanzamiento</u>, sólo en caso de que haya habido oposición, celebración de vista y dictado de sentencia, y no se haya presentado recurso de apelación, sin necesidad de demanda ejecutiva, siempre que así se haya solicitado por la actora en la demanda inicial

TABLA RESUMEN DE LAS ESPECIALIDADES DEL JUICIO DE DESAHUCIO		
DOMICILIO DEL DEMANDADO	155.3 164	1) Se considera como <u>DOMICILIO</u> del demandado a efectos de la práctica del requerimiento o citación, el pactado en el contrato de arrendamiento, o en su defecto, la <u>VIVIENDA o LOCAL</u> <u>objeto del desahucio</u> 2) Requerimiento y citación por <u>EDICTOS</u> en el tablón de anuncios de la Oficina Judicial, cuando no haya podido ser citado en el domicilio pactado en el contrato, o en su defecto, en el domicilio objeto del desahucio
DESAHUCIOS POR PRECARIO O EXPIRACIÓN DE PLAZO	440.3	Se continúan tramitando como juicios VERBALES normales, sin especialidad alguna, y por tanto, sin requerimiento previo: 1) Los juicios de desahucio por PRECARIO 2) Los juicios de desahucio por EXPIRACIÓN de PLAZO, y no por falta de pago de la renta
DECRETO DE ADMISIÓN DE DEMANDA	437.3 440.3 y 4 447.1	1) <u>REQUERIMIENTO</u> al demandado para que, en el plazo de DIEZ DÍAS, bien <u>DESALOJE el inmue- ble</u>, bien pague al actor o enerve la acción mediante el <u>PAGO de las cantidades</u> reclamadas –y las que deba hasta el momento de la enervación–, bien <u>formule OPOSICIÓN</u>, con el apercibimiento de que, de no formular alegación alguna, se procederá al lanzamiento en el día señalado sin otra notificación 2) Señalamiento de DÍA y HORA y <u>CITACIÓN</u> para la celebración de la <u>eventual VISTA</u>, sólo para el caso de que el demandado formule OPOSI-CIÓN dentro de plazo, y con los <u>apercibimientos</u> establecidos por la ley: 2.1. Que debe comparecer a la vista representada por Procurador y defendida por Abogado, con el apercibimiento de que, de no verificarlo, se le declarará en situación de rebeldía 2.2. Que de querer solicitar Abogado y Procurador de oficio, deberá interesarlo dentro de los tres días siguientes al de la citación, con el apercibimiento de que, de no verificarlo, no habrá lugar a la suspensión del juicio 2.3. Que debe comparecer a la vista con las prue-

		bas de que intente valerse, pudiendo solicitar la citación judicial de testigos dentro de los tres días siguientes al de la citación 2.4. Que, de no comparecer a la vista, se declarará el desahucio sin más trámite 2.5. Que, para el caso de no comparecer a la vista, se le tiene por citado para la notificación de la sentencia en la Oficina Judicial dentro del sexto día siguiente a la celebración de la vista, con el apercibimiento de que, de no comparecer, se le notificará la sentencia por medio de edicto en el tablón de anuncios del Juzgado 2.6. En su caso, el ofrecimiento de <u>condonación</u> de la deuda hecho por el actor condicionado al desalojo voluntario de la finca 3) Señalamiento de la <u>FECHA del LANZAMIENTO</u>, previa petición de día al SCAC 4) Requerimiento para la <u>RETIRADA de los ENSERES</u> el día del lanzamiento, con el apercibimiento de considerarlos bienes abandonados 5) Anotación del juicio de desahucio, y su fecha de lanzamiento, en el <u>LIBRO REGISTRO</u> de lanzamientos del Juzgado, en soporte informático, a efectos de control de oficio del despacho del lanzamiento
JUSTICIA GRATUITA	33.4	Debe solicitarse dentro de los <u>TRES DÍAS</u> siguientes a la <u>notificación de la demanda</u>, y de no hacerse, NO habrá lugar a la SUSPENSIÓN del juicio
NO OPOSICIÓN DEL DEMANDADO	440.3	Si el demandado <u>NO ATIENDE el requerimiento</u> de pago, o no comparece para oponerse o allanarse, o atiende el requerimiento en cuanto al desalojo pero no formula oposición en cuanto a la cantidad reclamada, por <u>DECRETO</u> se da por terminado el juicio, dando traslado al ejecutante para inste el despacho de ejecución
ENERVACIÓN	22.4 y 5	En principio, ya sólo cabe la ENERVACIÓN del desahucio dentro de los DIEZ DÍAS siguientes al requerimiento inicial, si bien, debiendo resolver el Juez, se distingue: 1) Si se enerva la acción dentro del plazo de <u>diez días</u> del requerimiento inicial, se da por terminado el juicio por <u>decreto</u> con imposición de costas (art. 22.5 LEC)

159

		2) Si se enerva la acción <u>fuera del plazo de diez días</u> del requerimiento inicial, previo traslado a la parte actora, se distingue según haya o no oposición: 2.1. Si <u>no hay oposición</u>, terminación por decreto con imposición de costas 2.2. Si hay <u>oposición</u>, se emplaza a las partes a la celebración de la vista, y resolución en sentencia
OPOSICIÓN DEL DEMANDADO	440.3	Si el demandado formula OPOSICIÓN, exponiendo las razones por las que no debe, en todo o en parte, las cantidades reclamadas, o concurren las circunstancias procedentes para la enervación, por diligencia de ordenación se tiene por formulada la oposición, estándose a <u>la celebración de la VISTA</u> señalada, y al dictado de la oportuna sentencia
NOTIFICACIÓN DE SENTENCIA	447.1 497.2 y 3	1) En el acto de la VISTA, el demandado <u>queda citado</u> para ser notificado de la sentencia, dentro del sexto día siguiente a la celebración de la vista, con el apercibimiento de que, de no comparecer, se le citará por medio de edictos. 2) Cuando el demandado NO HAYA COMPARECIDO el día de la vista, o en la Oficina Judicial el día que fue citado para la notificación de la sentencia, ni dentro del sexto día siguiente a la celebración de la vista, la sentencia se NOTIFICA <u>por medio de EDICTOS</u>, que se publican sólo en el tablón de anuncios de la Oficina Judicial 3) Las sentencias de juicios de desahucio no se notifican <u>NI PERSONALMENTE</u>, por medio de exhorto o despacho a través del SCAC, ni a través del BOLETÍN OFICIAL del Estado o de la Comunidad Autónoma en caso de resultar negativa la personal en la Oficina Judicial
COSTAS		1) En caso de terminación del juicio por DECRETO por no haber formulado oposición el demandado, se entienden impuestas a éste las COSTAS del juicio al demandado, sin necesidad de expresa imposición, al ser preceptiva en este juicio la intervención de Procurador y Abogado 2) En caso de terminación del juicio por SENTENCIA, se estará al fallo de la misma

ENTREGA DE LLAVES	703.4	ARCHIVO por decreto del Secretario Judicial, salvo que el arrendatario interese el mantenimiento del lanzamiento para constancia del estado de la finca
EJECUCIÓN DEMANDA EJECUTIVA	549.3 549.4 703	1) Para la práctica del lanzamiento en el día señalado, es necesaria siempre la presentación de DEMANDA EJECUTIVA, aunque la misma revista la forma de simple solicitud por tratarse de título judicial, con una única excepción: que el juicio haya terminado por sentencia condenatoria, no se haya interpuesto recurso de apelación, y el actor haya solicitado en su demanda, normalmente por medio de otrosí, que se tenga por solicitada la ejecución directa del lanzamiento, en cuyo caso se acordará DE OFICIO el mismo en el día señalado, por medio de diligencia de ordenación A los efectos de acordar el lanzamiento, de oficio en su caso, debe repasarse mensualmente el Libro Registro de Lanzamientos del Juzgado 2) La demanda ejecutiva siempre es necesaria para la ejecución de la condena DINERARIA a las rentas debidas y sus cantidades asimiladas 3) En el AUTO de orden general de ejecución, se despachará ejecución por las RENTAS FUTURAS, en el caso de que así se haya solicitado en la demanda, y el juicio haya terminado por decreto en caso de no oposición del demandado 4) El LANZAMIENTO se acuerda en el DECRETO de medidas ejecutivas

ENERVACIÓN DEL DESAHUCIO	
Art. 22.4 y 5 LEC	
CONCEPTO	Es un supuesto especial de terminación sumarial del proceso en los casos de DESAHUCIO de fincas por FALTA DE PAGO en virtud del PAGO hecho por el demandado, por una sola vez, de las cantidades adeudadas por todos los conceptos hasta dicho momento, dentro del plazo de diez días contados desde que sea requerido con la admisión de la demanda, o en caso de oposición, con carácter previo a la celebración de la vista

EXCLUSIÓN	• <u>NO CABE</u> la enervación del desahucio en dos supuestos:
	  • 1) Cuando el arrendador haya <u>REQUERIDO de pago</u> al arrendatario, fehacientemente, con <u>un mes</u> de antelación a la presentación de la demanda; y para dar por válido este requerimiento debe haberse advertido, clara y terminantemente, las consecuencias jurídicas del impago, y en particular, que el arrendatario perderá el derecho de enervar la acción de desahucio
	  • 2) Cuando el arrendatario ya haya enervado el desahucio en <u>UNA OCASIÓN ANTERIOR</u>
	• La excepción del derecho del arrendatario a enervar debe ser interpretada restrictivamente y en beneficio de éste

NORMAS	• Las <u>costas</u> se imponen al demandado, salvo que las rentas no se hayan cobrado por causa imputable al arrendador

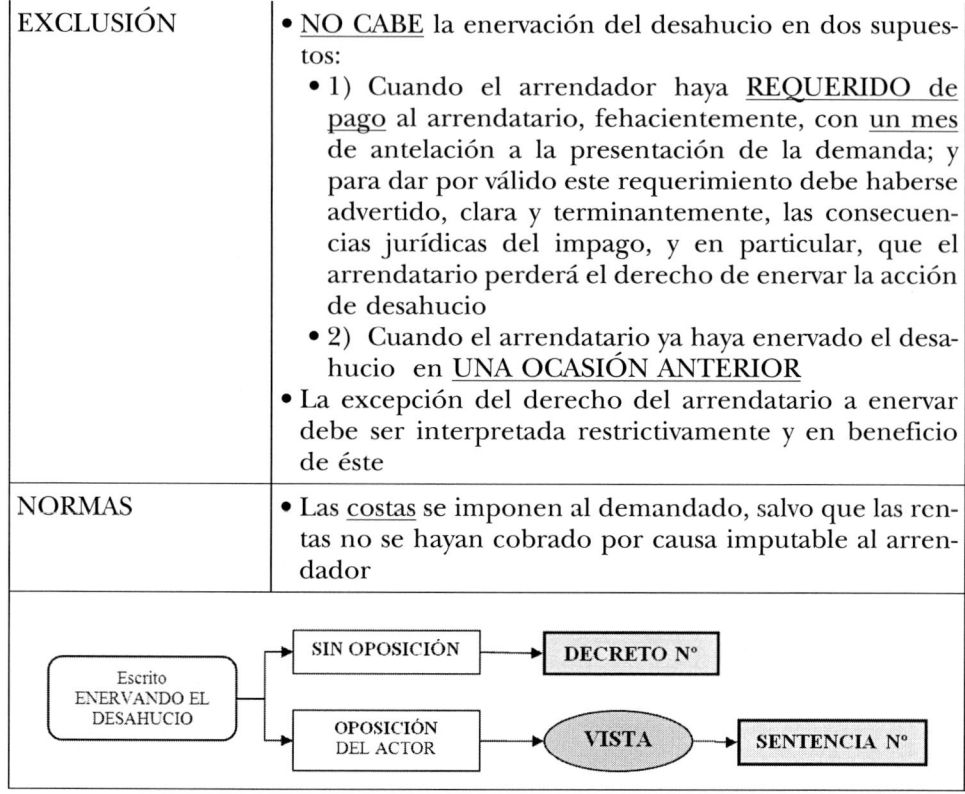

II
ESQUEMAS PROCESALES

DEMANDA

Arts. 250.1.1°, 249.1.6°, 251.9ª, 252.2, 220, 437.3, 438.3 y 439.3 LEC

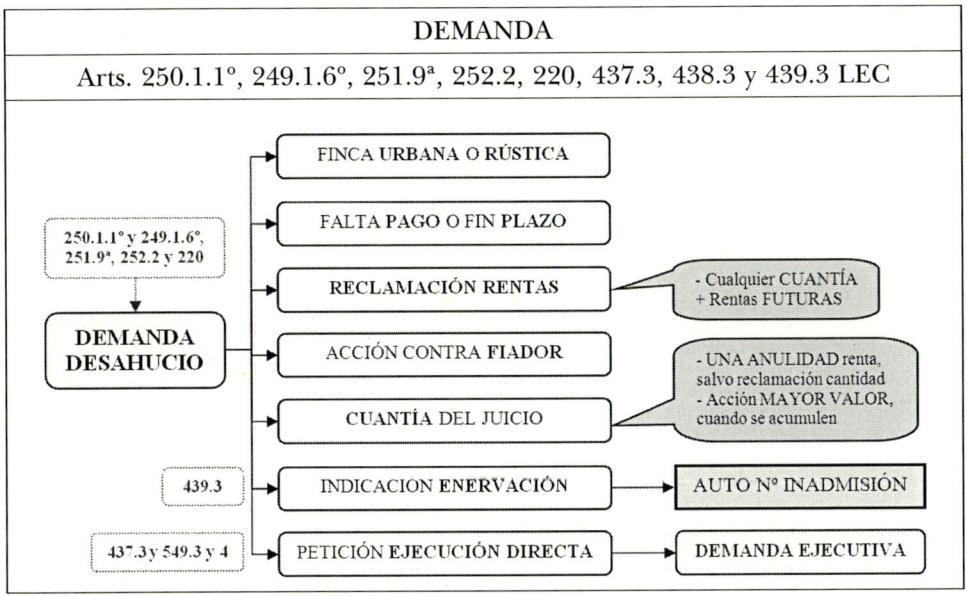

TRAMITACIÓN
Arts. 33.4, 155.3, 164, 440.3 y 4, y 444.1 LEC

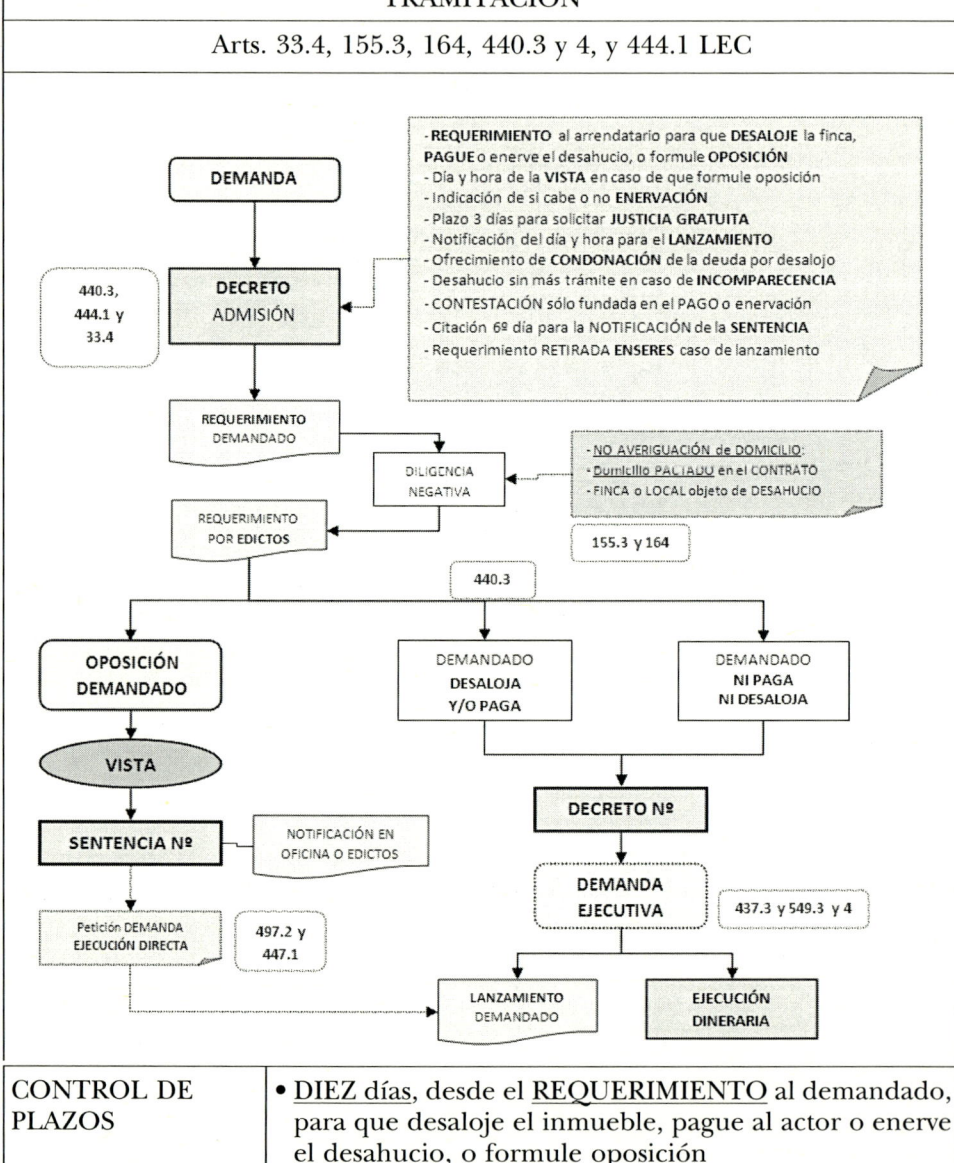

CONTROL DE PLAZOS	• <u>DIEZ</u> días, desde el <u>REQUERIMIENTO</u> al demandado, para que desaloje el inmueble, pague al actor o enerve el desahucio, o formule oposición • <u>DIEZ</u> días, contados desde la citación de las partes, entre dicha citación y el día señalado para la <u>celebración de la VISTA</u> • <u>TRES</u> días, contados desde la citación, para la solicitud de <u>JUSTICIA GRATUITA</u>

- CINCO días, contados desde la citación, para la aceptación de la CONDONACIÓN de la deuda ofrecida por el arrendatario a cambio del desalojo de la finca arrendada
- Hasta el acto de la VISTA, la consignación por el demandado de las cantidades adeudadas a efectos de ENERVACIÓN de la acción de desahucio por falta de pago
- SEIS días desde la VISTA, para que el demandado comparezca en la Oficina judicial para la notificación de la SENTENCIA, o en su defecto, la notificación por EDICTO en el tablón de anuncios de la misma Oficina judicial
- CINCO días desde la notificación de la sentencia sin recurso de apelación, para la ejecución directa del LANZAMIENTO, de oficio, en el día y hora señalados en el decreto de admisión a trámite

CELEBRACIÓN DE LA VISTA Y SENTENCIA

Arts. 22.4 y 5, 440.1, 447.1 y 2, 220, 21.3 y 497.2 LEC

165

RECURSO Y EJECUCIÓN

Arts. 494, 549.3 y 4 y 703.4 LEC

- 6º día desde la vista para la notificación de la SENTENCIA por EDICTOS en el tablón Oficina Judicial
- 20 días, para la interposición del RECURSO de APELACIÓN, con CONSIGNACIÓN de las RENTAS debidas y las que se vayan devengando
- Inadmisión del recurso de QUEJA por no efectos de COSA JUZGADA
- 20 días desde la notificación de la sentencia sin recurso de apelación, para la EJECUCIÓN DIRECTA del LANZAMIENTO, de oficio, en el día y hora señalados en el decreto de admisión a trámite

SENTENCIA Nº

| NO HAY **RECURSO** Y SE PIDIO **EJECUCIÓN** EN **DEMANDA** | NO HAY **RECURSO** Y NO PIDIO **EJECUCIÓN** EN **DEMANDA** | HAY **RECURSO** EN **PLAZO** Y CONSIGNA **RENTAS DEBIDAS** |

549. 3 y 4

DEMANDA EJECUTIVA

RECURSO APELACIÓN

DO ADMISIÓN E INTERPOSICIÓN

NO CABE RECURSO QUEJA

494

DO EJECUCIÓN DIRECTA Y LANZAMIENTO

LANZAMIENTO SCAC

ENTREGA LLAVES

DECRETO   703.4

Incidentes

SUMARIO:

IX. RECONSTRUCCIÓN DE AUTOS		
Tramitación	Arts. 232 a 235 LEC	187

I MEDIDAS CAUTELARES

CONCEPTO	
Arts. 721 a 729 LEC y 42 LH	
CONCEPTO	Es un proceso cautelar autónomo, que se tramita en pieza separada, cuyo objeto es GARANTIZAR la efectividad de la tutela judicial que pueda obtenerse en otro proceso principal, principalmente un proceso declarativo Las medidas cautelares son una tercera especie de tutela jurisdiccional, entre los procesos declarativos y los procesos de ejecución, con una función cautelar o de aseguramiento de la efectividad de la resolución que recaiga en otro proceso principal
CARACTERES	Las características básicas de las medidas cautelares son: • La homogeneidad, pero no la identidad entre la medida solicitada y el derecho sustantivo que se pide, por lo que, salvo en supuestos excepcionales, no se trata de una ejecución anticipada de la sentencia que eventualmente pudiera dictarse • La proporcionalidad de la medida, con la finalidad pretendida
CLASES	Las medidas cautelares más frecuentes son: • El EMBARGO PREVENTIVO de bienes, cuando se reclama una cantidad de dinero, y se prueba una conducta del demandado que le coloca en situación de insolvencia • La ANOTACIÓN PREVENTIVA de demanda, cuando se demande la propiedad de bienes inmuebles, o la constitución, modificación o extinción de cualquier derecho real • OTRAS ANOTACIONES registrales • El DEPÓSITO de cosa mueble, cuando se reclame la entrega de su posesión • La intervención y ADMINISTRACIÓN JUDICIAL,

	cuando haya una petición de entrega de bienes productivos
	• La suspensión de <u>ACUERDOS SOCIALES</u>, cuando resulte razonable que su impugnación va a prosperar
	• La formación de <u>inventario</u> de bienes
	• La cesación, abstención o <u>prohibición temporales de una actividad</u>, que sí son anticipatorias del fallo, y por tanto, deben interpretarse restrictivamente
	• El <u>depósito de ejemplares</u>, también anticipatoria
REQUISITOS	Los REQUISITOS para la adopción de las medidas cautelares son:
	• La <u>apariencia de buen derecho</u> (*fumus boni iuris*), que requiere un análisis indiciario de la prosperabilidad de la pretensión del actor, aunque sea sin prejuzgar la cuestión de fondo, la comprobación de que no carece de fundamentos sólidos
	• El <u>peligro por mora procesal</u> (*periculum in mora*), la amenaza de la efectividad de la futura sentencia, o la inefectividad de su ejecución por causa de una situación irreversible, no como creencia o temor del solicitante, sino como un peligro concreto
	• La prestación de <u>caución</u>, para los posibles daños y perjuicios, para disuadir de la petición de medidas sin fundamento, y asegurar los posibles perjuicios económicos de la demandada, en caso de adopción de la medida y ser desestimada la pretensión principal

TRAMITACIÓN	
Arts. 730 a 747 LEC	
TRÁMITE	• El trámite se reduce a la celebración de una vista previa al dictado de la resolución procedente, o excepcionalmente, sin vista, si se acuerdan <u>sin audiencia del demandado</u>, y en caso de que se acuerden, su ejecución previa prestación de caución por parte del solicitante
	• Las medidas cautelares <u>anteriores a la demanda</u> se registran como un asunto PRINCIPAL, sin perjuicio de que, una vez interpuesta la demanda principal, ésta continúe con el mismo número de asunto
	• Las medidas cautelares <u>coetáneas</u> o posteriores a la demanda deben registrarse como un INCIDENTE del asunto principal

169

MEDIDAS ANTERIORES A LA DEMANDA	• Las medidas cautelares pueden solicitarse <u>ANTES</u> de la interposición de la <u>DEMANDA</u>, cuando, además de los requisitos ordinarios, concurran razones de <u>urgencia o necesidad</u>, porque exista una especie de peligro de mora específico o cualificado • El principio general es que las medidas anteriores, por las mismas razones de urgencia, se adopten <u>sin audiencia del demandado</u> • Si dentro del plazo de veinte días desde la adopción de las medidas cautelares previas, <u>no se presenta la demanda</u>, se alzan las medidas por decreto del Secretario judicial, con imposición de costas al solicitante
MEDIDAS POSTERIORES A LA DEMANDA	• Las medidas cautelares sólo pueden solicitarse <u>DESPUÉS</u> de la interposición de la <u>DEMANDA</u>, o pendiente un <u>RECURSO</u>, cuando se funde en hechos y circunstancias que justifique su solicitud en ese momento posterior, y que no existían al tiempo de presentación de la demanda
AUDIENCIA DEL DEMANDADO	• El <u>principio general</u> es la vista, o <u>AUDIENCIA del DEMANDADO</u>, previa a su adopción • Por <u>excepción</u>, se puede acordar sin audiencia del demandado cuando concurran razones de <u>máxima urgencia</u>, o la audiencia del demandado pueda comprometer el <u>buen fin</u> de la medida
CAUCIÓN SUSTITUTORIA	• El demandado, en sustitución de la medida cautelar, en la vista, en la oposición a la medida cautelar o por escrito independiente, puede ofrecer una <u>CAUCIÓN SUSTITUTORIA</u> que asegure la efectividad de la sentencia, particularmente en los casos de embargo preventivo • Para resolver la solicitud debe convocarse <u>vista</u>, y contra el auto resolutorio no cabe recurso alguno
MODIFICACIÓN	• Las medidas cautelares pueden <u>modificarse</u> cuando concurran hechos o circunstancias que no fueron tenidos en cuenta en el momento de su adopción
DESTINO DE LA CAUCIÓN	• En caso de que, por sentencia absolutoria, revocación de las medidas cautelares u otra causa, proceda aplicar la caución a los daños y perjuicios del demandado, se requiere a éste para que promueva su <u>liquidación</u> conforme a los arts. 712 y ss. LEC, y a falta de reclamación puede acordarse su devolución al actor, o transcurrido el plazo de prescripción de un año del art. 1968 CC

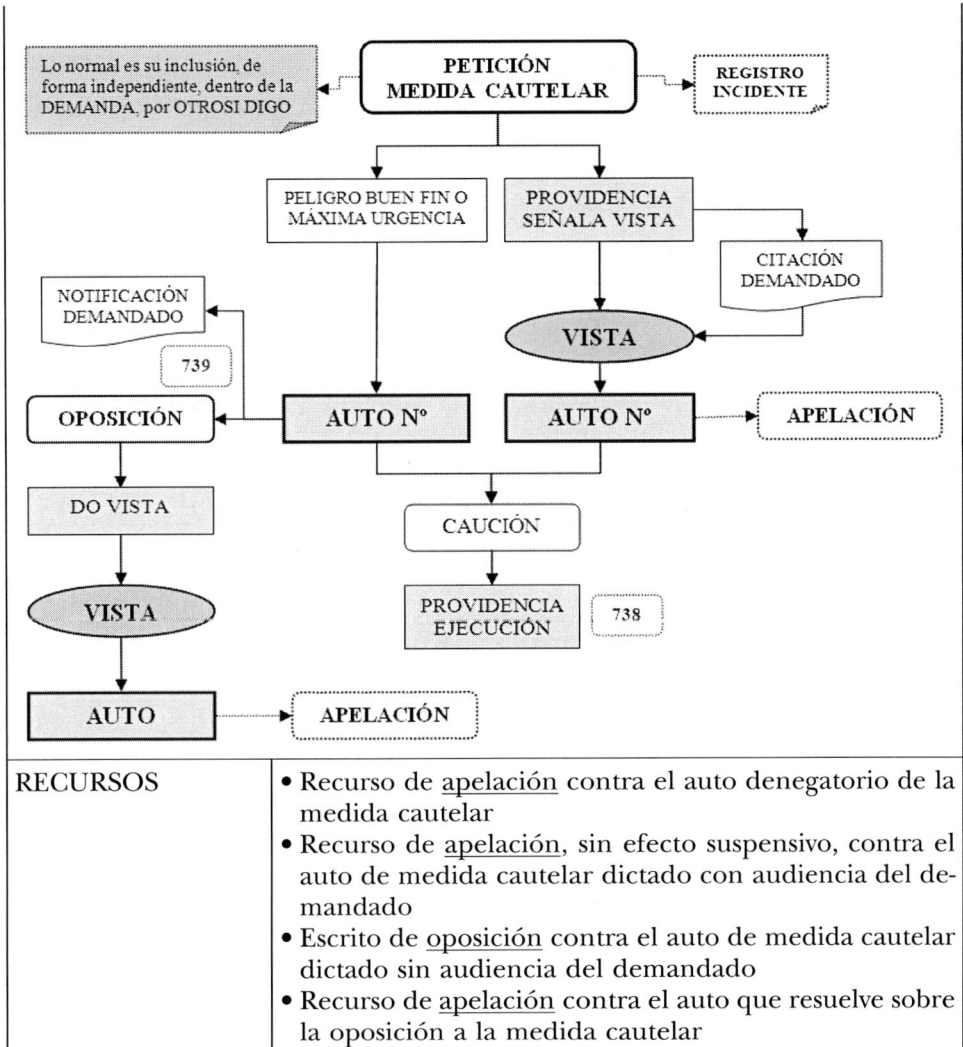

RECURSOS	• Recurso de <u>apelación</u> contra el auto denegatorio de la medida cautelar • Recurso de <u>apelación</u>, sin efecto suspensivo, contra el auto de medida cautelar dictado con audiencia del demandado • Escrito de <u>oposición</u> contra el auto de medida cautelar dictado sin audiencia del demandado • Recurso de <u>apelación</u> contra el auto que resuelve sobre la oposición a la medida cautelar

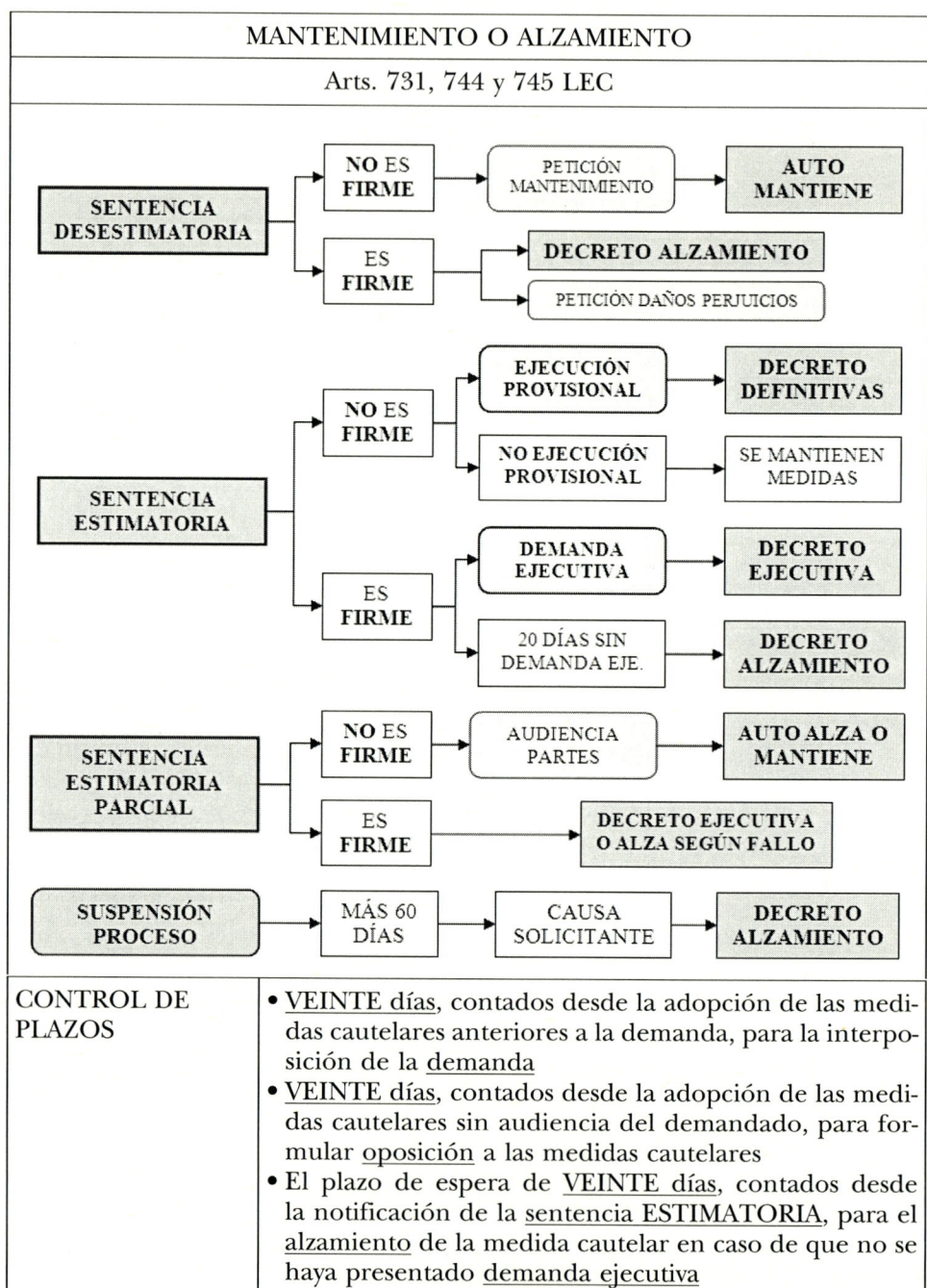

MANTENIMIENTO O ALZAMIENTO
Arts. 731, 744 y 745 LEC

| CONTROL DE PLAZOS | • <u>VEINTE días</u>, contados desde la adopción de las medidas cautelares anteriores a la demanda, para la interposición de la <u>demanda</u>
• <u>VEINTE días</u>, contados desde la adopción de las medidas cautelares sin audiencia del demandado, para formular <u>oposición</u> a las medidas cautelares
• El plazo de espera de <u>VEINTE días</u>, contados desde la notificación de la <u>sentencia ESTIMATORIA</u>, para el <u>alzamiento</u> de la medida cautelar en caso de que no se haya presentado <u>demanda ejecutiva</u>
• La <u>sentencia DESESTIMATORIA</u>, aunque no sea |

	firme, previo requerimiento al actor para que pueda solicitar el mantenimiento de la medida con aumento de la caución, para el alzamiento de la medida cautelar • La FIRMEZA de la sentencia absolutoria, la renuncia a la acción o el desistimiento del actor, para el alzamiento de las medidas cautelares • SEIS meses de suspensión del proceso por causa imputable al solicitante, para el alzamiento de la medida cautelar

II
TASACIÓN DE COSTAS

CONCEPTO	
Arts. 32.5, 241 y 394 a 396 y 539.2 LEC, 21 LPH y 36.2 LAJG	
CONCEPTO	Son aquella parte de los GASTOS PROCESALES originados por la propia actividad procesal, consecuencia directa o inmediata del proceso, cuyo pago recae sobre las partes del mismo
CONTENIDO	Las costas procesales incluyen, fundamentalmente, las siguientes partidas: • Los honorarios del ABOGADO que defiende a la parte vencedora • Los derechos del PROCURADOR que representa a la parte vencedora • Los honorarios de los PERITOS intervinientes en el proceso, tanto en los informes acompañados a la demanda o contestación, como en los practicados como prueba pericial judicial • Las indemnizaciones abonadas a TESTIGOS • Los gastos SUPLIDOS hechos durante la tramitación del proceso, tales como la tasa para el ejercicio de la potestad jurisdiccional, las publicaciones de edictos en periódicos oficiales, las certificaciones, anotaciones o inscripciones en Registros de la Propiedad o de otra clase, los honorarios de administradores judiciales...
CONDENA	• Aunque durante el proceso, cada parte debe ir abonando las costas de su actuación procesal, en la sentencia o resolución final que pone término al mismo se

173

	contiene la <u>CONDENA EN COSTAS</u>, naciendo para la parte favorecida el derecho a <u>ser reintegrado</u> por la contraria de las costas procesales pagadas o generadas durante el proceso
	• El principio general que rige en el proceso civil es el principio del <u>VENCIMIENTO</u>, es decir, que en juicio declarativo las costas se imponen a la parte cuyas pretensiones hayan sido totalmente rechazadas
	• Por <u>excepción</u>, se establecen reglas especiales:
	  • Cuando concurren serias <u>dudas de hecho o de derecho</u>
	  • Cuando se aprecia <u>temeridad o mala fe</u> en supuestos de estimación o desestimación parciales
	  • En los casos de <u>terminación anormal</u> del proceso, así por ejemplo, en los supuestos de allanamiento o desistimiento, según el momento en que éstos tengan lugar

TASACIÓN DE COSTAS	• Es una <u>actividad contable</u> que realiza el <u>Secretario judicial</u> del tribunal que haya conocido del proceso, por medio de <u>DILIGENCIA</u>, para determinar el importe de los gastos procesales devengados durante el mismo, y cuyo abono o reembolso corresponde a la parte condenada en costas • La labor del Secretario judicial en esta diligencia no es meramente cuantificadora y liquidatoria, sino que asume <u>funciones de calificación y decisorias</u>, realizando un estudio de la legalidad de las partidas, y de si éstas son, o no, de las *«autorizadas por la ley»*
CONCEPTOS INCLUIDOS Y EXCLUIDOS	• No se incluyen los honorarios de Abogado ni los derechos del Procurador cuando su <u>intervención no sea preceptiva</u>, salvo que se haya apreciado temeridad, o el representado y defendido tenga su domicilio fuera de la sede del Juzgado • No cabe la impugnación por excesivos de los derechos del Procurador • Cabe la práctica de la tasación de costas cuando el obligado al pago tenga reconocido el beneficio de <u>justicia gratuita</u>, pero no su exacción por la vía de apremio salvo que viniera a mejor fortuna dentro del plazo de tres años • Corresponden al ejecutado las costas de la ejecución, sin necesidad de expresa imposición

- En ejecución provisional, no procede la práctica de tasación de costas, por aplicación analógica del plazo de espera del art. 548 LEC, si el ejecutado paga dentro del plazo de veinte días desde la notificación del auto despachando ejecución
- El demandado está obligado a abonar las costas de Abogado y Procurador en el juicio monitorio de reclamación de gastos comunes de comunidades de propietarios, tanto en fase de trámite como en fase de ejecución
- Se incluyen en la tasación de costas, en concepto de suplidos, las tasas judiciales, pero no los depósitos constituidos para recurrir
- Se incluyen los honorarios de todos los peritos intervinientes en el proceso, tanto los correspondientes a los informes acompañados en la demanda o contestación, como los practicados por peritos nombrados judicialmente
- La minuta del Abogado exigible de la parte condenada en costas no puede superar la tercera parte de la cuantía del proceso

TRAMITACIÓN E IMPUGNACIÓN	
Arts. 242 a 246 LEC	
TRÁMITE	• El trámite se reduce al traslado de la diligencia de tasación de costas a las partes, para que puedan impugnarla en el plazo común de diez días
IMPUGNACIÓN	• En caso de IMPUGNACIÓN, el trámite se reduce a dar traslado de la impugnación a la parte contraria, y en caso de impugnación por excesivos, a recabar informe del respectivo colegio profesional, para, sin más trámite, dictar la resolución procedente • Todas las impugnaciones de tasaciones de costas deben registrarse como un INCIDENTE del asunto principal • En caso de impugnación simultánea por indebidos o por excesivos, se registrarán dos incidentes con resoluciones independientes, aunque la de la impugnación por excesivos haya de quedar en suspenso hasta la resolución de las indebidas
	La tasación de costas puede impugnarse: • Por la parte CONDENADA en costas:

- Por <u>EXCESIVOS</u>, los honorarios de Abogados, o de peritos
- Por <u>INDEBIDOS</u>, los derechos de Procuradores, o las partidas o gastos que no correspondan al condenado
- Por la <u>parte FAVORECIDA</u> en costas, por <u>NO haberse INCLUIDO</u> partidas debidamente justificadas, o la totalidad de los honorarios del Abogado o los derechos del Procurador

---

- Todas las impugnaciones de tasaciones de costas deben registrarse como un <u>INCIDENTE</u> del asunto principal
- La tramitación de la pieza de <u>IMPUGNACIÓN DE COSTAS</u> se reduce a <u>dar traslado</u> del escrito de impugnación a la parte contraria, por diligencia de ordenación y plazo de tres o cinco días –según se trate de impugnación por indebidas o por excesivas–, y en caso de impugnación por excesivos, a librar oficio al respectivo <u>colegio profesional</u> de Abogados –o peritos en su caso– para que emita <u>INFORME</u>, para, una vez evacuado el traslado y emitido el informe en su caso, se resuelva el incidente por decreto numerado del Secretario judicial
- Cuando se impugnen los honorarios <u>por indebidos</u>, y en caso de no serlo, <u>también por excesivos</u>, ambas impugnaciones se tramitarán <u>simultáneamente</u>, pero la resolución de la impugnación por excesivos quedará en suspenso hasta que se decida la impugnación por indebidos

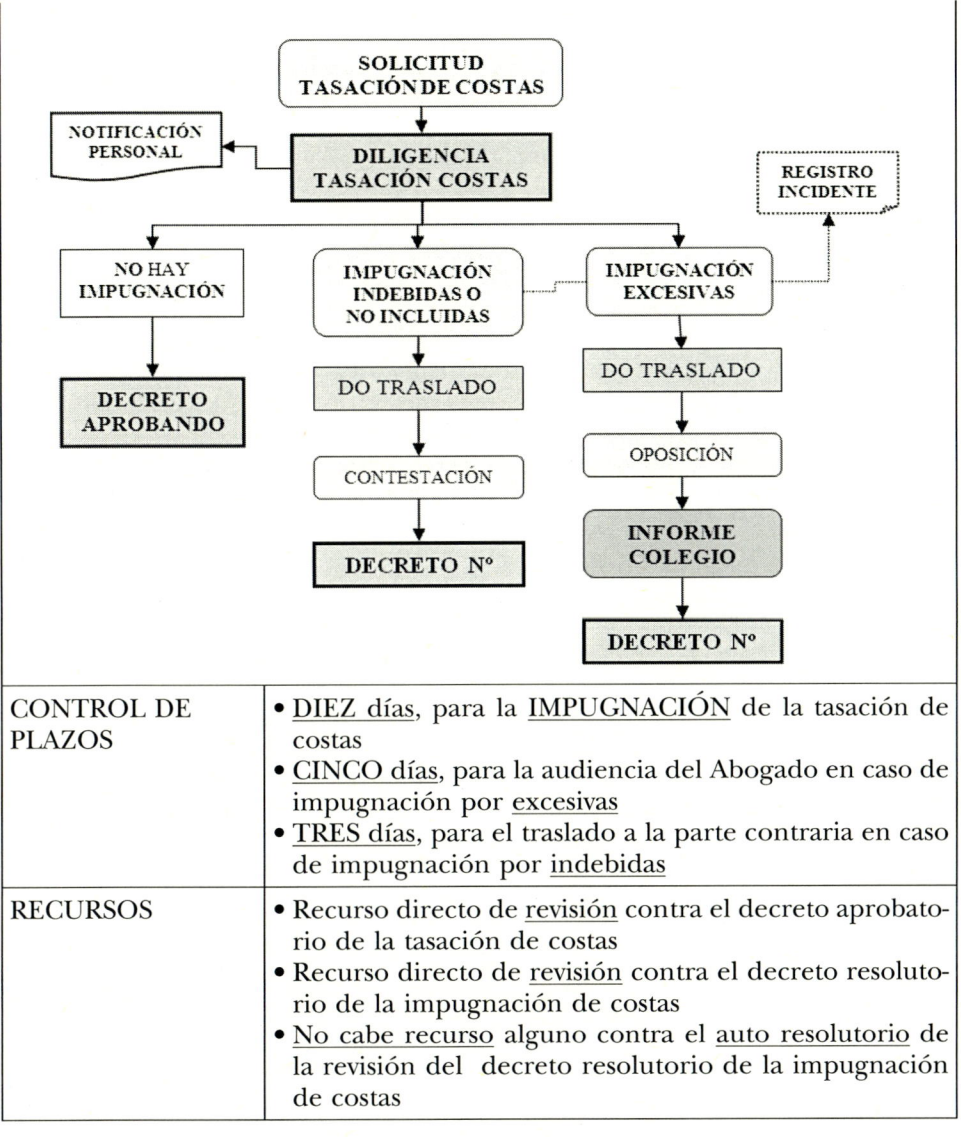

CONTROL DE PLAZOS	• <u>DIEZ</u> días, para la <u>IMPUGNACIÓN</u> de la tasación de costas • <u>CINCO</u> días, para la audiencia del Abogado en caso de impugnación por <u>excesivas</u> • <u>TRES</u> días, para el traslado a la parte contraria en caso de impugnación por <u>indebidas</u>
RECURSOS	• Recurso directo de <u>revisión</u> contra el decreto aprobatorio de la tasación de costas • Recurso directo de <u>revisión</u> contra el decreto resolutorio de la impugnación de costas • <u>No cabe recurso</u> alguno contra el <u>auto resolutorio</u> de la revisión del decreto resolutorio de la impugnación de costas

III
LIQUIDACIÓN DE INTERESES

CONCEPTO	
Arts. 576 LEC y 1100 y 1108 CC	

CONCEPTO	Toda <u>sentencia</u> o resolución final que condena al <u>pago</u> de una cantidad de <u>dinero</u> devenga los siguientes <u>INTERESES:</u>
	• El <u>INTERÉS PACTADO</u> entre las partes, normalmente fijado desde la falta de pago del deudor
	• En defecto de pago, el <u>INTERÉS LEGAL</u> del dinero, dentro del cual se incluyen dos tramos:
	  • El <u>interés legal</u> del dinero, desde la fecha de presentación de la <u>demanda</u> hasta la fecha de la sentencia, conforme a lo dispuesto en los arts. 1100 y 1108 CC
	  • El <u>interés legal</u> del dinero incrementado en <u>dos puntos</u>, desde la fecha de la <u>sentencia</u> laudo arbitral o acuerdo de mediación, hasta la fecha del pago, conforme a lo dispuesto en el art. 576 LEC
	El pago de intereses tiene una doble <u>naturaleza</u>, compensatoria, como indemnización al acreedor por el retraso en el cobro, y <u>sancionadora</u> o punitiva, con el incremento en dos puntos tras el pronunciamiento judicial
	El pago de intereses no nace de la sentencia declarativa, sino que se producen *«ope legis»*, por imperativo de la ley de forma automática, de oficio y <u>sin necesidad de petición</u> ni de condena expresa

INTERESES DE INTERESES O DE COSTAS	• La doctrina mayoritaria considera que las <u>COSTAS no devengan intereses</u>, pues el devengo de intereses del art. 576 LEC es aplicable sólo a las cantidades líquidas fijadas en sentencia, o en resolución final o que pone término al asunto principal, pero no a las costas, ni al decreto que aprueba la tasación de costas, teniendo en cuenta, además, que el art. 575 LEC permite el despacho de ejecución por intereses vencidos del principal, pero no de otras partidas como las costas • Asimismo, la doctrina mayoritaria considera que los <u>INTERESES</u> liquidados dentro del proceso <u>tampoco devengan intereses</u> conforme al art. 576 LEC, pues el anatocismo legal que, para las obligaciones civiles, establece el art. 1109 CC, se refiere sólo a los intereses

	vencidos desde que son reclamados judicialmente, es decir, a los incluidos en la demanda, los remuneratorios, pero no así a los indemnizatorios previstos en el art. 576 LEC

TRAMITACIÓN E IMPUGNACIÓN	
Arts. 713 a 716 LEC	
TRÁMITE	• El trámite se reduce al <u>traslado</u> de la propuesta de liquidación de intereses a las partes, para que puedan impugnarla en el plazo común de diez días • Las impugnaciones de liquidaciones de intereses se registran como un <u>INCIDENTE</u> del asunto principal • La tramitación de la <u>IMPUGNACIÓN</u> de la liquidación de intereses se reduce a la celebración de una VISTA, como si se tratase de un juicio verbal, y a la resolución del incidente por medio de auto numerado del Juez

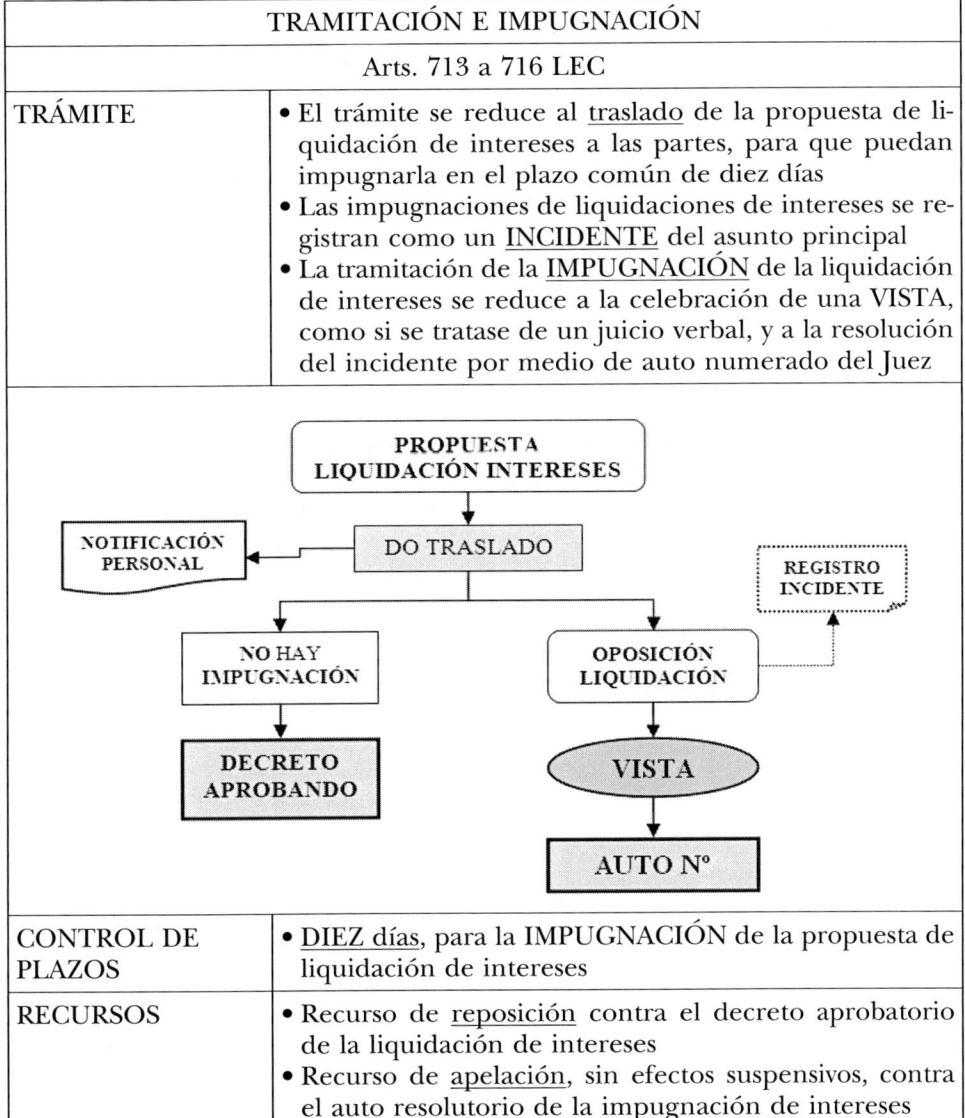

CONTROL DE PLAZOS	• <u>DIEZ días</u>, para la IMPUGNACIÓN de la propuesta de liquidación de intereses
RECURSOS	• Recurso de <u>reposición</u> contra el decreto aprobatorio de la liquidación de intereses • Recurso de <u>apelación</u>, sin efectos suspensivos, contra el auto resolutorio de la impugnación de intereses

	IV **JURA DE CUENTAS**

CONCEPTO
Arts. 34 y 35 LEC

CONCEPTO	• Es un proceso especial y privilegiado que la ley reconoce a <u>PROCURADORES y a ABOGADOS</u> –con base en su función íntimamente ligada al buen desenvolvimiento de la Administración de Justicia–, y en virtud del cual la <u>RECLAMACIÓN</u> de <u>sus derechos y honorarios</u> devengados en el proceso da lugar a un <u>requerimiento de pago</u> inmediato a su representado o defendido que, de no realizar el pago u oponerse dentro del plazo concedido, permite el despacho de ejecución para el cobro de dichos derechos u honorarios • Es un proceso de <u>naturaleza ejecutiva</u>, aunque con una pequeña fase de contradicción, que tiene por objeto hacer efectivos, de modo sumario y rápido, los créditos devengados por los honorarios de Abogado y los derechos y gastos suplidos de Procurador, no respecto de la parte contraria, sino respecto de la <u>propia parte defendida y representada</u> por los reclamantes, una vez ha cesado su intervención • El Tribunal Constitucional ha declarado reiteradamente que el privilegio que otorga este procedimiento <u>no infringe principios constitucionales</u>, teniendo en cuenta que no se impide absolutamente al deudor oponerse a la pretensión, si bien las causas de <u>oposición</u> están más limitadas que en el proceso declarativo, y en todo caso, la resolución final que se dicta <u>no produce efectos de cosa juzgada</u>, reservándose a la parte que se crea perjudicada el cauce del juicio declarativo ordinario para hacer valer sus derechos
DIFERENCIA CON LA TASACIÓN DE COSTAS	La jura de cuentas y la <u>tasación de costas</u> son supuestos <u>diferentes</u>: • La jura de cuentas es la reclamación de honorarios de Abogado y derechos de Procurador dirigida <u>contra</u> quien ha sido su cliente, su propio defendido o representado, se trata de un crédito de los profesionales contra su cliente • La tasación de costas es la reclamación de honorarios

	de Abogado y derechos de Procurador, pero dirigida contra la parte contraria cuando ésta ha sido <u>condenada en costas</u>, se trata de un crédito de la parte vencedora en costas, y no de los propios profesionales

TRAMITACIÓN Y OPOSICIÓN	
Arts. 34.2 y 35.2 LEC y 1967 CC	
TRÁMITE	<ul><li>El trámite se reduce al <u>requerimiento de pago</u> al representado y defendido, y en caso de no oposición en el plazo de diez días, al dictado de decreto numerado que permite el inicio de la ejecución</li><li>Debe registrarse como un <u>INCIDENTE</u> del asunto principal</li><li>La <u>competencia</u> se atribuye al Juzgado «en que <u>radicare el asunto</u>», es decir, a aquel ante el que se hayan practicado las actuaciones cuyos honorarios o derechos se reclaman</li><li>El <u>escrito inicial</u> no debe revestir la forma de demanda</li><li>El Procurador, el Abogado o el perito deben presentar <u>cuenta justificada y detallada</u> de sus derechos y gastos suplidos, o minuta detallada de sus honorarios</li><li>El escrito debe contener el <u>juramento o promesa</u>, la manifestación formal de que los derechos u honorarios reclamados le son debidos y no le han sido satisfechos</li><li><u>No es preceptiva</u> la intervención de <u>Procurador ni Abogado</u>, ni por tanto, la reclamación de las costas del proceso principal</li><li>Rige la <u>prescripción trienal</u> establecida en el art. 1967 CC, debiendo formularse la reclamación antes de que hayan transcurrido tres años desde que los honorarios o derechos se dejaron de prestar, computándose a tal efecto desde la fecha de la última actuación realizada que conste en las actuaciones</li><li>Rige para su ejercicio el plazo de la <u>caducidad de la instancia</u>, de dos años, al tratarse de un incidente</li><li>La cuenta del <u>Procurador</u> no se puede impugnar por excesiva, sino sólo oponerse por indebida</li></ul>

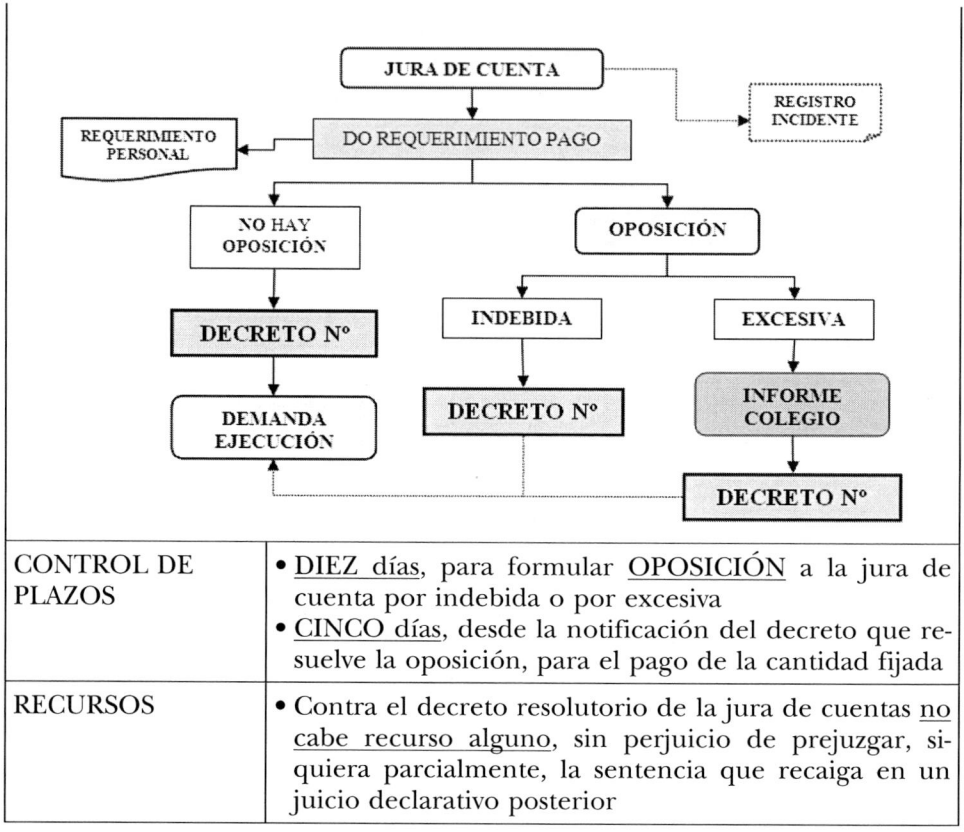

CONTROL DE PLAZOS	• <u>DIEZ</u> días, para formular <u>OPOSICIÓN</u> a la jura de cuenta por indebida o por excesiva • <u>CINCO</u> días, desde la notificación del decreto que resuelve la oposición, para el pago de la cantidad fijada
RECURSOS	• Contra el decreto resolutorio de la jura de cuentas <u>no cabe recurso alguno</u>, sin perjuicio de prejuzgar, siquiera parcialmente, la sentencia que recaiga en un juicio declarativo posterior

V PROVISIÓN DE FONDOS

CONCEPTO Y TRAMITACIÓN	
Art. 29.2 LEC	
CONCEPTO	• Es un proceso especial y privilegiado que la ley reconoce sólo a los <u>PROCURADORES</u> que tiene por objeto la reclamación de su poderdante de los <u>GASTOS y SUPLIDOS</u> necesarios para poder llevar adelante un proceso ya iniciado • A <u>diferencia</u> de la jura de cuentas, la habilitación de fondos sólo la puede promover el Procurador, y no el Abogado, y sólo por los gastos aún no realizados, no por los ya devengados

	• No se puede utilizar para reclamar los honorarios del Abogado, pues el Procurador no está ya obligado legalmente a pagar los mismos
TRÁMITE	• El trámite se reduce a <u>dar traslado</u> al representado, previo al dictado de la resolución procedente • Debe registrarse como un <u>INCIDENTE</u> del asunto principal • La <u>competencia</u> se atribuye al Juzgado que conoce del asunto • El <u>escrito inicial</u> no debe revestir la forma de demanda • El Procurador no debe justificar detalladamente los gastos que reclama, pues aún no están devengados, sino que basta un <u>cálculo aproximado</u> • <u>No es preceptiva</u> la intervención de <u>Abogado</u>

CONTROL DE PLAZOS	• <u>CINCO</u> días, para que el poderdante formule alegaciones sobre la provisión de fondos solicitada • <u>PLAZO</u> que fije el decreto que resuelve la provisión de fondos, desde su notificación, para la consignación de la provisión fijada

---

VI
IMPUGNACIÓN DE JUSTICIA GRATUITA

TRAMITACIÓN	
Art. 20 LAJG	
CONCEPTO	La <u>resolución administrativa</u> de la <u>Comisión de Asistencia Jurídica Gratuita</u>, concediendo o denegando el beneficio de la justicia gratuita, puede ser <u>RECURRIDA</u> ante

	el Juzgado que conoce del proceso principal, el cual resuelve sobre el beneficio sin ulterior recurso No se necesita abogado ni procurador para la impugnación de la resolución de denegación de justicia gratuita
TRÁMITE	• El trámite se reduce al señalamiento de una <u>vista</u>, que se celebra como el juicio verbal, y a la resolución del incidente por medio de auto del juez numerado • Debe registrarse como un <u>INCIDENTE</u> del asunto principal • La <u>competencia</u> se atribuye al Juzgado que conoce del asunto principal en el que se haya solicitado la justicia gratuita • <u>No es preceptiva</u> la intervención de Procurador ni <u>Abogado</u> • A la vista debe <u>citarse</u>, además de a la parte impugnante de la denegación de la justicia gratuita, al Abogado de la Administración competente, y a las demás partes personadas en el proceso principal
RECURSOS	• <u>No cabe recurso</u> alguno contra el auto resolutorio de la impugnación de la justicia gratuita

VII
DILIGENCIAS PRELIMINARES

CONCEPTO	
Art. 256 LEC	
CONCEPTO	Son un <u>procedimiento PREPARATORIO</u>, con naturaleza de jurisdicción voluntaria, que tiene por objeto la obtención de <u>determinada INFORMACIÓN</u> necesaria para la preparación de un <u>juicio posterior</u> Deben interpretarse con carácter abierto, no limitándose en sentido estricto al catálogo y términos recogidos en el art. 256 LEC
CLASES	• La presentación de <u>documentos o declaración</u> de la persona contra la que se pretende dirigir una demanda, sobre aspectos relativos a su <u>capacidad, representación o legitimación</u>, que se utiliza especialmente en los casos de sucesión procesal, copropiedad o comunidad • La <u>exhibición</u> por la persona contra la que se pretende dirigir una demanda de la <u>cosa que será objeto del futuro juicio</u>, que se utiliza también para la exhibición de documentos, pero siempre que éstos no sean fundamento de la pretensión sino el objeto litigioso • Por quien se crea heredero o legatario, la <u>exhibición</u> del <u>acto de última voluntad</u> del causante de una herencia o legado por quien lo tenga en su poder, pudiendo pedirse del Notario la entrega de copia del testamento cuando éste la niegue • Por el socio o comunero, la <u>exhibición</u> de <u>documentos o cuentas de una sociedad o comunidad</u> por parte de éstas o del consocio o comunero que las tenga en su poder, siempre que se trate de documentación que haya obligación legal de mostrar, y sin que se admita una petición genérica • Por quien se considere perjudicado, la <u>exhibición</u> del <u>contrato de seguro de responsabilidad civil</u> por quien lo tenga en su poder • La petición de la <u>historia clínica</u> del centro sanitario o profesional que la custodie

185

- Por quien pretenda iniciar un proceso para la defensa de los consumidores o usuarios, la concreción de los integrantes del grupo de afectados cuando sean fácilmente determinables
- Por quien pretenda iniciar un proceso por infracción de la propiedad industrial o intelectual, la obtención de datos sobre el origen y redes de distribución de las mercancías o servicios
- Por quien pretenda iniciar un proceso por infracción de la propiedad industrial o intelectual, la exhibición de documentos bancarios, financieros, comerciales o aduaneros de un determinado tiempo
- Las diligencias y averiguaciones que prevean las leyes especiales para la protección de determinados derechos,

TRAMITACIÓN	
Arts. 257 a 263 LEC	

TRÁMITE	• El trámite se reduce a la admisión a trámite, en su caso, de la diligencia solicitada, a la prestación de caución por parte del solicitante, y a la PRÁCTICA de la diligencia, requiriendo personalmente a tal efecto a la persona con quien ha de entenderse, o en comparecencia señalada al efecto
	• La competencia se atribuye según los casos:
	  • Al Juzgado del domicilio de la persona que haya de declarar, exhibir o intervenir en las diligencias, o
	  • Al Juzgado que sea competente para conocer del asunto principal cuando se trate de la protección de consumidores o usuarios, infracciones de la propiedad intelectual o industrial, o de diligencias contempladas en leyes especiales
	• El escrito inicial no debe revestir la forma de demanda
	• No es preceptiva la intervención de Procurador ni Abogado, salvo que tengan carácter urgente
	• La caución tiene por objeto garantizar los gastos, daños y perjuicios de la práctica de la diligencia preliminar

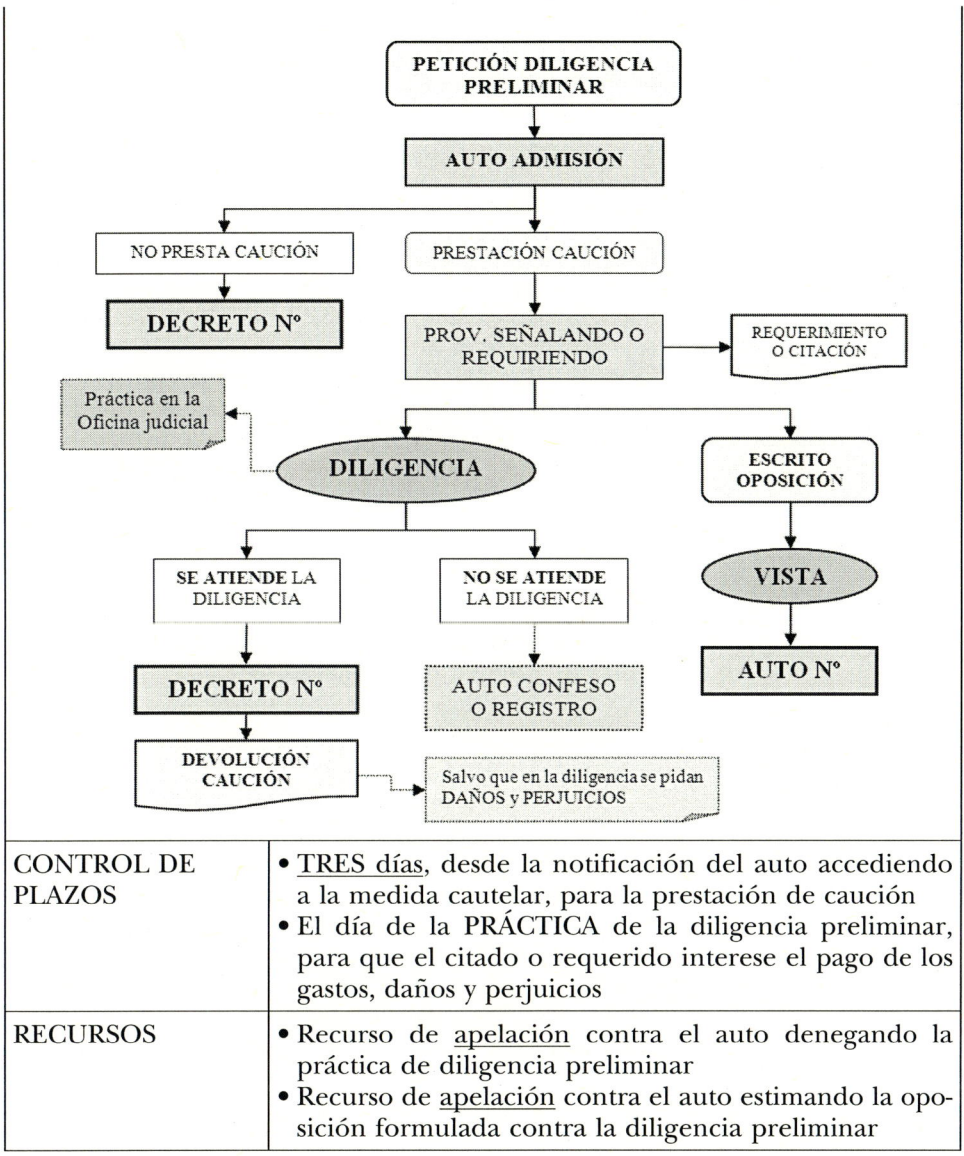

CONTROL DE PLAZOS	• <u>TRES días</u>, desde la notificación del auto accediendo a la medida cautelar, para la prestación de caución • El día de la PRÁCTICA de la diligencia preliminar, para que el citado o requerido interese el pago de los gastos, daños y perjuicios
RECURSOS	• Recurso de <u>apelación</u> contra el auto denegando la práctica de diligencia preliminar • Recurso de <u>apelación</u> contra el auto estimando la oposición formulada contra la diligencia preliminar

187

VIII
NULIDAD DE ACTUACIONES

CONCEPTO	
Arts. 225 a 231 LEC y 238 a 243 LOPJ	
CONCEPTO	Es un incidente que supone la <u>NULIDAD de todo o parte del proceso</u>, por falta de un presupuesto procesal o por la nulidad de un acto que conlleve la nulidad de los actos sucesivos de modo general En realidad, no se trata de un incidente –pues éstos parten de la existencia de un proceso principal pendiente–, sino de un <u>medio de impugnación extraordinario</u> que da lugar a un proceso autónomo de impugnación de la cosa juzgada formal o material
CLASES	Se pueden distinguir <u>dos supuestos</u> de nulidad de actuaciones: • La <u>NULIDAD ORDINARIA</u>, estableciéndose: • Como <u>principio general, no se admiten</u> los incidentes de nulidad de actuaciones • Excepcionalmente, pendiente un proceso, la nulidad debe hacerse valer por dos vías: • Por la vía de los <u>recursos</u> establecidos contra la resolución de que se trate • Por la vía de la <u>declaración judicial</u>, de oficio o a instancia de parte, previa audiencia de las partes, antes de que recaiga resolución que ponga fin al proceso, siempre que <u>no sea posible la subsanación</u> del defecto • La <u>NULIDAD EXCEPCIONAL</u>, cuando haya recaído <u>resolución firme</u> que ponga fin al proceso, basada en un defecto de forma que haya producido indefensión, siempre que el defecto de forma no haya podido ser denunciado antes por la parte
NULIDAD ABSOLUTA	Los supuestos de **NULIDAD ABSOLUTA** según el art. 225 LEC son: • La falta absoluta de jurisdicción o de competencia objetiva o funcional del tribunal • Los actos realizados bajo violencia o intimidación • Los actos en los que se haya prescindido de las normas

	esenciales del procedimiento, siempre que hayan causado indefensión:
	  • La indefensión ha de valorarse según las circunstancias de cada caso concreto
	  • Debe conllevar un perjuicio real y efectivo para los intereses del afectado y la privación del derecho de defensa
	• La falta de intervención de Abogado en los casos en que sea preceptiva
	• La celebración de vistas sin la intervención preceptiva de Secretario judicial
	• La resolución por decreto o diligencia de ordenación de cuestiones que, conforme a la ley, hayan de ser resueltas por providencia, auto o sentencia
	• Los demás casos en que así se establezca por la ley, entre otros, en los siguientes:
	  • La falta de diligencia de reparto o las actuaciones dictadas por tribunal distinto del que corresponda conforme a las normas de reparto (art. 68 LEC)
	  • Los segundos incidentes de acumulación de procesos (art. 97.2 LEC)
	  • Los actos de comunicación no practicados conforme a la ley que hayan causado indefensión (art. 166 LEC)
	  • Las resoluciones judiciales no autorizadas o publicadas bajo firma del Secretario judicial (art. 204.3 LEC)
	  • La inexactitud de las copias entregadas a la parte (art. 280 LEC)
	  • La nulidad del despacho de ejecución (art. 559.1.3° LEC)
	  • La nulidad del embargo (arts. 588 y 609 LEC)

CRITERIO RESTRICTIVO	• La nulidad de actuaciones sigue un <u>criterio claramente RESTRICTIVO</u> y <u>CONSERVADOR de los actos judiciales</u>, ponderando la entidad y trascendencia del vicio cometido, y tratando, en lo posible, de proceder a su subsanación • No cualquier infracción de las normas procesales es suficiente para declarar la nulidad de actuaciones, sino que, según reiterada doctrina jurisprudencial, puede distinguirse entre una <u>indefensión formal</u> y una indefensión <u>material</u>, de modo que para que un acto judicial sea nulo <u>no sólo es necesario</u> que se prescinda total

	y absolutamente de las normas esenciales del <u>procedimiento</u>, sino que, además, es necesario que se haya producido <u>efectiva indefensión material</u>, entendida ésta como un entorpecimiento o limitación sustancial en la defensa de los derechos o intereses de la parte, o como una abierta ruptura del equilibrio entre las partes
	• En todo caso, aun en caso de efectiva indefensión, <u>no hay lugar</u> a declarar la nulidad de actuaciones <u>si la parte no pidió la subsanación</u> de la falta en el momento en que se cometió en la primera instancia, y en su caso, si no se reprodujo en la segunda instancia, o si la indefensión es <u>imputable</u> a la propia voluntad o a la falta de <u>diligencia</u> del interesado
CASUÍSTICA	• La total y absoluta falta de motivación de las sentencias, sin razonamiento suficiente para fundamentar el fallo
	• La falta de grabación de las vistas en soporte apto para la grabación del sonido y de la imagen, si bien no cuando se trataba sólo de pruebas documentales
	• La falta de inmediación judicial
	• El emplazamiento o citación por edictos sin agotamiento de los medios para la averiguación del domicilio
	• La notificación de sentencia al demandado rebelde en el tablón de anuncios de la Oficina judicial
	• La no suspensión del juicio cuando se solicite dentro de plazo la asistencia de Procurador y Abogado de oficio

TRAMITACIÓN	
Arts. 227 y 228 LEC	
TRÁMITE	El trámite se reduce a <u>dar traslado</u> de la solicitud a la parte contraria a fin de que, en el término de cinco días, formule alegaciones, y a su resolución por auto del juez

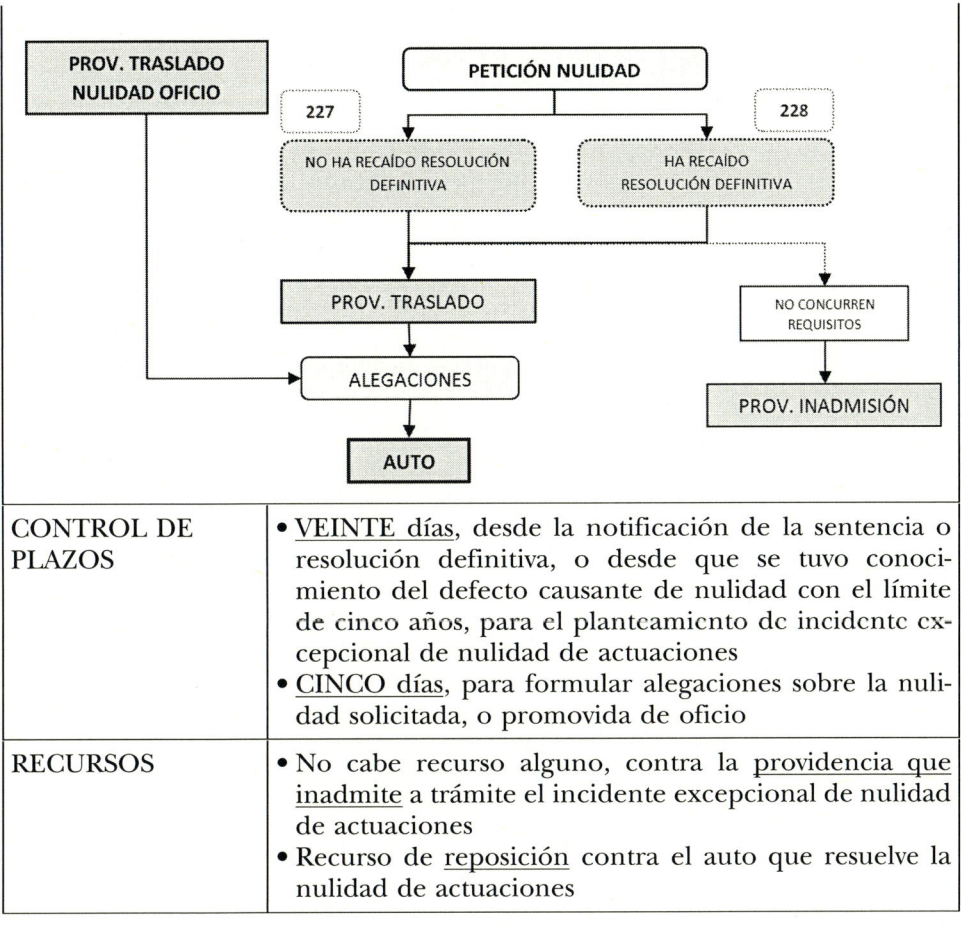

CONTROL DE PLAZOS	• <u>VEINTE días</u>, desde la notificación de la sentencia o resolución definitiva, o desde que se tuvo conocimiento del defecto causante de nulidad con el límite de cinco años, para el planteamiento de incidente excepcional de nulidad de actuaciones • <u>CINCO días</u>, para formular alegaciones sobre la nulidad solicitada, o promovida de oficio
RECURSOS	• No cabe recurso alguno, contra la <u>providencia que inadmite</u> a trámite el incidente excepcional de nulidad de actuaciones • Recurso de <u>reposición</u> contra el auto que resuelve la nulidad de actuaciones

<table>
<tr><td colspan="2" align="center">IX
RECONSTRUCCIÓN DE AUTOS</td></tr>
</table>

TRAMITACIÓN	
Arts. 232 a 235 LEC	
TRÁMITE	• El trámite se reduce a, primero, <u>dejar constancia</u> del <u>EXTRAVÍO o DETERIORO de los AUTOS</u>, así como de las actuaciones que, en su caso, se conserven, para, después, señalar una <u>comparecencia</u> con las partes, incluido el Ministerio Fiscal, a fin de tener por reconstruidos los autos, y en caso de que <u>no haya acuerdo</u>, al

191

señalamiento de una <u>vista</u> ante el tribunal, con práctica de prueba incluida
- Debe registrarse como un <u>INCIDENTE</u> del asunto principal
- Es preceptiva la intervención del <u>Ministerio Fiscal</u>
- Debe deducirse testimonio de la incoación del incidente de reconstrucción al <u>Jugado de Instrucción</u> que corresponda, a los efectos de depurar responsabilidades por un posible <u>delito de infidelidad</u> en la custodia de documentos
- Las partes deben aportar, o ser requeridas para que aporten, las <u>copias auténticas o privadas que conserven</u> de los autos, o designar los archivos o registros en que se encuentren, sean escritos, documentos o resoluciones
- La <u>inasistencia</u> de las partes no impide la continuación del incidente
- La <u>resolución</u> del incidente se atribuye:
  - Al <u>Secretario judicial</u>, por medio de decreto, <u>si no existe controversia</u> sobre la reconstrucción
  - Al Juez, por medio de auto, tras una vista y la práctica de prueba, si existe controversia
- La <u>resolución final</u> que se dicta acuerda la reconstrucción de los autos y la situación procesal de que se parte para la continuación del juicio, la forma en que quedan reconstruidas las actuaciones, o la imposibilidad de su reconstrucción

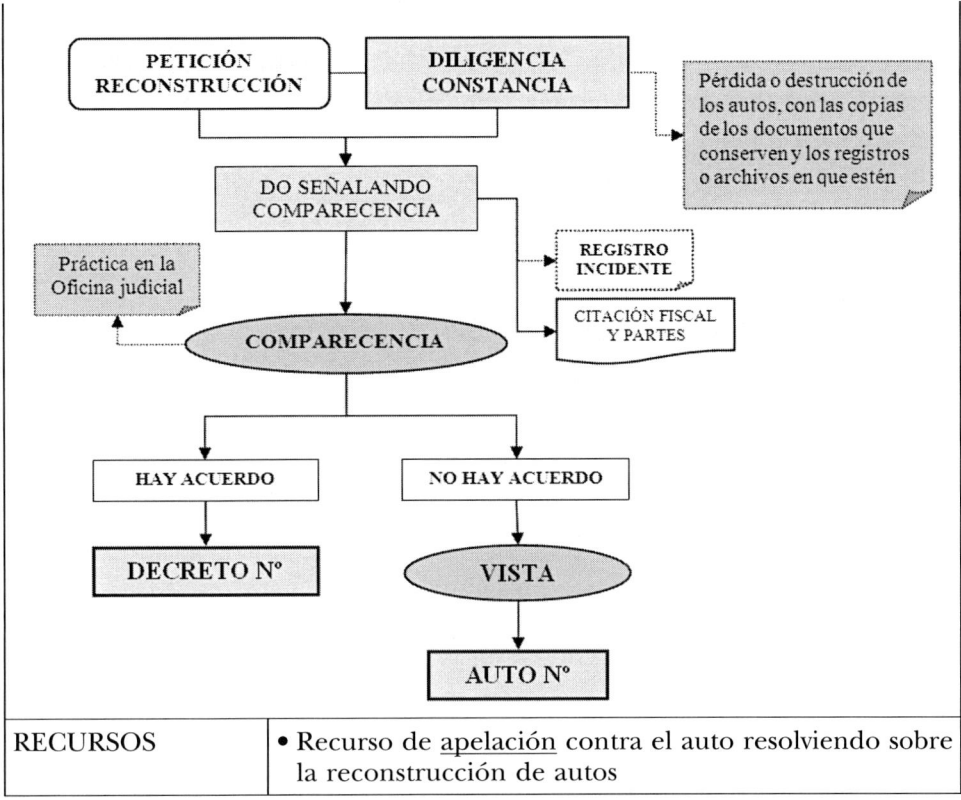

RECURSOS	• Recurso de <u>apelación</u> contra el auto resolviendo sobre la reconstrucción de autos

Juicio monitorio

SUMARIO:

I
JUICIO MONITORIO

CONCEPTO	
Arts. 812 LEC y 21 LPH	
CONCEPTO	• Es un juicio declarativo especial que tiene por objeto, sin necesidad de dictado de una sentencia favorable, la <u>rápida creación</u> de un título ejecutivo judicial que permite el despacho de ejecución por <u>DEUDAS DINE-RARIAS</u>, líquidas y exigibles, y de <u>CUALQUIER IM-PORTE</u>, que están fundadas en un <u>DOCUMENTO ES-CRITO</u> de buena apariencia jurídica • Es un juicio especial para la <u>tutela privilegiada</u> de determinados créditos, en virtud del cual, requerido judicialmente de pago el deudor, en caso de impago, silencio o no oposición, se crea un <u>título ejecutivo judicial</u> que permite el <u>despacho de ejecución</u> sin necesidad de esperar una sentencia favorable • La sencillez del procedimiento, y su utilidad como forma de protección del crédito ha provocado <u>una utilización masiva</u> del juicio para la reclamación de cantidades, mostrándose como una vía adecuada para evitar juicios declarativos contradictorios

195

CLASES DE DOCUMENTOS	Del análisis del <u>art. 812 LEC</u>, pueden distinguirse las siguientes <u>CLASES de DOCUMENTOS</u> que permiten el acceso a este juicio, configurado en nuestra ley, frente al llamado juicio monitorio puro, o sin prueba, como juicio monitorio documental, o de prueba:
	
	1) Los documentos del <u>art. 812.1 LEC</u>, que deben constituir un <u>principio de prueba</u> por escrito de la deuda, dentro de los cuales se distinguen, a su vez, dos clases:
	
	• 1.1. Los documentos del <u>art. 812.1.1ª LEC</u>, que son aquellos en los que, de alguna forma, aparezca el <u>reconocimiento de la deuda</u> por parte deudor, «*documentos, cualquiera que sea su forma, clase o soporte, que aparezcan firmados por el deudor, o con su sello, impronta, marca o cualquier otra señal*»
	
	• 1.2. Los documentos del <u>art. 812.1.2ª LEC</u>, que son aquellos que proceden o han sido <u>creados unilateralmente por el acreedor</u>, «*facturas, albaranes, certificaciones, telegramas, o cualesquier otro documento que, aun unilateralmente creado por el acreedor, sea de los que habitualmente documentan los créditos y deudas entre acreedor y deudor*»
	
	2) Los documentos del <u>art. 812.2 LEC</u>, que son documentos privilegiados en cuanto que no exigen el examen del principio de prueba de los anteriores, dentro de los cuales, a su vez, se distinguen dos clases:
	
	• 2.1. Los documentos del <u>art. 812.2.1ª LEC</u>, que son aquellos que, además del documento en el que conste la deuda, acreditan una relación comercial anterior duradera entre acreedor y deudor
	
	• 2.2. Los documentos del <u>art. 812.2.2ª LEC</u>, que son las certificaciones de impago de cantidades debidas en concepto de <u>gastos comunes de Comunidades de propietarios</u> de inmuebles urbanos, en los términos establecidos en el art. 21 LPH, que exige:
	
	   • La certificación del <u>acuerdo de la junta</u> de propietarios aprobando la liquidación de la deuda con la comunidad, expedida por quien actúe como secretario con el visto bueno del presidente
	
	   • La <u>notificación</u> de acuerdo de la junta en el domicilio designado por el propietario, en su defecto, en el propio piso o local, o en última instancia, en el tablón de anuncios o lugar visible de la comunidad conforme al art. 9 LPH

TRAMITACIÓN	
Arts. 813 a 818 LEC	
TRÁMITE	La tramitación del juicio monitorio se reduce a los siguientes trámites: • La <u>ADMISIÓN A TRÁMITE</u> de la petición inicial, por medio de decreto del secretario judicial, <u>REQUIRIENDO</u> al demandado a fin de que, en el término de veinte días, <u>PAGUE</u> al actor o se oponga al pago, con el apercibimiento de que de no verificarlo, se procederá al despacho de la ejecución, librándose al efecto los despachos necesarios, incluida la averiguación del domicilio del deudor en su caso • El dictado de la <u>RESOLUCIÓN FINAL</u> que proceda según el resultado del requerimiento de pago al demandado, sea, por decreto numerado para dar por finalizado el juicio por pago o por falta de pago, sea para tener por opuesto al demandado a la petición inicial, acordando entonces dar a los autos el trámite del juicio ordinario o verbal según la cuantía de la demanda, sea para dar por finalizado el juicio, por imposibilidad de practicar el requerimiento en forma personal, o por auto numerado porque el demandado tenga su domicilio fuera del partido judicial
PETICIÓN INICIAL	• La <u>PETICIÓN INICIAL</u> del juicio monitorio <u>no requiere</u> la forma de <u>demanda</u>, bastando con la indicación de los nombres y domicilios de acreedor y deudor, y la expresión del origen y cuantía de la deuda, acompañándose alguno de los documentos admitidos para esta clase de juicio • La petición puede extenderse en un <u>impreso o formulario</u> normalizado que facilite su cumplimentación, y que debe hallarse a disposición de los justiciables en todas las Oficinas judiciales • No es preceptiva la intervención de <u>PROCURADOR y ABOGADO</u>
COMPETENCIA TERRITORIAL	• Es competente territorialmente el tribunal del <u>domicilio</u> o residencia <u>del demandado</u>, o donde éste pueda ser hallado • En caso de reclamaciones de deudas por gastos comunes de las <u>comunidades de propietarios</u>, a elección del

	actor, es también competente el tribunal del <u>lugar de la finca</u> • La competencia territorial se examina siempre de <u>oficio</u> por el tribunal, no siendo de aplicación las normas sobre sumisión expresa o tácita

ADMISIÓN DE DEMANDA	• Se establece el mismo <u>sistema mixto</u> de ADMISIÓN de <u>la demanda</u> de los juicios ordinarios:
	    • El Secretario Judicial <u>ADMITE</u> la demanda, por decreto
	    • El Secretario Judicial <u>dará cuenta</u> al tribunal para que resuelva, por auto, sobre la INADMISIÓN o admisión de la demanda, legales, cuando estime falta de jurisdicción o competencia del tribunal, o cuando la demanda adolezca de defectos formales insubsanables, o no subsanados dentro del plazo concedido
	Los <u>REQUISITOS</u> de admisión son los mismos de los juicios ordinarios, con especial análisis del <u>DOCUMENTO o documentos presentados</u>, y en particular, los siguientes:
	• La diligencia y aplicación de las normas de <u>reparto</u>
	• La presentación de las <u>tasas judiciales</u> en caso de personas jurídicas y cuando el importe de lo reclamado exceda de los 3.000 euros
	• La <u>capacidad procesal</u> y capacidad para ser parte, acompañando el documento que acredite la representación en caso de personas jurídicas, menores, incapacitados o declarados en concurso
	• En caso de intervención con Procurador, la presentación del <u>poder para pleitos</u> ante notario, o en su defecto, el anuncio de su otorgamiento por <u>comparecencia apud acta</u>
	• La <u>firma</u> de la petición inicial
	• La <u>jurisdicción</u> y <u>competencia</u> del tribunal, que se aprecia siempre de oficio, incluida la competencia territorial
	• La presentación de las <u>copias</u> de la demanda y documentos

	• Si de la documentación aportada se desprende que la <u>cantidad reclamada no es correcta</u>, por medio de auto, <u>se requiere</u> al actor al objeto de practicar el requerimiento de pago al deudor por el importe correcto, inferior al inicialmente solicitado

OPOSICIÓN	• La oposición debe presentarse por <u>escrito</u>, discutiéndose en la práctica si dicha oposición debe estar fundamentada, o basta una oposición simple y genérica a la reclamación • El escrito de oposición debe estar <u>firmado por Procurador y Abogado</u> cuando por la <u>cuantía</u> reclamada, su intervención sea preceptiva, debiendo acreditarse la representación del Procurador mediante la presentación del poder para pleitos ante notario, o en su defecto, el anuncio de su otorgamiento por comparecencia apud acta ante Secretario judicial
REGLAS ESPECIALES PARA LAS COMUNIDADES DE PROPIETARIOS	En las reclamaciones de gastos comunes de comunidades de propietarios, se aplican al juicio monitorio las siguientes <u>reglas especiales</u>: • Es <u>competente territorialmente</u> también el Juzgado de Primera Instancia del lugar en que radica la finca • El <u>documento es privilegiado</u>, en el sentido de que no permite el análisis de la concurrencia del principio de prueba, bastando la mera presentación de la certificación del acuerdo de la junta de propietarios aprobando la liquidación de la deuda, y la notificación en forma al propietario afectado en su domicilio, piso o local, o en su defecto, en el tablón de anuncios de la comunidad • El <u>requerimiento</u> de pago al deudor se practica <u>por medio de edictos</u> cuando no se haya podido practicar personalmente en su domicilio, o en su defecto, en el propio piso o local • Aun no siendo preceptiva su intervención, si la comunidad de propietarios utiliza los servicios de <u>Abogado y Procurador</u>, el deudor deberá abonar sus <u>honorarios y derechos</u> y suplidos • En caso de oposición del deudor, se puede acordar el embargo preventivo de sus bienes en garantía de la deuda
INTERESES *Arts. 816.2 y 576 LEC*	• La cantidad reclamada en el juicio monitorio sólo devengará <u>INTERESES</u> desde que se dicta el auto despachando ejecución, los cuales serán, bien los que correspondan conforme al interés pactado, o en su defecto, al interés legal incrementado en dos puntos • Se admite la reclamación de intereses liquidados desde la petición inicial de juicio monitorio, cuando se trata

de <u>intereses pactados</u> desde la fecha de la falta de pago del deudor, pero no cuando se trata de intereses legales desde la fecha de la reclamación judicial, en cuyo caso sólo se admite, según la norma especial, desde la fecha del despacho de ejecución

II
ESQUEMAS PROCESALES

TRAMITACIÓN DEL JUICIO MONITORIO
Arts. 815 a 818 LEC

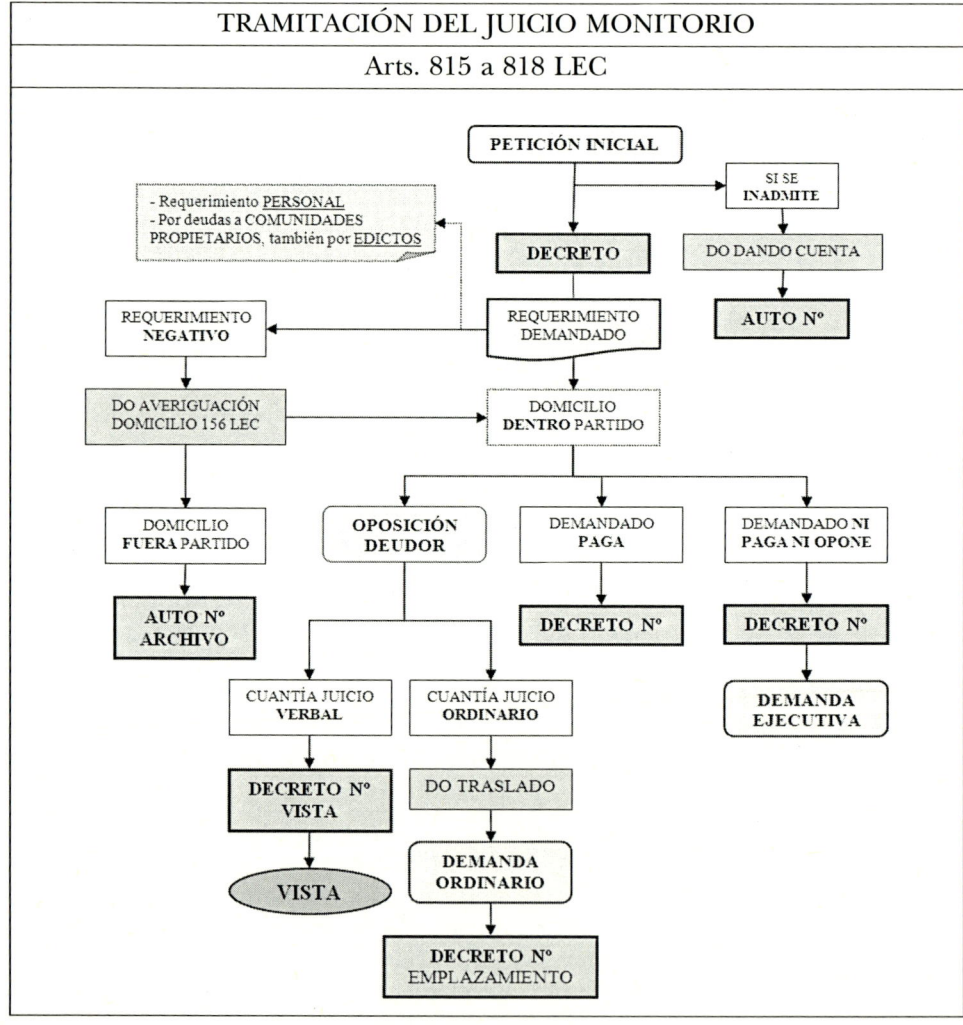

CONTROL DE PLAZOS	• <u>VEINTE</u> días, contados desde el requerimiento de pago, para el pago, oposición del deudor, o finalización del juicio • <u>UN MES</u>, contado, de fecha a fecha, desde el traslado del escrito de oposición, para la presentación por el actor de la demanda de juicio ordinario

Juicio cambiario

SUMARIO:

I. JUICIO CAMBIARIO		
Concepto	Arts. 819 LEC y 1, 2, 94, 95, 106 y 107 LCCH	199
Tramitación	Arts. 821 a 827 LEC	201
II. ESQUEMAS PROCESALES		
Tramitación del juicio cambiario	Arts. 821 a 827 LEC y 67 LCCH	203

I JUICIO CAMBIARIO

CONCEPTO	
Arts. 819 LEC y 1, 2, 94, 95, 106 y 107 LCCH	
CONCEPTO	• Es un juicio declarativo especial que tiene por objeto, sin necesidad de dictado de una sentencia favorable, la inmediata <u>GARANTÍA</u> del crédito cambiario mediante el <u>embargo preventivo</u> de bienes del deudor, y la rápida creación de un título ejecutivo judicial que permita el despacho de ejecución por <u>deudas dinerarias</u> fundadas en <u>LETRAS DE CAMBIO, CHEQUES o PAGARÉS</u> • Es un juicio especial que tiene por objeto la <u>protección singular</u> de los créditos documentados en <u>letras de cambio, pagarés o cheques</u>, asegurando la eficaz garantía del crédito cambiario mediante el <u>embargo preventivo</u> de bienes del deudor, el cual se convierte en ejecutivo en caso de falta de oposición o desestimación de ésta

	• En caso de oposición, se invierte la iniciativa del juicio contradictorio, exigiéndose la presentación de la <u>demanda de oposición</u> por parte del deudor cambiario, restringiéndose las <u>excepciones</u> oponibles, e independizándose el título valor del <u>contrato subyacente</u>

REQUISITOS DE LAS LETRAS DE CAMBIO, PAGARÉS Y CHEQUES	La especialidad del juicio cambiario exige una rigurosa observancia de los <u>requisitos formales</u> de los títulos cambiarios:
	• Los requisitos de la LETRA DE CAMBIO son:
	  • La denominación de letra de cambio
	  • El <u>MANDATO</u> puro y simple de pagar una suma determinada
	  • El nombre del <u>librado</u>, que es la persona que ha de pagar
	  La ausencia del nombre del librado no puede ser suplida por la aceptación de la letra de cambio
	  • La indicación del vencimiento, y si no se expresa, la letra se considera pagadera a la vista
	  • El lugar de pago, y si no se expresa, se considera el designado junto al nombre del librado
	  • El nombre del <u>tomador</u>, que es la persona a quien se ha de hacer el pago, o a cuya orden se ha de efectuar dicho pago
	  La ausencia del nombre del tomador no puede ser subsanada por el hecho de la posesión de la letra de cambio
	  • La firma del <u>librador</u>, que es la persona que emite la letra
	  • La <u>fecha</u> y el lugar en que se emite la letra, y a falta de expresión del lugar, se considera el designado junto al nombre del librador
	  • El defecto en el timbre no suele considerarse ya, según la jurisprudencia mayoritaria, como un requisito de inadmisibilidad de la eficacia de la letra de cambio
	• Los requisitos del PAGARÉ, que es un título cambial corto, en el que el promitente de pago es el propio librador, son:
	  • La denominación de pagaré
	  • La <u>PROMESA</u> pura y simple de pagar una suma determinada
	  • La indicación del vencimiento, y si no se expresa, la letra se considera pagadera a la vista

- El lugar de pago
- El nombre de la persona a quien se ha de hacer el pago, o a cuya orden se ha de efectuar dicho pago No se admiten los pagarés al portador
- La firma del <u>firmante</u>, que es la persona que emite el pagaré
- La <u>fecha</u> y el lugar en que se firma el pagaré
- Los requisitos del <u>CHEQUE</u>, que es un simple instrumento de pago, una orden de pago pura, simple y a la vista, son:
  - La denominación de cheque
  - El <u>MANDATO</u> puro y simple de pagar una suma determinada
  - El nombre del <u>librado</u>, que es la persona que ha de pagar, que necesariamente ha de ser un <u>Banco</u>
  - El <u>lugar de pago</u>, y a falta de indicación, se considera como tal el designado junto al nombre del librado, el de su emisión, o donde tenga establecimiento el librado
  - La <u>fecha y lugar</u> de emisión del cheque, y a falta de indicación, se considera como tal el lugar designado junto al nombre del librador
  - La <u>firma</u> de <u>librador</u>, que es la persona que expide el cheque

TRAMITACIÓN	
Arts. 821 a 827 LEC	
TRÁMITE	La tramitación del juicio cambiario se reduce a los siguientes trámites: • La <u>ADMISIÓN A TRÁMITE</u> de la demanda por medio de auto, acordando el <u>REQUERIMIENTO</u> al demandado, para que PAGUE en el plazo de diez días, y el inmediato <u>EMBARGO PREVENTIVO</u> de sus bienes • La presentación de la demanda de <u>OPOSICIÓN</u> cambiaria por parte del demandado, y en tal caso, el señalamiento de VISTA para resolver por sentencia la oposición • En caso de falta de oposición, el dictado de la <u>RESOLUCIÓN FINAL</u> que proceda según el resultado del requerimiento de pago al demandado, por decreto nu-

	merado, sea para dar por finalizado el juicio por pago o por falta de pago
DEMANDA	La DEMANDA puede ser sucinta, como en el juicio verbal, y a ella ha de acompañarse el título cambiario original
COMPETENCIA TERRITORIAL	• Es competente territorialmente el juzgado del domicilio del deudor • La competencia territorial se examina siempre de oficio por el tribunal, no siendo de aplicación las normas sobre sumisión expresa o tácita
ADMISIÓN DE DEMANDA	La admisión o inadmisión a trámite del juicio cambiario se acuerda siempre por auto del Juez, al tener también la demanda por objeto la adopción de una medida cautelar como es el embargo preventivo
	Los REQUISITOS de admisión son los mismos de los juicios declarativos ordinarios, con especial análisis del TÍTULO CAMBIARIO presentados, en particular, los siguientes: • La diligencia y aplicación de las normas de reparto • La presentación de las tasas judiciales en caso de persona jurídica • La capacidad procesal y capacidad para ser parte, acompañando el documento que acredite la representación en caso de personas jurídicas, menores, incapacitados o declarados en concurso • La firma de ABOGADO y PROCURADOR • La presentación de los documentos procesales, en especial, la copia del PODER para pleitos ante Notario, o en su defecto, el anuncio de su otorgamiento por comparecencia apud acta • La jurisdicción y COMPETENCIA del tribunal, que siempre se aprecia de oficio, incluida la competencia territorial • La presentación de las copias de la demanda y documentos
DEMANDA DE OPOSICIÓN	La oposición del deudor debe presentarse en forma de DEMANDA, con la observancia de los siguientes requisitos: • No es necesaria la presentación de tasas judiciales • La capacidad procesal y capacidad para ser parte, acompañando el documento que acredite la represen-

tación en caso de personas jurídicas, menores, incapacitados o declarados en concurso
- La firma de <u>ABOGADO</u> y <u>PROCURADOR</u>
- La presentación de los <u>documentos procesales</u>, en especial, la copia del <u>PODER para pleitos</u> ante Notario, o en su defecto, el anuncio de su otorgamiento por <u>comparecencia apud acta</u>
- La presentación de las <u>copias</u> de la demanda y documentos

II
ESQUEMAS PROCESALES

TRAMITACIÓN DEL JUICIO CAMBIARIO

Arts. 821 a 827 LEC y 67 LCCH

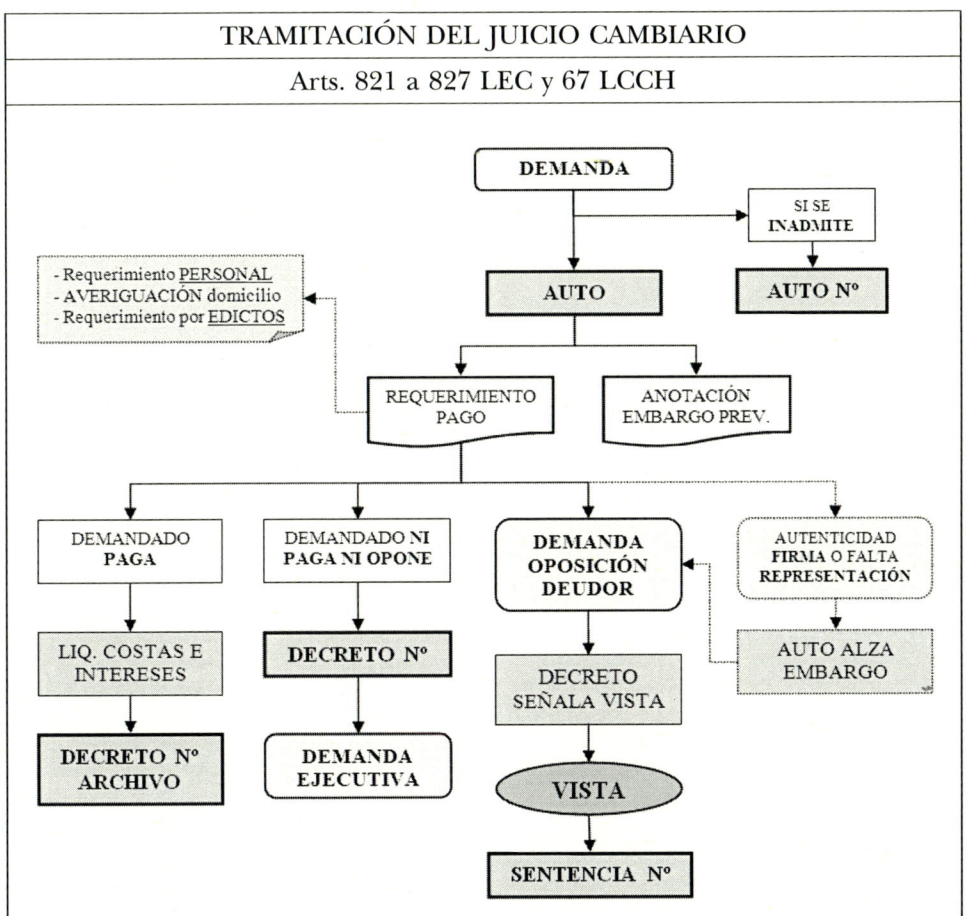

| CONTROL DE PLAZOS | • <u>DIEZ</u> días, contados desde el requerimiento de pago, para el pago, para la presentación de la demanda de oposición del deudor, o en su caso, para dar por finalizado el juicio
• <u>CINCO</u> días, contados desde el requerimiento de pago, para las alegaciones de negación de autenticidad de la firma o falta absoluta de representación, a efectos del alzamiento del embargo |

Division de herencia

I
DIVISIÓN DE HERENCIA

CONCEPTO	
Arts. 782 a 805 LEC	
DIVISIÓN DE PATRIMONIOS	Dentro de la <u>DIVISIÓN DE PATRIMONIOS</u> se distinguen dos procedimientos que tienen por objeto la división de un patrimonio entre quienes teniendo derecho a él, no se ponen de acuerdo en su reparto: • La liquidación de la <u>sociedad de gananciales</u>, o de cualquier otro régimen económico matrimonial • La división judicial de <u>herencia</u>
DIVISIÓN DE HERENCIA	El patrimonio de una persona fallecida forma una especie de <u>comunidad de bienes</u>, que permanece indivisa entretanto no se procede a su división, no bastando la condición de heredero para justificar la titularidad de bienes determinados de la herencia La <u>DIVISIÓN de HERENCIA</u> es un proceso especial, integrado por un conjunto de actuaciones, que tiene por objeto llevar a cabo la partición y adjudicación de los

bienes que integran una <u>herencia</u>, cuando los herederos no han llegado a un acuerdo sobre ello

Se caracteriza por las siguientes notas:
- Es un procedimiento <u>universal</u>, en cuanto que a afecta a todo el patrimonio de una persona
- Es un procedimiento <u>supletorio</u>, en cuanto que sólo se sigue cuando nada se haya dispuesto en testamento, o no se haya designado en éste un contador partidor
- Es un procedimiento <u>dispositivo</u>, en cuanto que gran parte de sus actuaciones se hacen depender de la voluntad y el acuerdo de las partes
- Es un procedimiento <u>complejo</u>, en cuanto se integra, no sólo por las actuaciones tendentes a la división de la herencia, sino también, en su caso, a la intervención, depósito y administración de los bienes de la herencia

TRAMITACIÓN	
Arts. 782 a 784, 793, 794, y 790 y ss. LEC	
TRÁMITE	La tramitación de la división de herencia se reduce a los siguientes trámites: • La <u>formación del INVENTARIO</u> de los bienes de la herencia en junta celebrada ante el Secretario judicial • El nombramiento de <u>CONTADOR PARTIDOR</u> –y de perito, en su caso–, también en junta de herederos celebrada ante el Secretario judicial • La práctica de las <u>OPERACIONES DIVISORIAS</u> de la herencia por parte del contador partidor, y el traslado a las partes del cuaderno particional para que, en el plazo de diez días, puedan oponerse a su aprobación • La resolución de las <u>CONTROVERSIAS</u>, tanto en la formación del inventario, como respecto del cuaderno particional, previa celebración de una vista, por los trámites del juicio verbal
DEMANDA *Art. 782 LEC*	• La <u>DEMANDA</u> basta revista la forma de simple solicitud • Están legitimados los <u>HEREDEROS</u> o <u>legatarios</u>, que deben acompañar la certificación de defunción del causante, y el testamento o declaración de herederos que acredite su condición, pero no están legitimados los acreedores del causante • Es preceptiva la intervención de Abogado y Procurador

	• Es competente territorialmente el Juzgado de 1ª Instancia del último domicilio del causante
FORMACIÓN DE INVENTARIO *Arts. 793 y 794 LEC*	Cuando no se haya solicitado la intervención del caudal hereditario, por diligencia de ordenación, se acuerda la FORMACIÓN del INVENTARIO de la herencia: • Se practica ante el Secretario judicial en el día y hora que se señale • Deben ser citados los DEMÁS herederos y legatarios que consten en el título sucesorio, el cónyuge sobreviviente, pero también los acreedores de la herencia, y en última instancia, el Ministerio Fiscal cuando haya menores, incapaces o ausentes, o el Abogado del Estado, o de la Comunidad Autónoma, cuando no conste la existencia de herederos • Todos los herederos deben concurrir al acto de inventario asistidos de Abogado y Procurador, por ser preceptiva su intervención, no siendo necesaria la presencia personal de los herederos o legatarios • El inventario se forma, con el ACUERDO de todos los presentes, con los bienes y derechos que forman el activo y el pasivo del causante, lo más detallado posible • En caso de DISCREPANCIA o controversia sobre la inclusión o exclusión de bienes en el inventario, se da por terminado el acto, formándose pieza separada para la tramitación del incidente, continuándose con arreglo a lo previsto para el juicio verbal, citando a las partes a una VISTA, y fijándose por sentencia los bienes que integran el inventario del causante
JUNTA PARA NOMBRAMIENTO DE CONTADOR PARTIDOR *Arts. 783 y 784 LEC*	Formado el inventario de bienes de la herencia, se procede a la división de la herencia, siguiendo los siguientes trámites: • Se convoca, por diligencia de ordenación, a JUNTA de HEREDEROS, a celebrar ante el Secretario judicial, en el día y hora que se señale, para el nombramiento de contador partidor, y perito o peritos en su caso • Deben ser citados, de nuevo, personalmente, si no están personados con Procurador, a los DEMÁS herederos y legatarios, y al cónyuge sobreviviente, pero, a los acreedores, en este caso, sólo cuando ya estén personados en el proceso, además de, en su caso, al Ministerio Fiscal y al Abogado del Estado o de la Comunidad Autónoma

211

	• Los herederos presentes deben ponerse de acuerdo en el nombramiento de un <u>CONTADOR PARTIDOR</u> que practique las operaciones divisorias de la herencia, que ha de reunir la condición de Abogado del lugar del juicio, así como sobre el nombramiento de <u>PERITO</u> o peritos que practiquen el avalúo de los bienes
	• <u>A falta de acuerdo</u> sobre el nombramiento de contador o partidor, se designa <u>judicialmente</u>, tanto el contador partidor en el acto, en la forma establecida en el art. 341 LEC, de la lista especial facilitada al efecto por el Colegio de Abogados respectivo, como el perito en su caso de la lista respectiva
	• Por razones de <u>economía procesal</u>, cabe señalar para celebrar, <u>simultáneamente</u> y en unidad de acto, la Junta de Herederos, tanto para la formación de inventario, como para el nombramiento de contador partidor, y perito en su caso, siempre que ello se advierta debidamente a las partes en la resolución en que así se señale
CUADERNO PARTICIONAL *Arts. 786 y 787 LEC*	• El contador partidor, previa aceptación y juramento del cargo, y en su caso, petición de provisión de fondos –siendo sus honorarios gastos de la partición judicial–, practica el <u>CUADERNO PARTICIONAL</u>, con las <u>operaciones divisorias</u>, la relación de bienes que forman la herencia, su avalúo y la liquidación, su división y adjudicación a cada uno de los partícipes
	• Del cuaderno particional se da traslado, por diligencia de ordenación, a las partes personadas, para que en el término de diez días, puedan formular alegaciones
	• De no oponerse ninguna de las partes, se dicta decreto numerado aprobando las operaciones particionales, y mandando protocolizarlas en la Notaría que corresponda
	Contra el decreto aprobatorio sin oposición, por ser definitivo, se puede interponer recurso directo de revisión
	• En caso de <u>OPOSICIÓN</u> al cuaderno particional, se forma pieza separada para la tramitación del <u>incidente</u>, continuándose con arreglo a lo previsto para el juicio verbal, citando a las partes a una <u>VISTA</u>, y fijándose por sentencia el avalúo, liquidación, división y adjudicación de la herencia que corresponda
	La <u>sentencia</u> que recaiga, contra la que cabe interponer recurso de apelación, no tiene efectos de cosa juz-

	gada, pudiendo los interesados hacer valer sus derechos en el juicio declarativo que corresponda
ACUERDO DE LOS HEREDEROS *Art. 789 LEC*	• En cualquier momento del proceso pueden los interesados adoptar los <u>acuerdos</u> que tengan por convenientes, sobreseyéndose en su caso el proceso por decreto del Secretario judicial, y poniéndose los bienes a disposición de los herederos
INTERVENCIÓN Y ADMINISTRACIÓN DE LA HERENCIA *Arts. 790 y ss. LEC y 977 y ss. LEC 1881*	Además de las actuaciones de formación de inventario, o de avalúo, liquidación, división y adjudicación de la herencia, en el proceso de división de patrimonios pueden acordarse <u>otra serie de actuaciones, menos frecuentes</u> en la práctica, relacionadas con el patrimonio hereditario: • La averiguación de los posibles HEREDEROS del causante, y en su caso, la promoción de la <u>declaración de herederos</u> abintestato • La INTERVENCIÓN del caudal hereditario, que puede acordarse, de oficio o a instancia de parte, cuando sea necesario para la seguridad de los bienes, papeles y efectos susceptibles de sustracción u ocultación • La <u>ADMINISTRACIÓN</u>, custodia y conservación de los bienes de la herencia, que puede acordarse, a instancia de parte, por medio de auto del tribunal, nombrándose administrador, por orden de preferencia, al cónyuge viudo, al heredero o legatario de parte alícuota, o a un tercero

II
ESQUEMAS PROCESALES

TRAMITACIÓN DE LA DIVISIÓN DE HERENCIA

Arts. 782 a 784, 793, 794, y 790 y ss. LEC

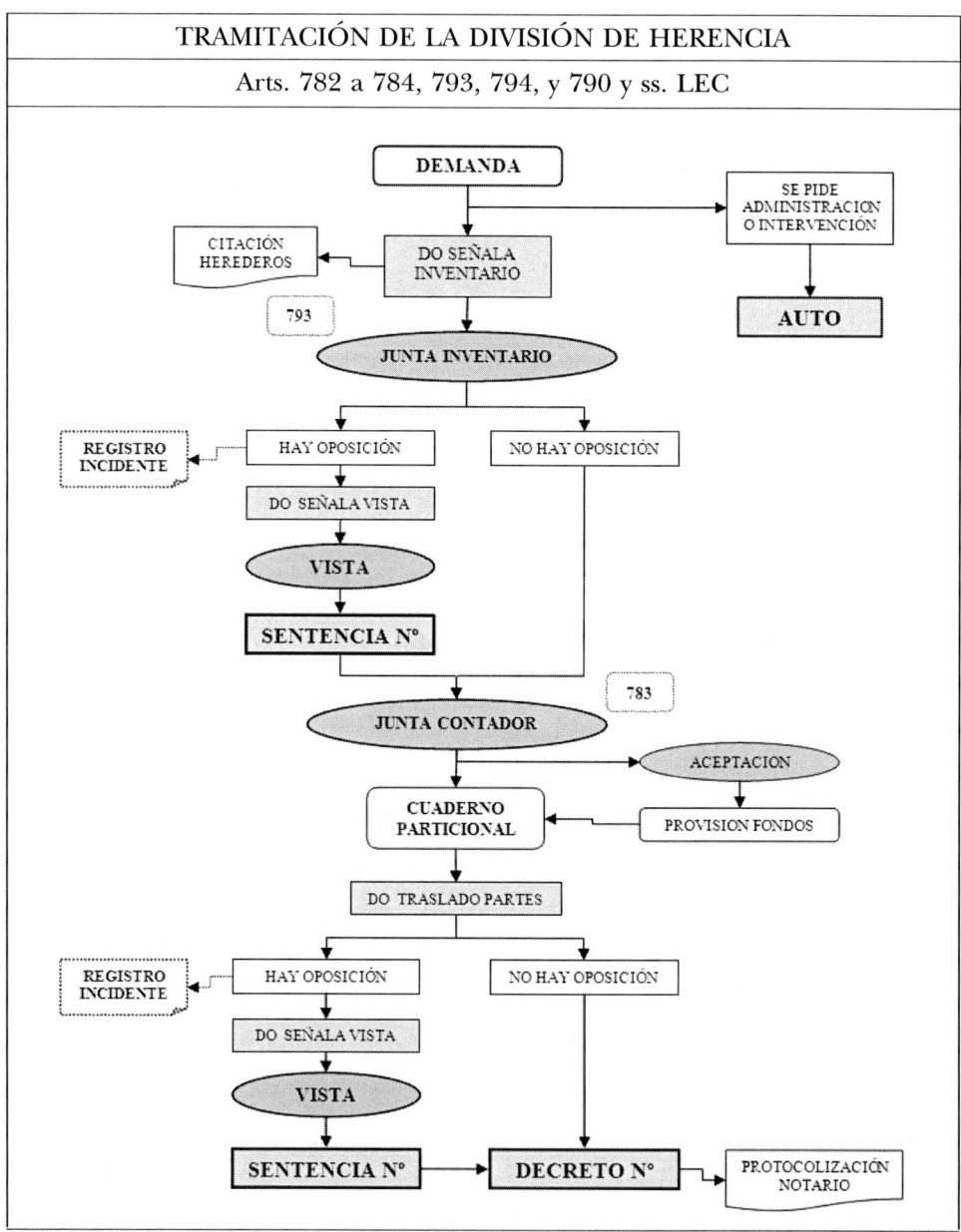

CONTROL DE PLAZOS	• <u>DIEZ</u> días, contados desde el traslado del cuaderno particional, para oponerse a la división de la herencia

PARTE III
FASE DE EJECUCIÓN

La ejecución forzosa

SUMARIO:

I
LA EJECUCIÓN FORZOSA

CONCEPTO Y CLASES	
Art. 117.3 CE	
CONCEPTO	Según el art. 117.3 CE, la función jurisdiccional comprende no sólo juzgar, sino también «ejecutar lo juzgado» La <u>EJECUCIÓN FORZOSA</u> puede definirse como la «actividad jurisdiccional que tiene por objeto <u>dar cumplimiento a una resolución judicial</u> mediante el uso de la fuerza del Estado»

	La ejecución forzosa se inspira en los siguientes principios: • Es una actividad estrictamente <u>jurisdiccional</u> • Es una actividad <u>sustitutiva</u>, en el sentido de que sólo puede iniciarse cuando el deudor <u>no cumpla voluntariamente</u> el título ejecutivo • Es una actividad regida por el principio de <u>congruencia</u> con el título • Es una actividad <u>reglada</u> • Es una actividad de <u>justicia rogada</u>, en el sentido de que no se incoa de oficio, sino a instancia de parte, sin perjuicio del impulso de oficio una vez iniciado el proceso • Es una actividad regida por los principios de <u>contradicción</u> y de dualidad de partes En sentido estricto, la actividad de ejecución no puede considerarse como función jurisdiccional en sentido propio, sino como el uso de una <u>potestad coactiva</u> del Estado para dar cumplimiento a un derecho ya declarado en el caso concreto, razón por la cual la mayor parte de las actuaciones de ejecución se encomiendan hoy al <u>Secretario judicial</u>

CLASES	Dentro de la ejecución forzosa pueden distinguirse <u>dos CLASES</u>:
	• La ejecución <u>DINERARIA</u>, que tiene por objeto la obtención del patrimonio del deudor ejecutado de una determinada <u>cantidad de dinero</u> para entregarla al acreedor ejecutante
	• La <u>ejecución NO DINERARIA</u>, que tiene por objeto el cumplimiento por parte del deudor ejecutado de una <u>obligación de hacer, de no hacer o de entregar una cosa</u> determinada que le ha sido impuesta por una resolución judicial
	Dentro de la ejecución <u>no dineraria</u>, a su vez, puede distinguirse dos clases:
	  • La ejecución <u>ESPECÍFICA</u>, que persigue la obtención por el acreedor ejecutante, precisamente, <u>de lo mismo que ordenó la sentencia</u> o resolución que se ejecuta, y en la forma establecida por ella
	  • La ejecución <u>GENÉRICA</u>, que tiene por finalidad la <u>sustitución</u> de la ejecución específica <u>por otra de dinero</u> en los casos de <u>imposibilidad</u> natural o jurídica de la ejecución en forma específica

<table>
<tr><td colspan="2" align="center">**II**
DISPOSICIONES GENERALES</td></tr>
</table>

	RESOLUCIONES PROCESALES

<table>
<tr><td colspan="2" align="center">RESOLUCIONES PROCESALES</td></tr>
<tr><td colspan="2" align="center">Art. 545.5, 6 y 7 LEC</td></tr>
<tr><td>FORMA</td><td>En ejecución las resoluciones procesales adoptarán la siguiente forma:
• La forma de <u>AUTO</u>, la orden general de ejecución, las que decidan la oposición a la ejecución o la tercería de dominio, y en los demás casos establecidos por la ley, entre ellos, por ejemplo, los que resuelven la ocupación de inmuebles por terceros distintos del ejecutado, la ejecución de obligaciones de hacer o sustitutivas de declaraciones de voluntad, o la fijación de los daños y perjuicios en caso de oposición
• La forma de <u>PROVIDENCIA</u>, los supuestos en que se establezca se dicte resolución judicial, pero expresamente no se diga que haya de revestir la forma de auto
• La forma de <u>DECRETO</u>, la resolución que determina las medidas ejecutivas, los embargos, así como los demás casos en que, expresamente, establece la ley que la resolución haya de adoptar dicha forma
• La forma de <u>DILIGENCIA DE ORDENACIÓN</u>, en todos los demás casos en que, expresamente, no se disponga otra cosa, es decir, ni que haya de dictarse resolución judicial, ni que la resolución del Secretario judicial haya de revestir la forma de decreto |
</table>

TABLA RESUMEN DE RESOLUCIONES PROCESALES			
TRÁMITE	**ART.**	**RESOLUCIÓN PROCESAL**	**RECURSO**
FASE DE EJECUCIÓN			
Inscripción o anotación sentencias declarativas	521	DO	Reposición ante SJ
Oposición a la ejecución	559 561	Auto n°	Apelación
Sucesión procesal	540	Auto	Reposición ante Juez
Suspensión por concurso	568	Decreto	Reposición ante SJ

TRÁMITE	ART.	RESOLUCIÓN PROCESAL	RECURSO
Suspensión prejudicialidad	569	Auto	Reposición ante Juez
Embargo y mejora embargo	587 612	Decreto	Revisión
Requerimiento designación bienes	589	DO	Reposición ante SJ
Averiguación patrimonial	590	DO	Reposición ante SJ
Multas al ejecutado	589.3	Decreto	Revisión
Multas a terceros	591	Auto	Alzada
Anotación preventiva de embargo	621 629	DO o Decreto	Reposición ante SJ
Administración judicial	622 631	Decreto	Reposición ante SJ y Revisión
Administración para pago	676	Decreto	Reposición o revisión
Depositario judicial	626.2	Decreto	Reposición ante SJ
Nombramiento perito	638	DO	Reposición ante SJ
Convenio realización	640	Decreto n°	Revisión
Entrega cantidades	583 634	DO	Reposición ante SJ y Revisión
Certificación cargas	656	DO	Reposición ante SJ
Información acreedores anteriores	657	DO	Reposición ante SJ
Valoración bienes	666	DO	Reposición ante SJ
Señalamiento subasta	644	DO	Reposición ante SJ
Celebración subasta	649	Acta	Reposición oral ante SJ
Adjudicación o remate ejecución ordinaria	650 670	Decreto	Revisión
Adjudicación hipotecario	670	Decreto n°	Revisión
Testimonio mandamiento cancelación cargas	674	DO	Reposición ante SJ
Destino precio remate	654 672	DO o Decreto	Reposición ante SJ

TRÁMITE	ART.	RESOLUCIÓN PROCESAL	RECURSO
Posesión y lanzamiento fincas	675.2 703	DO	Reposición ante SJ
Prórroga lanzamiento	704	DO	Revisión
Incidente de inquilinos u ocupantes de fincas	661.2 675	Auto	No cabe recurso
Archivo	670	Decreto nº	Revisión y Apelación

PARTES, REPRESENTACIÓN Y DEFENSA	
Arts. 538 a 544 LEC	
PARTES *Art. 538 LEC*	Las PARTES del proceso de ejecución son: • El EJECUTANTE, que es la persona a cuyo favor está dictado el título ejecutivo, y que obtiene el despacho ejecución • El EJECUTADO, que es la persona que aparece como obligada en el título ejecutivo, y frente a quien se despacha ejecución Cuando en el título ejecutivo aparecen condenados o deudores solidarios, puede pedirse que el despacho de ejecución, por el importe total, frente a todos, o solamente frente a uno o algunos de ellos

SUCESIÓN DE PARTES
Art. 540 LEC
	• Se puede despachar ejecución, o puede acordarse continuar la ejecución, a favor o frente a, quien acredite ser el SUCESOR de la persona que figura en el título ejecutivo como ejecutante o como ejecutado
	• La sucesión debe constar en DOCUMENTO FEHACIENTE, acreditándose:
	  • La del ejecutante, normalmente, en caso de transmisión inter vivos, mediante escritura pública de transmisión del crédito
	  • La del ejecutado, normalmente, en caso de sucesión mortis causa, mediante testamento o declaración de herederos
	• Si no consta en documentos fehaciente, o no se considera acreditado, previo traslado a las partes, transmitente y herederos, y tras la celebración de una comparecencia, se resuelve por medio de auto
	• Contra el auto que resuelve la sucesión –como lo que acuerda es el despacho, o no, de la ejecución–, caben

223

	los mismos <u>RECURSOS</u> que contra el auto que <u>despacha o deniega el despacho</u> de ejecución

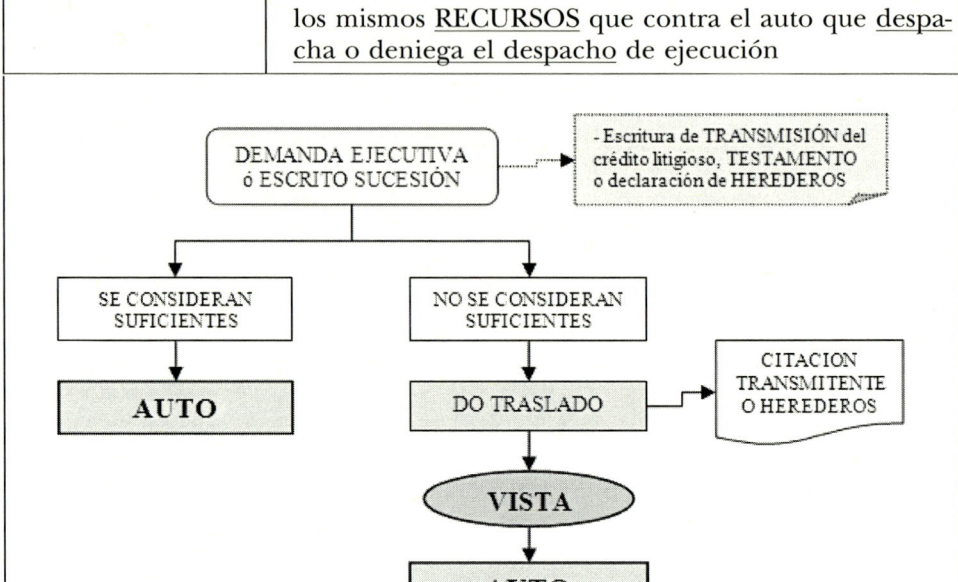

NOTIFICACIÓN AL CÓNYUGE DEL DEUDOR *Arts. 541 LEC y 144 RH*	• La demanda ejecutiva puede dirigirse únicamente contra el cónyuge deudor • Ahora bien, si se quiere hacer efectiva la deuda, no sólo con bienes privativos, sino también con <u>bienes GANANCIALES</u>, y especialmente para que pueda anotarse preventivamente en el Registro de la Propiedad el embargo sobre bienes comunes, al <u>cónyuge NO DEUDOR</u> debe dársele traslado de la demanda y auto despachando ejecución, o notificársele la existencia del procedimiento • Según el <u>art. 1361 CC</u>, son gananciales todos los bienes del matrimonio, mientras no se pruebe que pertenecen privativamente al marido o a la mujer • La notificación al cónyuge debe hacerse constar siempre en los mandamientos que se libren al Registro de la Propiedad • El cónyuge del deudor puede <u>OPONERSE</u> a la ejecución por las mismas causas que corresponden al ejecutado, y además, oponerse al embargo del bien ganancial por no tener que responder éste de la deuda • El cónyuge deudor puede pedir también la <u>sustitución</u> de los bienes gananciales por la parte que corresponde al cónyuge deudor en la sociedad de gananciales, con-

	forme al art. 1373 CC, en cuyo caso el embargo lleva consigo la <u>disolución</u> de dicha <u>sociedad de gananciales</u>, que se lleva a cabo conforme a las disposiciones establecidas en los arts. 806 a 811 LEC

INTERVENCIÓN DE ABOGADO Y PROCURADOR
Art. 539.1 LEC
	• El principio general es que ejecutante y ejecutado deben estar representados por <u>PROCURADOR</u> y defendidos por <u>ABOGADO</u>
	• No es preceptiva la intervención de Procurador ni Abogado en dos supuestos:
	  • La ejecución de títulos judiciales dictados en <u>procesos</u> en los que <u>no es preceptiva</u> su intervención
	  • La ejecución de <u>juicios monitorios</u>, o de acuerdos de mediación o laudos arbitrales cuando se despache ejecución por cantidad <u>inferior a dos mil euros</u>

COSTAS
Art. 539.2 LEC

COSTAS DE EJECUCIÓN	• Las COSTAS de la ejecución son de cargo del ejecutado, <u>sin necesidad de expresa imposición</u> Se <u>exceptúan</u> las actuaciones para las que se imponga expresa condena en costas • En todo caso, hasta su liquidación, el ejecutante debe satisfacer los gastos y costas que se vayan produciendo durante la ejecución

COMPETENCIA, ACUMULACIÓN Y SUSPENSIÓN
Arts. 545 a 547, 555 y 565 a 569 LEC

COMPETENCIA *Arts. 545 a 547 LEC*	La <u>COMPETENCIA</u> varía según el título ejecutivo: • En la ejecución de títulos <u>JUDICIALES</u>, es competente el tribunal que <u>conoció del asunto</u> en primera instancia • En la ejecución de <u>autos de cuantía máxima</u> dictados en procesos penales de <u>tráfico</u>, es competente el tribunal del lugar en que se produjo el siniestro • En la ejecución de <u>laudos arbitrales</u>, o acuerdos de mediación es competente el tribunal del lugar en que se haya dictado el laudo o se haya firmado el acuerdo • En la ejecución de títulos <u>NO JUDICIALES</u>, es competente, a elección del ejecutante, cualquiera de los siguientes tribunales: • El del <u>domicilio del ejecutado</u>, o en su defecto, el

	del lugar donde se encuentre, las personas jurídicas, el del lugar donden desarrollen su actividad, y en última instancia, el del domicilio del actor
	• El del lugar de <u>cumplimiento de la obligación</u> según el título
	• El del lugar en que se encuentren <u>bienes del ejecutado</u> que puedan ser embargados
	• En caso de ser <u>varios</u> los <u>ejecutados</u>, será competente el tribunal que lo sea respecto de cualquiera de ellos
	• La capital de provincia, cuando sea parte el <u>Consorcio de Compensación de Seguros</u>, u otra Administración u organismo dependiente de ella
	• En la ejecución de <u>bienes HIPOTECADOS o pignorados</u>, el tribunal del <u>lugar en que radique la finca</u> o bien, y si son varios, el de cualquiera de ellos a elección del ejecutante
	• La <u>competencia</u>, también la <u>TERRITORIAL</u>, se examina <u>de oficio</u>, pero con especialidades respecto de la fase declarativa:
	  • Sólo puede examinarse en el momento del <u>despacho de la ejecución</u>, no en un momento posterior
	  • No hay <u>audiencia previa</u> de la parte, ni del Ministerio Fiscal
	  • En el caso de la competencia territorial, <u>no se remiten</u> los <u>autos</u> al tribunal competente, sino que sólo se indica cuál se entiende que es el competente para conocer de la ejecución
	  • Contra el auto que deniega el despacho de ejecución por falta de competencia caben los <u>mismos recursos</u> establecidos contra toda <u>denegación del despacho</u> de ejecución, es decir, recurso de reposición potestativo, y en todo caso, recurso de apelación
	• El ejecutado, también, puede impugnar la competencia territorial, formulando <u>DECLINATORIA</u>, dentro del plazo de cinco días contados desde la primera notificación, conforme al trámite establecido en el art. 65 LEC

ACUMULACIÓN EJECUCIONES *Art. 555 LEC*	• La <u>ACUMULACIÓN</u> de ejecuciones se acuerda, tanto se sigan ante el mismo o diferentes Juzgados, por decreto del Secretario judicial:
	  • Entre el <u>mismo ejecutante</u> y el <u>mismo ejecutado</u>, a instancia de parte, o incluso en este caso, de oficio
	  • Entre <u>varios ejecutantes</u> y el <u>mismo ejecutado</u>, a instancia de parte, cuando se considere más conve-

	niente para la satisfacción de todos los ejecutantes
	• Entre <u>ejecuciones hipotecarias</u>, sólo cuando todas se dirijan contra los mismos bienes hipotecados
	• Su <u>TRAMITACIÓN</u> es la misma establecida para la acumulación de procesos en fase de trámite, en los <u>arts. 74 y ss. LEC</u>
SUSPENSIÓN *Arts. 565 a 569 LEC*	La <u>SUSPENSIÓN</u> de la ejecución puede acordarse en dos supuestos: 1) Suspensión <u>a instancia de PARTE</u>, bastando que la solicitud se realice sólo por el ejecutante 2) Suspensión por <u>CAUSA LEGAL</u>, en los siguientes casos: • Por el <u>concurso de acreedores</u> del ejecutado, debiendo tenerse en cuenta si la fecha de la declaración es anterior o posterior a la fecha de la demanda ejecutiva • Por la admisión a trámite de una <u>demanda de revisión</u>, o de <u>rescisión de sentencia</u> firme dictada en rebeldía, no bastando la simple presentación • Por la existencia de <u>cuestión prejudicial penal</u>, en caso de causa criminal sobre la falsedad o nulidad del título ejecutivo, o la invalidez del despacho de ejecución, no bastando la simple presentación de denuncia o querella • Por la interposición de un <u>recurso ordinario</u>, sólo cuando el recurrente acredite que la resolución recurrida le produce un <u>daño irreparable</u>, y previa prestación de <u>caución</u> suficiente para responder de los daños y perjuicios
	En cuanto a su <u>tramitación</u> y efectos suspensivos nos remitimos a la <u>Parte General</u> de esta obra donde se desarrollan estos supuestos de ejecución, junto con los de la fase de trámite

RECURSOS
Art. 562 LEC

RECURSOS *Art. 562 LEC*	La <u>infracción de normas</u> en ejecución se puede denunciar: • Por medio de <u>simple ESCRITO</u>, si no existe resolución expresa que recurrir • Por medio de <u>recurso de REPOSICIÓN</u>

- Por medio del <u>recurso de REVISIÓN</u>, en los casos expresamente previstos por la ley, entre ellos:
  - Contra el decreto de medidas ejecutivas
  - Contra el decreto de embargo o mejora de embargo
  - Contra el decreto que pone fin a la ejecución
- Por medio del <u>recurso de APELACIÓN</u>, en los casos expresamente previstos por la ley, entre ellos:
  - Contra el auto denegando el despacho de ejecución
  - Contra las resoluciones que provean en contradicción con el título ejecutivo
- Por medio de la <u>NULIDAD DE ACTUACIONES</u>, en cuyo caso, de oficio o a instancia de parte, se tramite el incidente conforme a lo previsto en los arts. 225 y ss. LEC

Como regla general, la interposición de los recursos ordinarios <u>NO SUSPENDE</u> la ejecución, si bien, por excepción, el recurrente puede pedir la <u>suspensión</u> de la actuación recurrida, si acredita que le causa un <u>daño irreparable</u>, y previa prestación de <u>caución</u> para responder de los daños y perjuicios

TERMINACIÓN EN EJECUCIÓN
Arts. 531, 570, 579, 583, 585, 586, 650.5 y 670.7 LEC y 1961 y 1965 CC

ARCHIVO DEFINITIVO *Arts. 570, 583, 586 y 579 LEC y 1964 CC*	En fase de EJECUCIÓN, los procesos se archivan definitivamente en alguno de los siguientes casos: • Por la <u>satisfacción completa del ejecutante</u>, conforme al art. 570 LEC, por decreto numerado • Por el <u>pago</u>, en cualquier momento, de las cantidades reclamadas en conceptos de principal, intereses y costas, conforme a los arts. 583 y 586 LEC, previa práctica de las oportunas diligencias de liquidación de intereses y tasación de costas • Por <u>circunstancias sobrevenidas</u> por las que deje de haber interés legítimo en la tutela ejecutiva pretendida, bien porque las partes hayan llegado a un acuerdo, bien porque se hayan satisfecho fuera del proceso las pretensiones del ejecutante, o por otras causas, por aplicación analógica del art. 22.1 LEC, por decreto numerado

	• En las <u>ejecuciones hipotecarias</u>, por la adjudicación del bien hipotecado, conforme al art. 579 LEC, por medio de decreto numerado • Por el transcurso de <u>quince años</u> sin actividad procesal alguna, por <u>prescripción</u> de la acción personal ejercitada, conforme a los arts. 1961 y 1964 CC, por auto numerado
PAGO *Arts. 531, 583, 585, 586, 650.5 y 670.7 LEC*	Además del archivo por satisfacción total del ejecutante, se prevé el archivo de la ejecución por la <u>consignación</u> o PAGO por el ejecutado del <u>PRINCIPAL, INTERESES</u> <u>y COSTAS</u> –previa práctica de las oportunas <u>liquidación</u> de intereses y <u>tasación</u> de costas–, en los siguientes casos: • En <u>ejecución provisional</u>, teniendo en cuenta que en estos supuestos no ha lugar a la práctica de la tasación de costas si la consignación se produce dentro del plazo de veinte días contados desde la notificación del auto de orden general de ejecución, por aplicación analógica del plazo de espera del art. 548 LEC • En el momento del <u>requerimiento de pago</u>, en los casos en que es preceptivo, en ejecución de títulos no judiciales • En evitación del <u>embargo</u>, a los fines de formular oposición, o en caso de no formular o desestimarse, a los fines del pago • En cualquier momento anterior a la <u>adjudicación o aprobación de remate</u> de los bienes subastados

ARCHIVO
PROVISIONAL
	En fase de EJECUCIÓN, los procesos se archivan provisionalmente, sin perjuicio de su reapertura, en alguno de los siguientes casos:
	• Por <u>petición</u> de todas las partes personadas, conforme al art. 565.1 LEC, por diligencia de ordenación, si bien se admite se inste sólo por el ejecutante personado
	• Por la <u>falta de actividad procesal</u>, durante el transcurso de un año, por diligencia de archivo provisional
	• Por algunas de las <u>causas de suspensión</u> expresamente establecidas en los arts. 566 a 569 LEC:
	  • Por <u>rescisión o revisión</u> de sentencia firme, o por <u>prejudicialidad penal</u>, por medio de auto
	  • Por <u>concurso de acreedores</u>, por medio de decreto

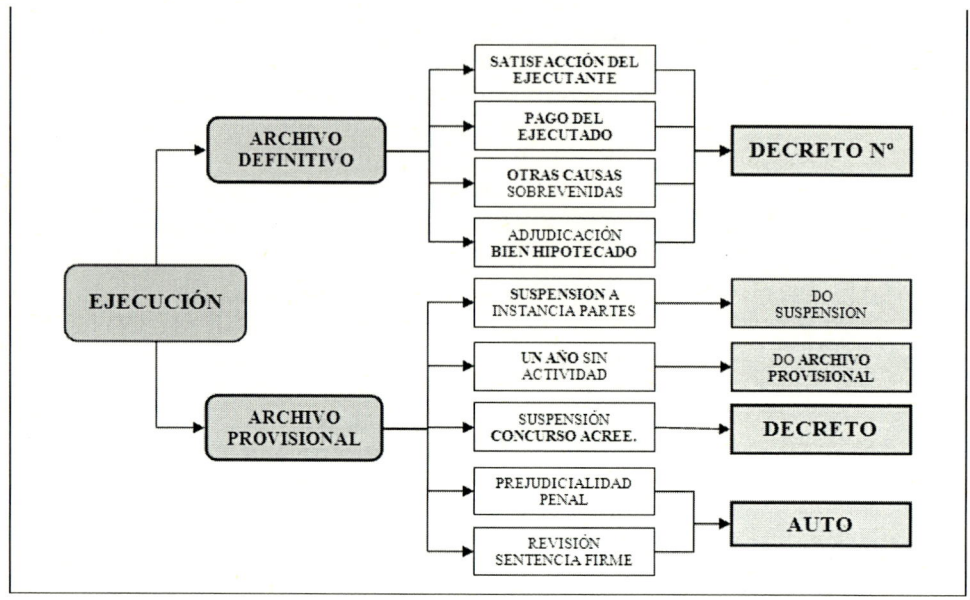

Despacho de ejecución

SUMARIO:

I
TÍTULO EJECUTIVO

CONCEPTO	
Arts. 517, 518, 521 y 19.2 LEC, 17.1 LN y 233 RN	
CONCEPTO	El presupuesto básico para el inicio de la ejecución forzosa es la existencia de un TÍTULO EJECUTIVO, que es el documento del que resulta una determinada obligación o deber, cuyo cumplimiento una persona –el ejecutante o el acreedor–, puede exigir de otra –el ejecutado o el deudor–

231

CLASES	Dentro de los títulos ejecutivos pueden distinguirse dos CLASES: • Los <u>TÍTULOS JUDICIALES</u>, que son los dictados por tribunales españoles en juicios declarativos, plenarios o sumarios Entre los títulos judiciales se encuentran, <u>principalmente</u>, las sentencias de condena firmes, pero también son, por ejemplo, los autos de homologación judicial, los autos de cuantía máxima de la Ley del Automóvil, etc. • Los <u>TÍTULOS NO JUDICIALES</u>, que son documentos que no se forman judicialmente, sino que tienen un <u>origen contractual</u>, pero que documentan obligaciones dinerarias con tales garantías que la ley les reconoce fuerza ejecutiva parecida a la de una resolución judicial Entre los títulos no judiciales se encuentran, por <u>ejemplo</u>, las pólizas de contratos mercantiles intervenidas por Notario, o las escrituras públicas de contratos de préstamo o hipotecas
ENUMERACIÓN *Art. 517 LEC*	Según el art. 517 LEC, la acción ejecutiva debe fundarse en un título que tenga aparejada ejecución, y sólo tienen aparejada ejecución los siguientes TÍTULOS: • La <u>sentencia</u> de condena firme • Los <u>laudos o resoluciones arbitrales</u> y los acuerdos de mediación elevados a escritura pública • Las <u>resoluciones judiciales que aprueban u homologan transacciones</u> judiciales o acuerdos logrados en el proceso • Las <u>escrituras públicas</u>, con tal que sea primera copia, o si es segunda, que esté dada en virtud de mandamiento judicial Según los arts. 17.1 LN y 233 RN, a los mismos efectos, se considera también como título ejecutivo, el <u>testimonio</u> de la escritura pública expedido por el Notario con <u>fuerza ejecutiva</u>, siempre que se haga constar que <u>no se ha expedido otro</u> con tal carácter • Las <u>pólizas de contratos mercantiles</u> intervenidas por <u>Notario</u>, acompañadas de certificación de dicho Notario que acredite su conformidad con su libro registro Según los arts. 17.1 LN y 233 RN, a los mismos efectos, se considera también como título ejecutivo, el testimonio de la póliza mercantil expedido por el Notario con

	fuerza ejecutiva, siempre que se haga constar que <u>no se ha expedido otro</u> con tal carácter • Los <u>títulos al portador o nominativos</u>, legítimamente emitidos, que representen obligaciones vencidas y los <u>cupones</u>, también vencidos, de dichos títulos Ya no se consideran títulos ejecutivos las letras de cambio, cheques y pagarés, de modo que su eventual ejecución ha de hacerse valer a través del juicio especial cambiario • Los certificados no caducados expedidos respecto de los <u>valores</u> a los que se refiere la <u>Ley del Mercado de Valores</u> • El <u>auto del Juzgado de Instrucción</u> que establezca la <u>cuantía máxima</u> reclamable en concepto de indemnización, dictado en caso de sobreseimiento o sentencia absolutoria en procesos penales seguidos por el uso y circulación de vehículos de motor • Las <u>demás resoluciones procesales</u> y documentos que, por disposición de la ley, lleven aparejada ejecución Entre <u>las demás resoluciones</u> procesales se encuentran, por <u>ejemplo</u>, los decretos que fijan la provisión de fondos o la jura de cuentas, aprueban la tasación de costas o la liquidación de intereses, o el decreto aprobando el acuerdo alcanzado en acto de conciliación Entre los demás documentos pueden citarse, por <u>ejemplo</u>, los avales prestados en <u>garantía</u> de la construcción de viviendas, o los certificados del Consorcio de Compensación de Seguros en ejercicio de la acción de repetición
SENTENCIAS DECLARATIVAS O CONSTITUTIVAS *Art. 521 LEC*	• La ejecución de las sentencias <u>CONSTITUTIVAS, o meramente DECLARATIVAS</u>, se agota con la propia declaración, por lo que no pueden ser objeto de ejecución • Las sentencias constitutivas o meramente declarativas se cumplen, dentro del mismo <u>proceso principal</u>, sin incoación de ejecución, y a instancia de parte, acordándose por diligencia de ordenación el libramiento de la oportuna <u>CERTIFICACIÓN</u> de la sentencia, o de <u>MANDAMIENTO por duplicado</u> al Registro de la Propiedad correspondiente, para la práctica de la inscripción necesaria para el cumplimiento de lo acordado en la sentencia • En caso de solicitarse el despacho de ejecución, se deniega por medio de auto

II
DEMANDA EJECUTIVA

DEMANDA EJECUTIVA
Arts. 549 a 550, y 572 a 575 LEC

| DEMANDA EJECUTIVA *Arts. 549, 550, 572 a 575 LEC* | • Toda ejecución se inicia mediante la presentación de DEMANDA EJECUTIVA
• Se distinguen <u>dos CLASES</u> de demandas ejecutivas:
  • Las demandas de ejecución de <u>títulos JUDICIALES</u>, que basta tenga la forma de <u>simple solicitud</u> de despacho de ejecución, con identificación de la resolución cuya ejecución se pretende
  • Las demandas de ejecución de <u>títulos NO JUDICIALES</u> o arbitrales, o de laudos arbitrales acuerdos de mediación que deben revestir la forma de demanda, a la que se acompaña el título ejecutivo y los demás documentos necesarios, indicando la tutela ejecutiva que se pretende, las cantidades reclamadas en su caso, así como las medidas ejecutivas que se interesan, señalando bienes susceptibles de embargo en su caso, o las medidas de averiguación de bienes oportunas |
| | • La única <u>excepción</u> a la necesidad de presentar demanda ejecutiva es la ejecución directa del <u>LANZAMIENTO</u> en los juicios de <u>DESAHUCIO por falta de pago o expiración de plazo</u>, en aquellos casos en los que haya recaído <u>SENTENCIA firme</u> por haberse formulado oposición, en los cuales, de haberse interesado en la demanda inicial de juicio, no es necesaria la presentación posterior de demanda ejecutiva para que, conforme al art. 549.3 LEC, se acuerde, de oficio, la <u>ejecución directa</u> del lanzamiento, en el día previamente señalado y notificado, y sin necesidad de esperar el transcurso del plazo del espera |

EXAMEN DE LA DEMANDA EJECUTIVA
Arts. 517, 518, 548 a 550, y 572 a 575 LEC

CADUCIDAD Y PRESCRIPCIÓN	• La acción ejecutiva, fundada en título judicial o en resolución arbitral o acuerdo de mediación, <u>caduca</u> si no

Arts. 518 LEC y 1961 y 1964 CC	se interpone la demanda ejecutiva en el plazo de <u>CINCO AÑOS</u> contados desde la firmeza de la sentencia o resolución • El plazo se computa de fecha a fecha, sin necesidad de resolución posterior que declare expresamente la firmeza • Iniciada la ejecución, también puede acordarse su archivo por <u>prescripción</u>, si las actuaciones permanecen <u>paralizadas</u> sin actividad procesal durante el plazo general de <u>QUINCE AÑOS</u> establecido en el art. 1964 CC
PLAZO DE ESPERA *Art. 548 LEC*	• En las ejecuciones de títulos <u>JUDICIALES, arbitrales</u> o acuerdos de mediación –con la única excepción de los juicios de desahucio–, no puede despacharse ejecución dentro de los <u>veinte días</u> siguientes al de notificación al ejecutado de la resolución procesal que se ejecuta, o al de la notificación de la resolución arbitral o firma del acuerdo en su caso

EXAMEN DE LA DEMANDA EJECUTIVA	Los <u>REQUISITOS</u> de la demanda ejecutiva que deben examinarse en el momento del despacho de ejecución son, en síntesis, los siguientes:
	• La constancia de la diligencia de <u>REPARTO</u>, y el cumplimiento de las normas de reparto vigentes
	• La presentación del <u>TÍTULO EJECUTIVO</u>:
	  • En la ejecución de <u>títulos judiciales</u>, basta la identificación de la sentencia o resolución procesal que se ejecuta
	  • En la ejecución de <u>laudos arbitrales</u>, además del laudo, debe acompañarse el convenio arbitral y los documentos que acrediten la notificación del laudo al ejecutado
	  • En la ejecución de acuerdos de mediación elevados a escritura pública debe acompañarse, además, copias de las actas de la sesión constitutiva y final
	  • En la ejecución de <u>autos de cuantía máxima</u> de la ley del automóvil, debe acompañarse un testimonio auténtico de la resolución dictada por el Juzgado de Instrucción
	• La identificación de las <u>PARTES ejecutante y ejecutada</u>, y en su caso, la acreditación de la sucesión procesal habida, en caso de sucesión mortis causa o por transmisión del objeto litigioso

- La comprobación de la COMPETENCIA del tribunal, tanto objetiva y funcional, como territorial en su caso
- La comprobación de la CANTIDAD por la que se solicita el despacho de la ejecución en concepto de principal y, en su caso, que el presupuesto fijado para intereses y costas no supera el treinta por ciento del principal reclamado
- La comprobación de la naturaleza de los actos de ejecución interesados, según se trate de condena dineraria o no dineraria
- Los demás documentos que se consideren útiles, o convenientes, para la ejecución
- La presentación de las COPIAS de la demanda y de todos los documentos presentados

En las ejecuciones de títulos JUDICIALES, arbitrales, o acuerdos de mediación deben examinarse, además, los siguientes requisitos:
- En caso de ejecución PROVISIONAL, la comprobación de que se ha dictado la resolución teniendo por INTERPUESTO el recurso de apelación
- En caso de ejecución DEFINITIVA:
  - La comprobación del plazo de ESPERA de veinte días, contado desde la notificación al ejecutado de la resolución procesal que se ejecuta, o desde la notificación de la resolución arbitral o la firma del acuerdo
  En la ejecución de juicios monitorios, suele considerarse que no es necesario el transcurso del plazo de espera, pues el mismo se entiende consumido por el plazo concedido desde el requerimiento de pago al deudor
  - La comprobación del plazo de CADUCIDAD de cinco años, contado desde la firmeza de la sentencia o resolución procesal, arbitral o acuerdo de mediación que se ejecuta
  - La comprobación de que no se ha hecho el PAGO voluntario de la cantidad reclamada, mediante ingreso en la cuenta de consignaciones del tribunal

En las ejecuciones de título NO JUDICIAL, deben examinarse, además, los siguientes requisitos

- Que la <u>cantidad</u> reclamada sea determinada, y exceda de <u>300 euros</u>
- La presentación de la copia del <u>PODER para pleitos</u> ante Notario, o en su defecto, el anuncio de su otorgamiento por <u>comparecencia</u> *apud acta* ante Secretario judicial, en caso de ser preceptiva la intervención de Procurador y Abogado
- La presentación de las <u>TASAS JUDICIALES</u>, cuando el actor sea persona jurídica y se trate de ejecución de títulos no judiciales, o también arbitrales
  Igual que en fase de trámite, de <u>no presentarse</u> las tasas, será requerido el ejecutante por diligencia de ordenación, y aunque su no presentación no es causa de inadmisión a trámite de la demanda, una vez presentada, se completará el modelo 696 por el tribunal para su remisión a la Agencia Tributaria
- Los documentos que acrediten los <u>precios o cotizaciones</u> aplicados para el cómputo en dinero de deudas no dinerarias, cuando no se trate de datos oficiales o de público conocimiento
- Los <u>demás documentos</u> exigidos <u>por la ley</u>, por ejemplo:
  - Cuando se trate de <u>pólizas mercantiles</u>, o escrituras públicas, de préstamos o créditos a <u>INTERÉS VARIABLE</u>, otorgadas ante <u>Notario</u>, conforme a los arts. 572 a 574 LEC, el extracto bancario del saldo deudor de la póliza, el acta de liquidación del saldo extendida por Notario de que se ha practicado en la forma pactada, y la notificación del mismo al deudor ejecutado en el domicilio fijado en la póliza o escritura
  - Cuando se trate de reclamaciones contra el <u>Consorcio de Compensación de Seguros</u>, conforme al art. 20 ECCS, el documento que acredite el requerimiento fehaciente de pago, con un plazo de tres meses de antelación

237

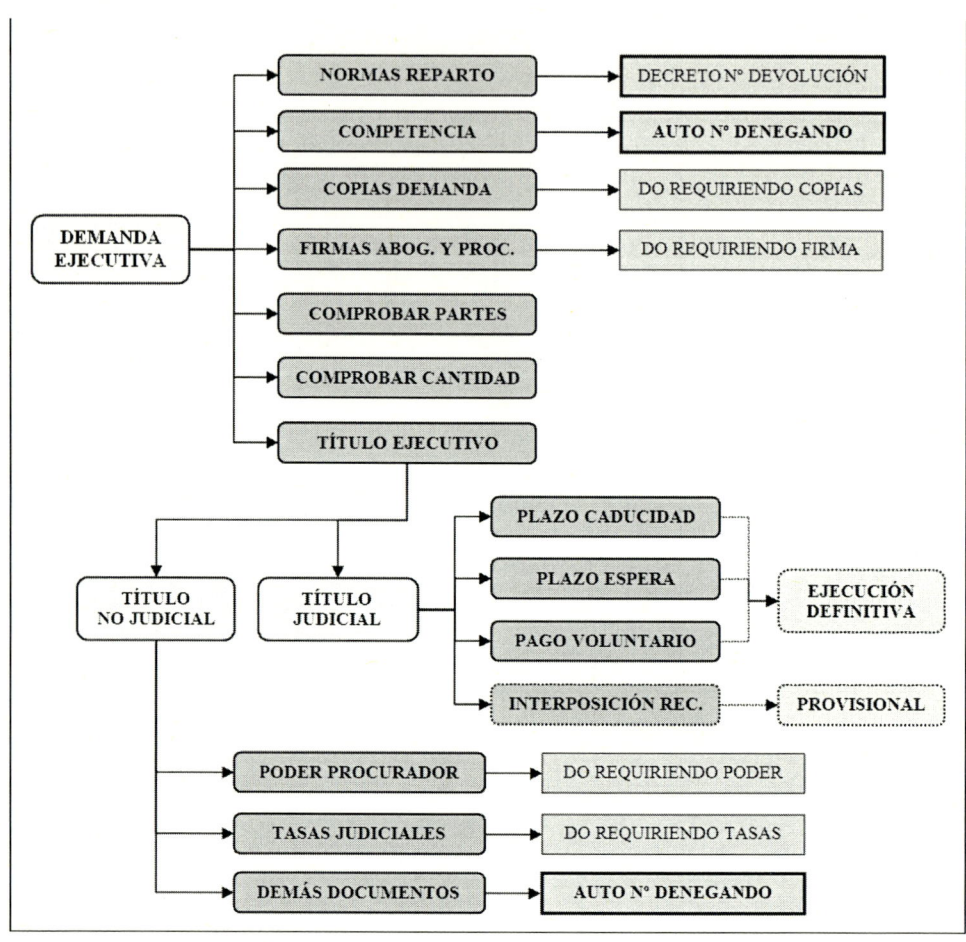

III
DESPACHO DE EJECUCIÓN DINERARIA

DESPACHO DE EJECUCIÓN DINERARIA	
Arts. 551 a 553, 578, 580 a 582, 589 y 590 LEC	
DESPACHO DE EJECUCIÓN DINERARIA *Arts. 551 a 553, 580 a 582, 589 y 590 LEC*	En caso de concurrir los requisitos y presupuestos procesales, el despacho de <u>EJECUCIÓN DINERARIA</u> se desdobla en el dictado de <u>dos resoluciones procesales simultáneas y sucesivas</u>: 1) El <u>auto de ORDEN GENERAL</u> de ejecución, con ex-

presión de las personas a cuyo favor y contra quien se despacha ejecución, y, además:

- En caso de ejecución <u>dineraria</u>, las cantidades por las que se despacha ejecución, que pueden ser:
  - El <u>PRINCIPAL</u>, que es la cantidad fijada en tal concepto en el título ejecutivo

    También puede constituir el principal objeto de ejecución las <u>costas</u> tasadas en primera instancia, o en segunda, o los <u>intereses</u>, cuando el principal se ha abonado voluntariamente, y en cambio, los otros conceptos no
  - Los <u>intereses vencidos</u> a la fecha de la demanda ejecutiva, que pueden ser los pactados, los legales, o los procesales, que sólo se incluyen si se acompaña a la demanda la oportuna propuesta de liquidación de intereses, a efectos de poder dar traslado de la misma al ejecutado, con la notificación del despacho de ejecución, y a efectos de su eventual oposición

    El principal no devenga intereses cuando está constituido por cantidades debidas en concepto de costas, de primera o de segunda instancia, o de intereses
  - El <u>presupuesto para INTERESES y COSTAS</u> posteriores que se devenguen durante la ejecución, que, como regla general, no puede exceder del <u>treinta por ciento</u> del total reclamado, en todo caso, sin perjuicio de su ulterior liquidación

    Una vez abonado el principal por la vía de apremio, la anotación del embargo debe <u>AMPLIARSE</u> al importe a que, definitivamente, asciendan los <u>intereses liquidados</u> y las <u>costas tasadas</u>, en caso de que superen la cantidad inicialmente presupuestada para intereses y costas, fijándose así la cantidad final objeto de reclamación en el proceso (arts. 613.2 y 4 LEC)

2) El <u>decreto de MEDIDAS EJECUTIVAS</u>, que contiene, según se acuerde, los siguientes extremos:

- 2.1. En las ejecuciones de <u>títulos JUDICIALES, arbitrales</u> o acuerdos de mediación:
  - Las <u>medidas ejecutivas</u> concretas que se adopten, en particular, el <u>EMBARGO</u> de bienes del ejecutado
  - Las <u>medidas de GARANTÍA</u>, o de <u>anotación</u> de los embargos acordados, según corresponda a la naturaleza de los bienes embargados, principalmente:

- El libramiento de orden de <u>retención</u> en caso de embargo de saldos de <u>cuentas corrientes</u> o libretas, o de <u>sueldos, salarios o pensiones</u>
- El libramiento, vía fax, en el mismo día del dictado del decreto, de mandamiento, por duplicado, de <u>anotación preventiva de embargo</u> al Registro de la Propiedad, en caso de bienes inmuebles
- El libramiento de mandamiento, por duplicado, de anotación preventiva de embargo al Registro de Bienes Muebles, en caso de <u>vehículos</u>
- El libramiento de orden de <u>retención</u> a los administradores de la sociedad, en caso de embargo de <u>acciones o participaciones</u> de sociedades
- El libramiento de orden de <u>retención</u> a la entidad emisora o en que se hallen constituidos, en caso de embargo de valores, instrumentos financieros, o planes de pensiones
- El libramiento de orden de <u>retención</u> a quien debe pagarlos, aunque sea el propio ejecutado, en caso de embargo de <u>frutos y rentas</u>

- 2.2. En las ejecuciones de <u>títulos NO JUDICIALES</u>, salvo cuando se trate de laudos arbitrales o acuerdos de mediación, el <u>REQUERIMIENTO DE PAGO</u> al ejecutado, y para el caso de que no pague en el acto, el <u>EMBARGO</u> de bienes del ejecutado

En estas ejecuciones, en el mismo decreto de medidas ejecutivas no se decreta el embargo, sino, que, siendo necesario practicar con carácter previo el requerimiento de pago, se acuerda:

- Tener por <u>señalados</u> como <u>bienes susceptibles de embargo</u> los que se determinen en el mismo decreto
- Librar el oportuno <u>despacho</u> al servicio común de notificaciones y embargos, junto con <u>mandamiento</u> firmado por el Secretario judicial, a fin de que, por la comisión judicial, se requiera de pago al ejecutado, con entrega de las copias de la demanda y documentos, y en caso de falta de pago, se practique <u>diligencia de embargo</u>, sobre los bienes señalados en su caso, en la forma establecida en el art. 624 LEC

- 2.3. Las medidas de <u>AVERIGUACIÓN de bienes</u> del ejecutado, conforme al art. 590 LEC

	• 2.4. El requerimiento de DESIGNACIÓN de bienes al ejecutado, por el plazo de DIEZ días, conforme al art. 589 LEC, salvo que el ejecutante haya designado bienes suficientes para el embargo • 2.5. Sólo a instancia del ejecutante, la notificación del despacho de la ejecución al cónyuge del ejecutado, a los efectos establecidos en los arts. 541 LEC y 144 RH, en caso de embargo de bienes comunes de la sociedad de gananciales
REQUERIMIENTO DE PAGO *Arts. 580 a 582 LEC*	• En las ejecuciones de títulos NO JUDICIALES, salvo cuando se trate de laudos arbitrales o acuerdos de mediación, con carácter previo al embargo de bienes del ejecutado, es necesario practicar judicialmente el REQUERIMIENTO DE PAGO al deudor, el cual se acuerda en el decreto de medidas ejecutivas, no acordándose en éste el embargo directo de bienes, sino, únicamente, en caso de haber sido designados, tener por señalados como susceptibles de embargo dichos bienes a los fines de la ejecución • El requerimiento de pago, y en su caso, el embargo, se practican, en unidad de acto, por parte de la comisión judicial del servicio común correspondiente, en DILIGENCIA personal, en el domicilio del ejecutado designado en la demanda • Las medidas de GARANTÍA en estos casos se acuerdan en resolución posterior, a instancia del ejecutante, una vez se recibe debidamente cumplimentada la diligencia de requerimiento de pago y embargo • De resultar negativa la primera diligencia de requerimiento de pago, en el domicilio que conste en el título ejecutivo, a instancia del ejecutante, se puede decretar, sin más demora, el embargo de bienes del ejecutado, sin perjuicio de intentar de nuevo el requerimiento, previa averiguación de domicilio en su caso, o por medio de edictos
NOTIFICACIÓN	• El auto de orden general de ejecución y el decreto de medidas ejecutivas, junto con las copias de la demanda y documentos, se notifican simultáneamente al ejecutado, a través de su Procurador, o personalmente si no están personados, así como al cónyuge no deudor si así lo ha solicitado el ejecutante • En caso de resultar negativa la primera comunicación,

241

	de oficio, se realiza la <u>averiguación de domicilio</u> en los registros públicos a través del Punto Neutro Judicial, y de resultar negativa, en última instancia, el despacho de ejecución se notifica por medio de <u>edictos</u> en el tablón de la Oficina judicial: • Si se trata de <u>personas físicas</u>, se averigua a través de las bases de datos de la Tesorería General de la Seguridad Social, y de la consulta integral domiciliaria del Punto Neutro Judicial, que ofrece los que constan en el Instituto Nacional de Estadística, la Agencia Estatal de la Administración Tributaria, la Dirección General de Policía, la Dirección General de Tráfico o el Catastro • Si se trata de <u>personas jurídicas</u>, además de las anteriores bases de datos, se averigua a través del Registro Mercantil, requiriendo previamente a la parte actora a fin de que, por tratarse de un registro público al que puede tener acceso, aporte la oportuna nota simple en la que conste el domicilio social de la entidad, y los datos vigentes del administrador con el que pueda entenderse la comunicación • No se admite, por no estar prevista legalmente en el art. 156 LEC, la averiguación de domicilio a traves de las Fuerzas y Cuerpos de Seguridad del Estado
AMPLIACIÓN DE LA EJECUCIÓN *Arts. 578 y 613.2 y 4 LEC*	• En las ejecuciones de <u>TÍTULOS JUDICIALES</u>, la ejecución puede <u>AMPLIARSE</u> a nuevas cantidades, liquidadas a raíz del mismo título ejecutivo, principalmente, cuando se liquidan los intereses y se tasan las costas del proceso principal, y sin presentación de nueva demanda ejecutiva Así, una vez abonado el principal por la vía de apremio, la anotación del embargo debe ampliarse al importe a que, definitivamente, asciendan los <u>intereses liquidados</u> y las <u>costas tasadas</u>, en caso de que superen la cantidad inicialmente presupuestada para intereses y costas, fijándose así la cantidad final objeto de reclamación en el proceso • En las ejecuciones de títulos <u>NO JUDICIALES</u>, además, en la demanda, puede solicitarse también la <u>ampliación automática</u> de la ejecución, para el caso de que, despachada ejecución, vence algún plazo de la misma obligación • La ampliación se acuerda por simple <u>providencia</u>, sin necesidad de nuevo auto de orden general de ejecu-

	ción, dictándose seguidamente el decreto de mejora de embargo, o de ampliación de la anotación preventiva, por las nuevas cantidades • No se consideran supuestos de ampliación de la ejecución las reclamaciones de nuevas cuotas impagadas de gastos comunes de una comunidad de propietarios, generalmente solicitadas en ejecuciones de juicios monitorios iniciados por estos gastos
CRITERIOS PRÁCTICOS	• Las demandas de ejecución de títulos judiciales se registran con número de asunto distinto del proceso principal, pero manteniendo el mismo NIG • Se incoa UNA ÚNICA EJECUTORIA por cada proceso principal, con independencia del número de pronunciamientos a ejecutar, y en caso de presentarse varias demandas ejecutivas, se denegará el despacho de las sucesivas por medio de auto numerado, acordándose en la ejecución inicial, por simple providencia, sin necesidad de nuevo auto de orden general de ejecución, la ampliación de la primera ejecución por las nuevas cantidades • No se incoa ejecución en caso de sentencias declarativas o constitutivas, salvo que contengan condena en costas • Cuando una ejecución PROVISIONAL se convierta en DEFINITIVA, conforme al art. 532 LEC, se acuerda su conversión por diligencia de ordenación, manteniendo el mismo número de ejecución • Cuando se pida la ejecución de DAÑOS y PERJUICIOS no liquidados, se deniega el despacho de ejecución, debiéndose, con carácter previo, proceder a su liquidación en la forma establecida en los arts. 712 y ss. LEC • No suelen accederse a la imposición al ejecutado, o a terceros, de MULTAS coercitivas, en caso de que no responda al requerimiento de designación de bienes el ejecutado, o al deber de colaboración los terceros, por no considerarse útil a los fines de la ejecución, y salvo supuestos excepcionales y justificados En caso de imposición, las multas coercitivas, una vez abonadas, no se aplican al pago de la deuda, sino que se transfieren al Tesoro Público • Los medios principales de AVERIGUACIÓN de bienes del ejecutado son obtenidos, siempre a instancia de

parte, por la propia Oficina judicial a través del Punto Neutro Judicial, de las siguientes bases de datos

- La terminal de la Agencia Estatal de la <u>Administración Tributaria</u>, de la que se obtienen la información patrimonial sobre rendimientos del trabajo, cuentas, pensiones o valores del ejecutado
- La terminal de la Tesorería General de la <u>Seguridad Social</u>, de la que se obtiene información sobre la situación laboral, desempleo o pensiones del ejecutado
- No se facilita al ejecutante, salvo supuestos excepcionales y justificados, información patrimonial sobre <u>bienes inmuebles</u> o <u>vehículos</u>, conforme a lo dispuesto en los arts. 590 párrafo segundo y 156.2 LEC, por constar en registros públicos de los que la parte puede obtener directamente dicha información

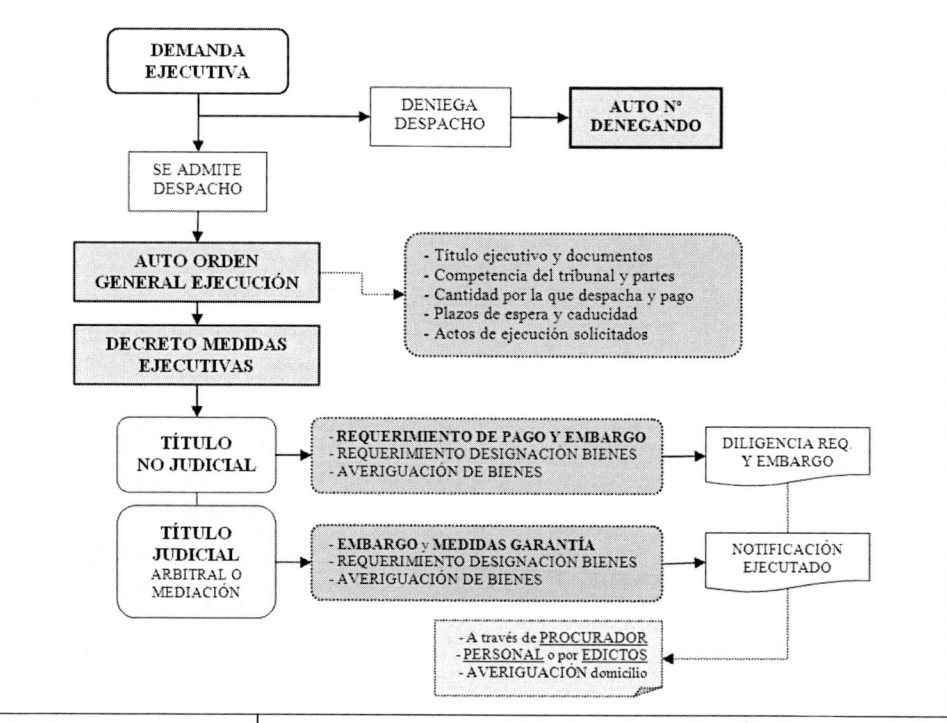

RECURSOS

- Contra el auto que <u>deniegue</u> el despacho de ejecución, cabe recurso de <u>reposición previo</u>, o recurso de <u>apelación</u> directo, que se tramitarán sin intervención alguna del ejecutado
- Contra el auto de <u>orden general de ejecución</u> no cabe

	recurso alguno, sin perjuicio de la <u>oposición</u> que pueda formular el ejecutado • Contra el <u>decreto</u> de medidas ejecutivas, cabe recurso directo de <u>revisión</u>
CONTROL DE PLAZOS	• <u>CINCO años</u> de <u>caducidad</u>, contados desde la firmeza de la sentencia o resolución procesal, arbitral o acuerdo de mediación que se ejecuta, para la presentación de la demanda de ejecución • <u>VEINTE días de plazo de espera</u>, contados desde la notificación al ejecutado de la sentencia o resolución procesal que se ejecuta, o desde la notificación de la resolución arbitral, o la firma del acuerdo de mediación para el despacho de ejecución • <u>CINCO días</u>, contados desde la primera notificación, para promover <u>declinatoria</u> en ejecución • <u>DIEZ días</u>, contados desde la notificación del auto de orden general de ejecución, para formular <u>oposición</u>, por motivos formales o de fondo, a la ejecución definitiva • <u>CINCO días</u>, contados desde la notificación del auto de orden general de ejecución, para formular <u>oposición</u> a la <u>ejecución provisional</u>

IV **EJECUCIÓN PROVISIONAL**

CONCEPTO	
Arts. 524 a 537 LEC	
CONCEPTO	Es un proceso especial de ejecución que permite la ejecución anticipada de resolución judiciales <u>NO FIRMES</u>, al objeto de evitar las consecuencias de una dilatada duración del proceso, o la utilización abusiva de los recursos Su fundamento se encuentra, no ya en la existencia de un expectativa de reconocimiento de un derecho –como sucede en las medidas cautelares–, sino en la existencia de una resolución que, aunque todavía no sea firme, ya reconoce ese derecho
RESOLUCIONES EJECUTABLES PROVISIONALMENTE *Art. 525 LEC*	Sólo cabe la ejecución provisional de las <u>SENTENCIAS</u> estimatorias de CONDENA, y dentro de ellas, <u>no cabe</u> la ejecución provisional de las siguientes sentencias de condena:

	• Las meramente <u>declarativas o constitutivas</u> • Las que condenan a emitir una <u>declaración de voluntad</u> • Las que disponen la inscripción o cancelación de <u>asientos en registros públicos</u>, respecto de las cuales sólo cabe su anotación preventiva mediante la adopción de una nueva medida cautelar • Las dictadas en procesos sobre <u>derechos honoríficos</u>, o en sus pronunciamientos de indemnizaciones, las que declaran la vulneración de los derechos al honor, la intimidad personal o familiar, o la propia imagen • Las dictadas en procesos sobre <u>capacidad, filiación</u>, estado civil, paternidad, maternidad, <u>nulidad, separación o divorcio</u> • Las que declaran la nulidad o caducidad de los títulos de <u>propiedad industrial</u>
	• Se consideran ejecutables provisionalmente las sentencias de juicios de <u>desahucio</u>, o por <u>precario</u>, por entenderse que el lanzamiento no provoca un perjuicio irreparable, dado que, en caso de revocación, puede compensarse el perjuicio mediante la indemnización de daños y perjuicios • No se consideran ejecutables prvisionalmente las sentencias dictadas en tercerías de dominio o de mejor derecho, ni las dictadas en juicio de retracto
SOLICITUD *Art. 527 LEC*	• Se puede <u>solicitar</u> desde que se notifica la resolución <u>teniendo por INTERPUESTO</u> el recurso de apelación • Por tratarse de títulos judiciales, la solicitud no debe revestir la forma de <u>demanda</u> • Si se solicita <u>una vez remitidos</u> los autos a la Audiencia Provincial para la resolución del recurso de apelación, el solicitante debe obtener los <u>TESTIMONIOS</u> necesarios para acompañarlos a su demanda ejecutiva • No obstante, tratándose de <u>condenas dinerarias</u>, se considera bastante la referencia de la sentencia dictada por el propio Juzgado de 1ª Instancia, <u>sin necesidad de testimonio</u>, pues ya consta el original en el correspondiente libro de sentencias • Si <u>se deniega</u> tener por interpuesta la apelación, y se presentara recurso de queja, no cabe formular ejecución provisional, sino que lo que cabe es formular ejecución definitiva, pues la interposición de la queja no suspende la ejecución de la resolución que declara la firmeza

TRAMITACIÓN *Art. 524.1, 2 y 3 LEC*	• Se tramita en la misma forma que las <u>EJECUCIONES DEFINITIVAS</u> • Por tratarse de títulos judiciales, <u>no</u> es necesario practicar el <u>requerimiento de pago</u> previo al ejecutado, y se despacha sin audiencia previa del mismo • A diferencia de la legislación anterior, no es necesaria la prestación de <u>CAUCIÓN</u> alguna por el ejecutante
SUSPENSIÓN *Art. 531 LEC*	• La ejecución provisional <u>se SUSPENDE</u>, por decreto, si el <u>ejecutado consigna</u>, para su entrega al ejecutante, la cantidad objeto de condena, más sus intereses y las costas producidas hasta ese momento, en cuyo caso liquidados los intereses y tasadas las costas, se archiva la ejecución provisional
RECURSOS *Art. 527.4 LEC*	• Contra el auto que <u>deniegue</u> el despacho de ejecución, cabe recurso de <u>apelación</u> • Contra el auto de <u>orden general de ejecución</u> no cabe recurso alguno, sin perjuicio de la <u>oposición</u> que pueda formular el ejecutado

CONFIRMACIÓN O REVOCACIÓN

Arts. 532 a 534 LEC

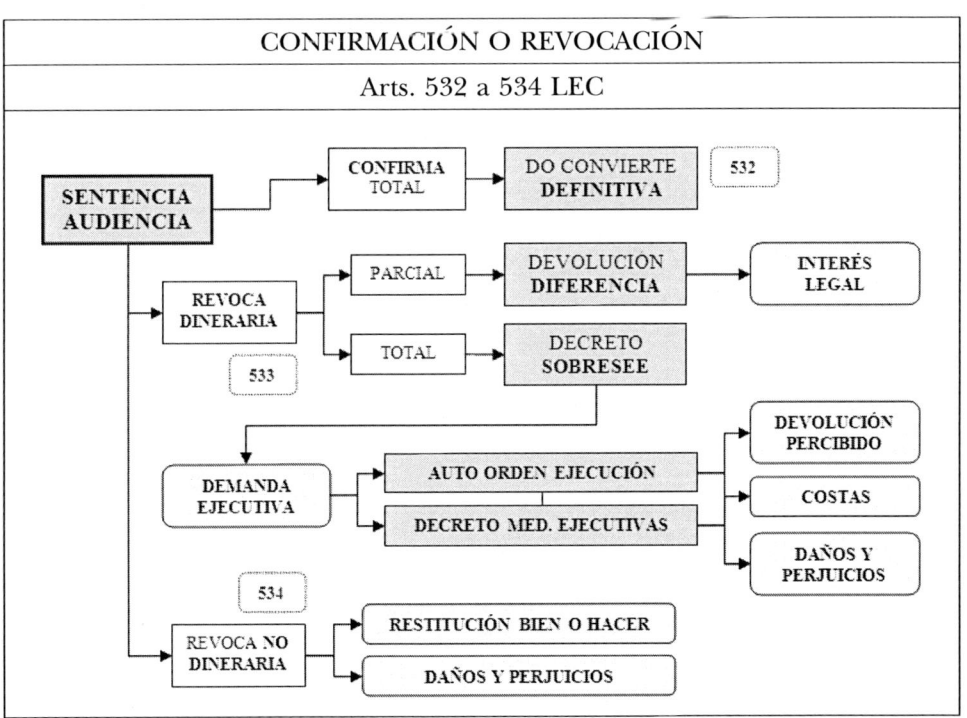

Ejecución no dineraria

SUMARIO:

I
EJECUCIÓN NO DINERARIA

CONCEPTO	
Arts. 699 a 711 LEC	
CONCEPTO	La ejecución NO DINERARIA tiene por objeto el cumplimiento por parte del deudor ejecutado de una obligación de hacer, no hacer o entregar una cosa determinada que le ha sido impuesta por una resolución judicial Sólo se admite la ejecución no dineraria respecto de títulos judiciales o arbitrales, pero no respecto de títulos no judiciales, pues de éstos –conforme al art. 520 LEC– sólo puede despacharse ejecución por cantidad determinada y superior a trescientos euros
CLASES	Dentro de la ejecución no dineraria se distinguen dos clases: • La ejecución ESPECÍFICA, que tiene por objeto la obtención, por el acreedor ejecutante, precisamente, de

	aquello que <u>ordenó la resolución</u> judicial, y en la forma establecida por ella • La ejecución <u>GENÉRICA</u>, que tiene por finalidad la <u>sustitución</u> de la ejecución específica por otra de dinero, en los casos de imposibilidad natural o jurídica de la ejecución en forma específica

DESPACHO DE EJECUCIÓN NO DINERARIA	
Arts. 518, 548 a 550 y 699 LEC	
DEMANDA EJECUTIVA	• La <u>DEMANDA EJECUTIVA</u> de ejecuciones no dinerarias, aunque, en principio, debería reunir todos los requisitos establecidos para las demandas ejecutivas en los arts. 549 y 550 LEC, por tratarse de títulos judiciales, basta que revista la forma de <u>simple solicitud</u> de despacho de ejecución, con la simple identificación de la resolución cuya ejecución se pretende
LANZAMIENTO EN JUICIOS DE DESAHUCIO	• La única <u>excepción</u> a la necesidad de presentar demanda ejecutiva es la ejecución directa del <u>LANZAMIENTO</u> en los juicios de <u>DESAHUCIO por falta de pago o expiración de plazo</u>, en aquellos casos en los que haya recaído <u>SENTENCIA firme</u> por haberse formulado oposición, en los cuales, de haberse interesado en la demanda inicial de juicio, no es necesaria la presentación posterior de demanda ejecutiva para que, conforme al art. 549.3 LEC, se acuerde, de oficio, la <u>ejecución directa</u> del lanzamiento, en el día previamente señalado y notificado, y sin necesidad de esperar el transcurso del plazo del espera
EXAMEN DE LA DEMANDA EJECUTIVA	Los <u>requisitos</u> de la demanda ejecutiva que deben examinarse en el momento del despacho de ejecución no dineraria son, en síntesis, los mismos establecidos para todas las ejecuciones de títulos judiciales: • La constancia de la diligencia de <u>reparto</u>, y el cumplimiento de las normas de reparto vigentes • La presentación del <u>título ejecutivo</u>, o la simple identificación de la sentencia o resolución procesal que se ejecuta En caso de tratarse de <u>laudos arbitrales</u>, además del laudo, debe acompañarse el convenio arbitral y los documentos que acrediten la notificación del laudo al ejecutado; y en caso de acuerdos de mediación elevados a escritura pública debe acompañarse, además, copias de las actas de la sesión constitutiva y final

- La identificación de las <u>partes ejecutante y ejecutada</u>, y en su caso, la acreditación de la sucesión procesal, en caso de sucesión mortis causa o por transmisión del objeto litigioso
- La comprobación de la <u>competencia del tribunal</u>
- La comprobación de la naturaleza de los <u>actos de ejecución</u> interesados según se trate de condena de hacer, no hacer, o entregar alguna cosa
- La presentación de las <u>copias</u> de la demanda y de los documentos presentados
- En caso de ejecución <u>provisional</u>, la comprobación del dictado de la resolución <u>teniendo por interpuesto</u> el recurso de apelación
- En caso de <u>ejecución definitiva</u>:
  - La comprobación del <u>plazo de espera</u> de veinte días, contado desde la notificación al ejecutado de la sentencia, o resolución procesal que se ejecuta, o desde la notificación de la resolución arbitral o la firma del acuerdo de mediación, con la sola <u>excepción</u> de los juicios de <u>desahucio</u>, para los que no se aplica dicho plazo
  - La comprobación del <u>plazo de caducidad</u> de cinco años, contado desde la firmeza de la sentencia o resolución procesal, arbitral o acuerdo de mediación

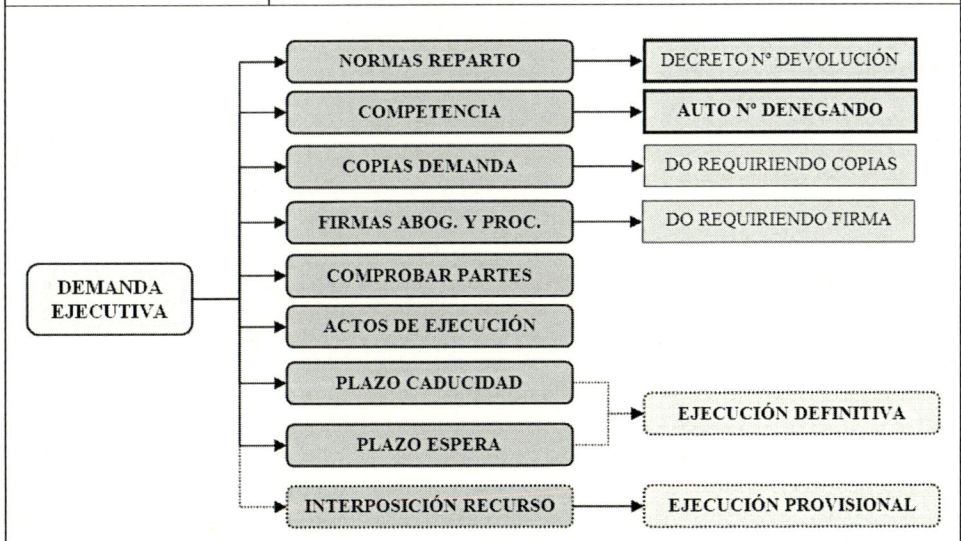

DESPACHO DE EJECUCIÓN NO DINERARIA	• En caso de concurrir los requisitos y presupuestos procesales, en el despacho de ejecución no dineraria no se dictan dos resoluciones, sino una sola, el <u>auto DESPACHANDO</u> ejecución, <u>REQUIRIENDO</u> al ejecutado para que, dentro del <u>plazo</u> que se señale, cumpla en sus propios términos lo establecido en el título ejecutivo En el requerimiento se puede apercibir al ejecutado con <u>apremios</u> personales –el apercibimiento de incurrir en un delito de desobediencia a la autoridad judicial– o multas pecuniarias • La única excepción a la necesidad de requerimiento al ejecutado es la condena a la emisión de una <u>declaración de voluntad</u>, en cuyo caso, transcurrido el plazo de espera, sin necesidad de requerimiento, por medio de auto, se tiene por emitida la declaración de voluntad, si están predeterminados los elementos esenciales del negocio jurídico, librándose sin más trámite mandamientos de anotación al Registro que corresponda según la declaración • Si se trata de bienes sujetos a publicidad registral, según el fallo de la sentencia, se acuerda, además, librar el oportuno <u>mandamiento al Registro de la Propiedad</u>, o de Bienes Muebles, para la práctica de la inscripción acordada • Si el requerimiento para hacer, no hacer o entregar una cosa <u>no puede tener inmediato cumplimiento</u>, por decreto, se pueden acordar las <u>medidas de GARANTÍA</u> que resulten adecuadas para asegurar la efectividad de la condena, y en todo caso a instancia del ejecutante, el <u>EMBARGO</u> de bienes para asegurar el pago de las eventuales indemnizaciones sustitutorias y las costas, salvo que el ejecutado preste caución bastante
NOTIFICACIÓN	• El auto despachando ejecución se notifica al ejecutado, a través de su <u>Procurador</u>, o <u>personalmente</u> si no está personado • En caso de resultar negativa la primera comunicación, de oficio, se realiza la <u>averiguación de domicilio</u> en los registros públicos, y de resultar negativa también, en última instancia, se notifica por medio de <u>edictos</u> en el tablón de la Oficina judicial

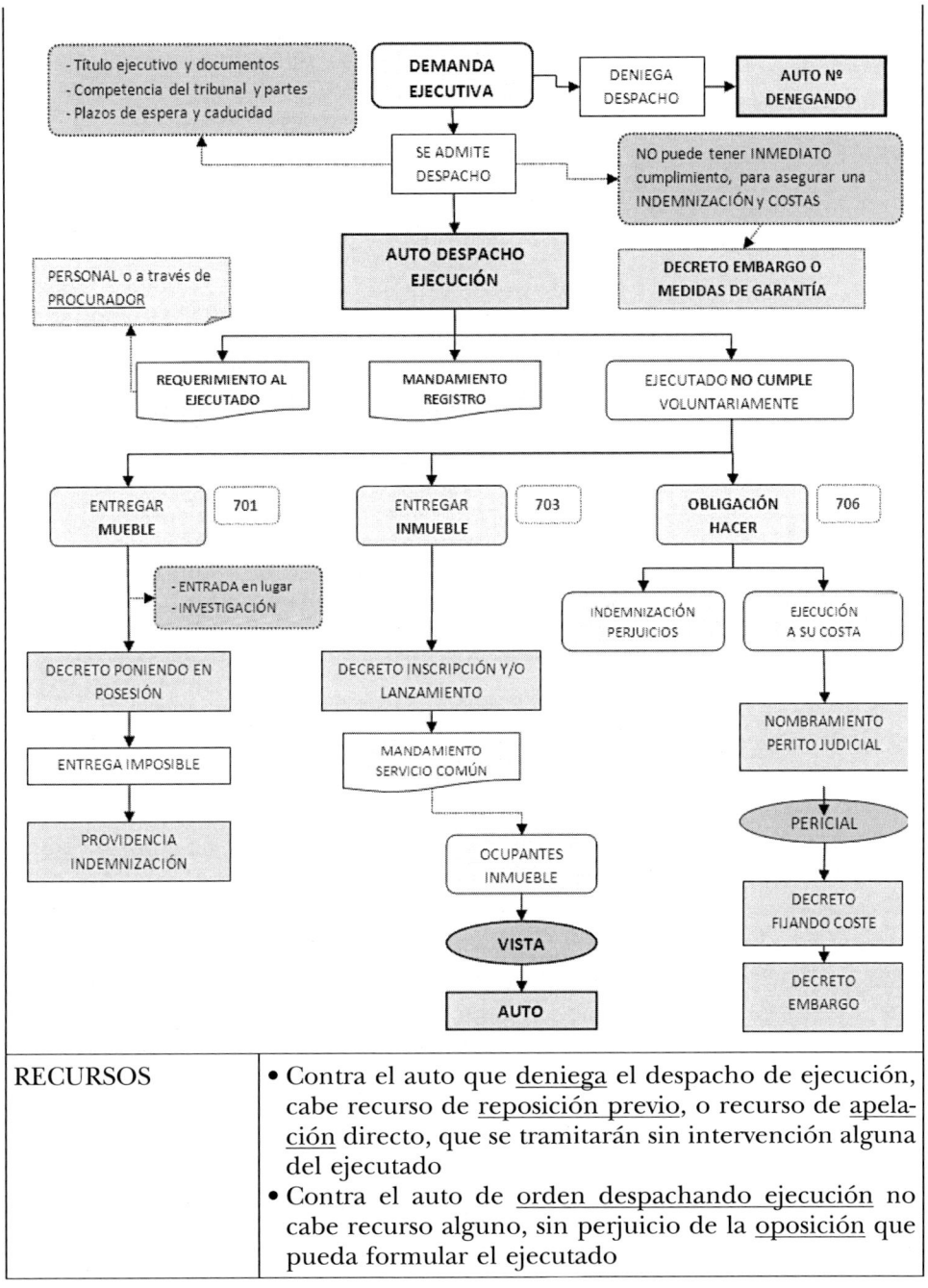

RECURSOS	• Contra el auto que <u>deniega</u> el despacho de ejecución, cabe recurso de <u>reposición previo</u>, o recurso de <u>apelación</u> directo, que se tramitarán sin intervención alguna del ejecutado • Contra el auto de <u>orden despachando ejecución</u> no cabe recurso alguno, sin perjuicio de la <u>oposición</u> que pueda formular el ejecutado

CONTROL DE PLAZOS	• La fecha del LANZAMIENTO para su ejecución directa, en los juicios de desahucio, terminados por SENTENCIA, por haberse formulado oposición, desde su firmeza, sin necesidad de presentación de demanda ejecutiva, ni transcurso del plazo de espera • CINCO años de plazo de caducidad, contados desde la firmeza de la sentencia o resolución procesal, arbitral o acuerdo de mediación que se ejecuta, para la presentación de la demanda de ejecución • VEINTE días de plazo de espera, contados desde la notificación al ejecutado de la sentencia o resolución procesal que se ejecuta, o desde la notificación al ejecutado de la resolución arbitral, o la firma del acuerdo de mediación para el despacho de ejecución • CINCO días, contados desde la primera notificación, para promover declinatoria en ejecución • DIEZ días, contados desde la notificación del auto de orden general de ejecución, para formular oposición, por motivos formales o de fondo, a la ejecución definitiva • CINCO días, contados desde la notificación del auto de orden general de ejecución, para formular oposición a la ejecución provisional

INCUMPLIMIENTO DEL EJECUTADO	
Arts. 701 a 703, 706 y 708 a 710 LEC	
INCUMPLI-MIENTO DEL EJECUTADO *Arts. 701, 702, 703, 706, 708, 709 y 710 LEC*	En caso de que el ejecutado, dentro del plazo que se le haya concedido en el requerimiento, no cumpla voluntariamente con lo acordado en el título ejecutivo, el trámite es diferente según la naturaleza de la condena no dineraria: 1) Art. 701 LEC: si se trata de entrega de cosa MUEBLE: • Se acuerda por decreto la entrega o puesta en posesión de la cosa, incluso, previa autorización de entrada en lugar cerrado, mediante auto del tribunal • Se pueden practicar actuaciones de investigación, el interrogatorio del ejecutado o de terceros, al objeto de averiguar el lugar en que se encuentra la cosa • Si la cosa no se encuentra, o no puede ser habida, se sustituye la entrega por la indemnización de daños y perjuicios, que se liquidan en la forma establecida en los arts. 712 y ss. LEC

2) Art. 702 LEC: si se trata de entrega de cosas GENÉRI-CAS, o indeterminadas, el ejecutante puede pedir, bien que se le ponga en posesión de las mismas, bien que se le faculte para adquirirlas a costa del ejecutado, o bien, si manifiesta que no le satisface la adquisición tardía, su equivalente pecuniario, más la indemnización de los daños y perjuicios

---

3) Art. 703 LEC: si se trata de entrega de bienes INMUE-BLES, se acuerda por decreto el LANZAMIENTO de la finca, expidiéndose mandamiento bastante al correspondiente servicio común para su práctica, con las siguientes prevenciones:

- En caso de ser vivienda habitual, se concede al ejecutado el plazo de un mes para que la desaloje
  El plazo inicial de un mes puede prorrogarse por otro mes más, por decreto del Secretario judicial, en caso de existir motivo fundado
- Se requiere al ejecutado para que retire los enseres y demás bienes que no scan objeto del título, con el apercibimiento de que, de no verificarlo, se considerarán bienes abandonados a todos los efectos, pudiendo dejarse en la vía pública
- Se autoriza expresamente el descerrajamiento de la puerta de acceso a la vivienda, y para los casos en que sea necesario, el auxilio de la fuerza pública, y el auxilio de los servicios oportunos del Ayuntamiento para el supuesto de que deban ser retirados bienes muebles de la vía pública y ser trasladados al depósito municipal
- Se autoriza la retención y depósito de bienes suficientes de ejecutado o los ocupantes para responder de los daños y perjuicios causados en la finca, cuando a instancia del ejecutante, se hagan constar en el lanzamiento la existencia de desperfectos en el inmueble
- En caso de estar la finca OCUPADA por terceras personas distintas del ejecutado, el requerimiento a los ocupantes a fin de que, en el término de diez días, presenten ante el tribunal los títulos que justifiquen su situación, con el apercibimiento de que, de no verificarlo o estimarse insuficientes, se acordará su lanzamiento como ocupantes de mero hecho o sin título suficiente

- Si se trata de juicios de <u>desahucio de finca urbana</u>, si antes de la fecha del lanzamiento se entregan las llaves, se acuerda por decreto el archivo de la ejecución, salvo que el ejecutante interese se mantenga la diligencia de lanzamiento para hacer constar el estado en que se encuentra la finca

4) Art. 706 LEC: si se trata de una obligación de <u>HACER NO PERSONALÍSIMO</u>, salvo que el título ejecutivo contenga una disposición expresa para el caso de incumplimiento, en cuyo caso se estará a lo dispuesto, el ejecutante podrá pedir:
- Que <u>se ejecute a costa del ejecutado por un tercero</u>, nombrándose <u>perito judicial</u> para su valoración, y previo traslado a las partes, se aprueba su coste por decreto, procediéndose al embargo de bienes del ejecutado si no deposita dicho importe
- Que se indemnicen los <u>daños y perjuicios</u>, que se liquidan en la forma establecida en los arts. 712 y ss. LEC

5) Art. 709 LEC: si se trata de una obligación de <u>HACER PERSONALÍSIMO</u>, si el ejecutado se niega o no cumple, el ejecutante puede optar entre el apremio del ejecutado, o el equivalente pecuniario, distinguiéndose:
- Si se considera que la prestación <u>no es personalísima</u>, se continúa la ejecución en la forma establecida para los hacer no personalísimos, previa valoración pericial
- Si se considera que la prestación es personalísima, y el ejecutante opta por el <u>equivalente pecuniario</u>, se liquida en la forma establecida en los arts. 712 y ss. LEC, y se impone al ejecutado una única multa coercitiva
- Si se considera que la prestación es personalísima, y el ejecutante opta porque se cumpla, <u>se apremia</u> al ejecutado con multas coercitivas mensuales, y si transcurrido un año no se ha cumplido, pueden acordarse <u>otras medidas idóneas</u>, previa audiencia del ejecutado, u optarse entonces por el equivalente pecuniario

6) Art. 710 LEC: si se trata de una <u>obligación de NO HACER</u>, en caso de que se quebrante lo acordado en el título ejecutivo, se requerirá por decreto al ejecutado para que <u>deshaga lo mal hecho</u>, con el apercibimiento de imposición de multas mensuales; a que indemnice

	daños y perjuicios, previa liquidación del ejecutante; así como a que se abstenga de reiterar el quebrantamiento, con el apercibimiento de incurrir en un delito de desobediencia
	7) Art. 708 LEC: si se trata de la emisión de una <u>DECLARACIÓN DE VOLUNTAD</u>, transcurrido el plazo de espera, sin necesidad de requerimiento al ejecutado, por medio de auto, <u>se tiene por emitida</u> la declaración de voluntad, si están predeterminados los elementos esenciales del negocio jurídico, librándose <u>mandamiento</u> de anotación en el Registro que corresponda según la declaración

II
OCUPACIÓN DE INMUEBLE POR TERCEROS

OCUPACIÓN DE INMUEBLE POR TERCEROS	
Arts. 666.1 y 2, 675.2 y 704.2 LEC	
OCUPACIÓN INMUEBLES POR TERCEROS	• La <u>ocupación</u> del inmueble objeto de entrega, posesión o lanzamiento, por <u>TERCERAS PERSONAS distintas del ejecutado</u>, o de quienes de él dependan, puede ser conocida durante el proceso, antes de la subasta, o en el momento de la práctica de la diligencia de posesión o lanzamiento, por indicación del propio ejecutante, por manifestaciones del ejecutado –en el requerimiento de designación de bienes del art. 589 LEC–, o de cualquier otro modo • En caso de ocupación por terceros, en la misma <u>diligencia de posesión o lanzamiento</u> si así se ha acordado, o por diligencia de ordenación, se les notificará la existencia del proceso, <u>requiriéndoles</u> a fin de que, en el plazo de diez días, presenten los <u>títulos que justifiquen</u> su situación, con el apercibimiento de que, de no verificarlo, se acordará su lanzamiento por considerarse ocupantes de mero hecho o sin título suficiente • Si <u>no presentan</u> los títulos justificativos de su situación, dentro del plazo señalado, sin necesidad de vista, puede dictarse auto declarando que los terceros ocupantes no tienen derecho a ocupar la vivienda, y procediendo al lanzamiento del inmueble

257

- Si se presentan los títulos justificativos, se señala una <u>VISTA</u>, en la que los interesados pueden alegar y probar lo que consideren oportuno, resolviéndose lo que proceda, por medio de <u>auto</u>, sobre su derecho a permanecer en el inmueble, y el lanzamiento en su caso
- Contra el auto que resuelve sobre el lanzamiento de los ocupantes <u>no cabe recurso</u> alguno, sin perjuicio de que los interesados puedan ejercitar su derecho en el juicio declarativo que corresponda

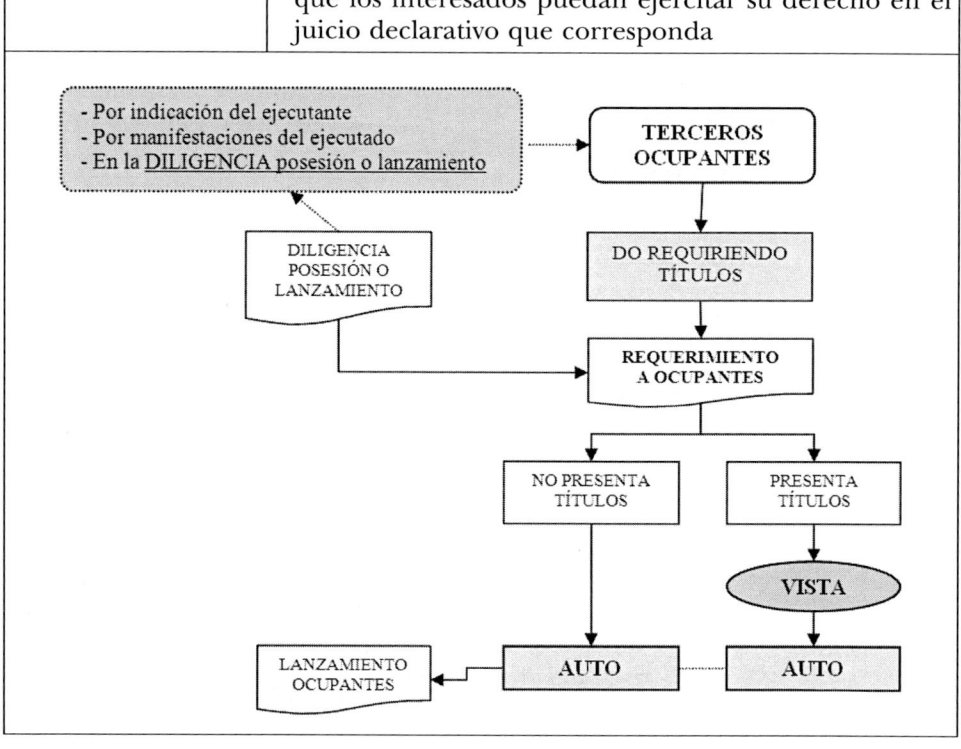

Oposición a la ejecución

SUMARIO:

I
OPOSICIÓN A EJECUCIÓN DEFINITIVA

CONCEPTO	
Arts. 556 a 561 LEC	
CONCEPTO	Contra el <u>auto de ORDEN GENERAL</u> de ejecución, el ejecutado no puede interponer recurso alguno, sino formular <u>OPOSICIÓN</u> Los motivos de fondo de oposición son más <u>amplios</u> en el caso de los títulos <u>no judiciales</u>, pues mientras que los títulos judiciales están respaldados por la intangibilidad de la cosa juzgada material, y por tanto, son prueba indiscutible de la existencia de la deuda, los títulos no judiciales prueban, con presunción de certeza y de manera razonable, la existencia de la deuda, pero permiten, por ello, unas mayores posibilidades de defensa al ejecutado
CAUSAS DE OPOSICIÓN *Arts. 556 a 559 LEC*	Se distinguen dos CLASES de causas de oposición, formales o de fondo, distinguiéndose, a su vez, dentro de los motivos de fondo, causas de oposición distintas según el título ejecutivo de que se trate:

	1) Oposición por <u>DEFECTOS PROCESALES</u>, comunes a toda clase de títulos ejecutivos: • La falta de <u>carácter o representación</u> del ejecutante o del ejecutado • La <u>nulidad</u> del despacho de ejecución • La falta de autenticidad o de los requisitos legales del <u>laudo arbitral</u> o acuerdo de mediación

	2) Oposición por <u>MOTIVOS DE FONDO</u>:
	• 2.1. En la ejecución de títulos <u>JUDICIALES</u>, arbitrales o acuerdos de mediación:
	  • El <u>pago</u>, o el <u>cumplimiento de la sentencia</u>, laudo o acuerdo, siempre que conste documentalmente
	  • El <u>acuerdo</u> o transacción, que conste en documento público
	  • La <u>caducidad</u> de la acción ejecutiva
	• 2.2. En la ejecución de títulos <u>NO JUDICIALES</u>:
	  • El <u>pago</u>
	  • La <u>compensación</u> de créditos
	  • La <u>transacción</u>
	  La transacción es un contrato por el que las partes, dando, prometiendo o reteniendo cada una alguna cosa, evitan la provocación de un pleito, o ponen término al que ha comenzado
	  • La <u>quita, espera</u> o promesa de no pedir
	  La quita es un pacto por el que se reduce la cantidad exigible, y la espera, o promesa de no pedir, es un pacto por el que se concede un aplazamiento respecto de una obligación vencida
	   • La <u>pluspetición</u>
	   • La <u>prescripción</u> o la <u>caducidad</u>
	• 2.3. En las ejecuciones de <u>AUTOS</u> de cuantía máxima de la <u>Ley del AUTOMÓVIL</u>:
	  • La <u>fuerza mayor</u> extraña a la conducción
	  • La <u>culpa exclusiva</u> de la víctima
	  • La <u>concurrencia de culpas</u>
	  • Las establecidas también para la oposición a las ejecuciones de <u>títulos no judiciales</u>

SUSPENSIÓN *Arts. 556.2 y 3, 557.2, 558.1 y 559 LEC*	1) En caso de oposición por <u>DEFECTOS PROCESALES</u>, al no estar expresamente prevista, en el art. 559 LEC, la suspensión de la ejecución, por aplicación del criterio general del art. 565.1 LEC, según el cual la ejecución sólo se suspende en los casos expresamente establecidos por la ley, se considera que NO SE SUSPENDE la ejecución

	2) Cuando se trata de oposición por MOTIVOS DE FONDO:
	• Se SUSPENDE la ejecución:
	  • Cuando se trate de oposición a AUTOS de cuantía máxima de la Ley del AUTOMÓVIL
	  • Cuando se trate de oposición a títulos NO JUDICIALES, a no ser que se haya opuesto la pluspetición, en cuyo caso sólo se suspenderá la ejecución cuando el ejecutado haya consignado la cantidad que considere debida
	• NO se SUSPENDE la ejecución cuando se trate de oposición a títulos JUDICIALES, arbitrales o acuerdos de mediación

CRITERIOS PRÁCTICOS	• Dentro de la falta de capacidad o representación del ejecutante, o del ejecutado, puede invocarse la no acreditación de la oportuna sucesión procesal, el carácter de representante de una persona jurídica, o la no intervención preceptiva de abogado y procurador • Dentro de la nulidad del despacho de ejecución, puede invocarse la falta de pronunciamiento de condena de la sentencia, o la no fijación de una cantidad líquida y determinada, sino pendiente de liquidación, por ejemplo, en el caso de condenas a daños y perjuicios • Se considera también incluida dentro de la nulidad del título la inclusión dentro del auto de cuantía máxima de la reclamación por daños materiales, dado el distinto régimen de responsabilidad y carga de la prueba, pues mientras que tratándose de daños personales rige el sistema de responsabilidad civil objetiva atenuada, o cuasi objetiva, en el que, para responder el autor del hecho, basta acreditar la relación de causalidad entre el hecho de la circulación y los daños personales –salvo que se acredite la culpa exclusiva de la víctima, o la fuerza mayor–; en cambio, para los daños materiales, rige el sistema de responsabilidad civil de los arts. 1902 y ss. CC, de modo que no basta con demostrar la relación de causalidad entre la acción y el daño, sino que ha de probarse también la culpa o negligencia del conductor • La compensación no se admite como causa de oposición, de modo que el ejecutado deberá hacerla valer en el juicio que corresponda

- En la ejecución de títulos <u>judiciales,</u> en el caso de que se dé la orden general de ejecución por una <u>cantidad superior que no sea la correcta,</u> la pluspetición no se prevé expresamente como causa de oposición para esta clase de títulos, por lo que, bien se acepta por aplicación analógica, o bien se alega tal circunstancia como defecto procesal, como nulidad del despacho de la ejecución
- Si, <u>con posterioridad</u> al juicio, o después de la creación del título ejecutivo no judicial, se producen <u>hechos relevantes,</u> distintos de los admitidos como causas de oposición a la ejecución, por ejemplo, la novación o la compensación, no se admiten como causas de oposición, reservándose al ejecutado el juicio declarativo que corresponda

TRAMITACIÓN
Arts. 559 a 561 LEC

| TRÁMITE
Arts. 559 a 561 LEC | • El trámite se reduce a <u>dar traslado</u> de la oposición al ejecutante para que, en el plazo de cinco días, se oponga o la impugne, y al dictado de la resolución procedente, previa celebración de una vista de considerarse imprescindible a juicio del juez
• Para la tramitación de la oposición a la ejecución se incoa **PIEZA SEPARADA**, con los testimonios necesarios de la ejecución principal, una sola pieza también en el caso de que se invoquen tanto defectos procesales como motivos de fondo
• En el <u>escrito</u> de oposición se pueden alegar, tanto defectos procesales, como motivos de fondo
• En caso de que se aleguen, **CONJUNTAMENTE,** tanto defectos procesales, como motivos de fondo, aunque <u>en primer lugar</u> debería resolverse la oposición por <u>motivos procesales,</u> por razones de <u>economía procesal,</u> cuando el ejecutante, en su escrito de alegaciones, haya contestado a todos los motivos de oposición, pueden resolverse todas las causas de oposición en una sola resolución
• La celebración de <u>VISTA</u> es facultad discrecional del juez, debiendo acordarse sólo cuando lo hayan solicitado las partes, y con la documental aportada no pueda resolverse la oposición –siendo innecesaria, en todo |

caso, en las oposiciones de títulos judiciales, en las que los motivos de oposición se exige se acrediten siempre documentalmente–, o en el caso excepcional de que se haya acordado prueba pericial en el caso de oposición por pluspetición

- Cuando el <u>auto final</u> recaído en la pieza de oposición sea firme, se acuerda el <u>ARCHIVO definitivo</u> de la pieza, llevándose <u>testimonio</u> del auto, con expresión de la firmeza, a la <u>ejecución principal</u>, en la que se continuarán todas las demás actuaciones, incluida la práctica de la tasación de costas

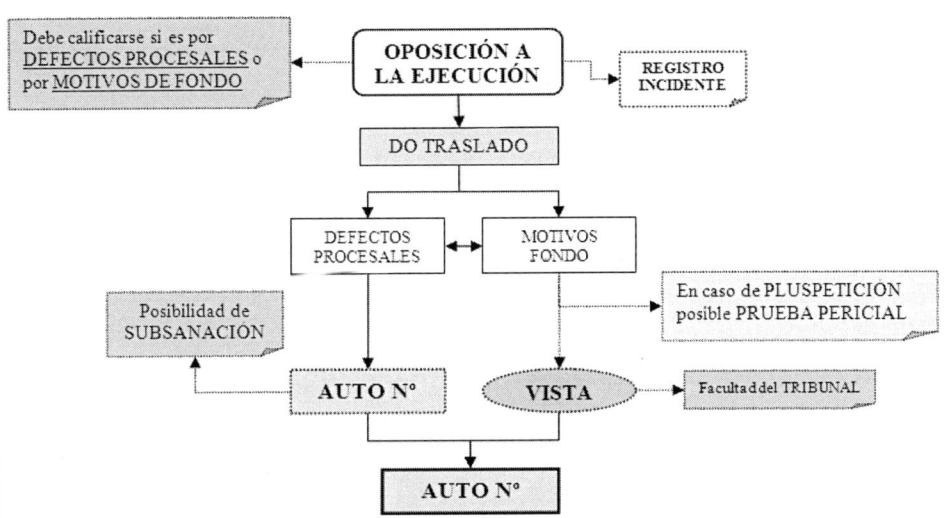

RECURSOS	- Contra el auto que resuelve la oposición por <u>defectos procesales</u> no se prevé recurso alguno, si bien, si es definitivo y por aplicación analógica del art. 561.3 LEC, debe entenderse que cabe recurso de apelación
	- Contra el auto que resuelve la oposición por <u>motivos de fondo</u>, cabe recurso de <u>apelación</u>, con distintos efectos según su fallo:
	  - Si es <u>desestimatorio</u> de la oposición, el recurso no suspende el curso de la ejecución
	  - Si es <u>estimatorio</u> de la oposición, a instancia del ejecutante y previa prestación de caución, se puede acordar por providencia mantener los embargos y garantías acordadas

CONTROL DE PLAZOS	• <u>DIEZ días</u>, contados desde la notificación del auto de orden general de ejecución, para formular <u>oposición</u>, por motivos formales o de fondo, a la ejecución definitiva • <u>CINCO días</u>, para que el ejecutante formule alegaciones al escrito de oposición

<table>
<tr><td colspan="2" align="center">II
OPOSICIÓN A EJECUCIÓN PROVISIONAL</td></tr>
</table>

CONCEPTO	
Arts. 528 a 531 LEC	
CONCEPTO	Contra el auto de orden general de ejecución provisional, el ejecutado no puede interponer recurso alguno, sino, como en la ejecución definitiva, formular <u>OPOSICIÓN</u>, si bien por algunas de las <u>causas especiales</u> y distintas previstas para este tipo de ejecución
CAUSAS DE OPOSICIÓN *Art. 528 LEC*	Se pueden distinguir tres clases de causas de oposición: 1) <u>COMÚN</u> a todas las ejecuciones: • La <u>infracción</u> de las normas establecidas para el <u>DESPACHO de ejecución</u> provisional, y en general las establecidas para el despacho de ejecución, entre ellas: 　• Que la resolución <u>no sea ejecutable provisionalmente</u> 　• Que no se haya tenido aún por interpuesta la apelación 　• Que la tutela pretendida no sea congruente con el título ejecutivo 　• Que falte alguno de los <u>requisitos procesales</u> de capacidad o representación de las partes, o de competencia del tribunal • El <u>PAGO</u> o cumplimiento voluntario de la sentencia, o la existencia de <u>transacción o pacto</u>, todos ellos acreditados documentalmente 2) En caso de <u>condenas DINERARIAS</u>: • No cabe oposición a la ejecución provisional <u>en su conjunto</u> considerándose que el perjuicio de la ejecución provisional de sentencias de contenido económico no es irreparable • Sólo cabe la oposición a <u>ACTUACIONES EJECUTIVAS</u>

	concretas, cuando resulte imposible o de <u>extrema dificultad restaurar la situación anterior</u> o compensar los daños y perjuicios, siempre que el ejecutado ofrezca <u>CAUCIÓN o medidas alternativas</u> para responder de la demora en la ejecución Si el ejecutado no ofrece caución o medidas alternativas, se inadmite la ejecución por decreto 3) En caso de <u>condenas NO DINERARIAS</u>: • Cuando, en caso de revocación, resulte imposible o de <u>extrema dificultad restaurar la situación anterior</u>, o compensar los daños y perjuicios al ejecutado
SUSPENSIÓN _Arts. 531 LEC_	• La oposición <u>NO SUSPENDE</u> la ejecución provisional • El único supuesto previsto, en realidad, es un <u>supuesto de pago</u>, cual es la <u>consignación</u> por el ejecutado, para su entrega al ejecutante, de la cantidad objeto de condena, más sus intereses y las costas producidas hasta ese momento, en cuyo caso, liquidados los intereses y tasadas las costas, se archiva la ejecución
CRITERIOS PRÁCTICOS	• La posible <u>insolvencia del ejecutante</u> no se considera causa de oposición y que pueda impedir la ejecución provisional • Se considera que cabe la ejecución provisional de las sentencias que acuerdan el <u>lanzamiento</u> de una finca, pues no se considera que la reparación de la situación anterior en caso de revocación sea imposible o de extrema dificultad, amén de ser posible siempre la indemnización de daños y perjuicios

TRAMITACIÓN	
Arts. 529 y 530 LEC	
TRÁMITE	• El trámite se reduce a <u>dar traslado</u> de la oposición al ejecutante para que, en el plazo de cinco días, manifieste lo que a su derecho convenga, y al dictado de la resolución procedente • Para la tramitación de la oposición a la ejecución se incoa <u>PIEZA SEPARADA</u>, con los testimonios necesarios de la ejecución principal • En caso de condenas <u>no dinerarias</u>, en el escrito de alegaciones, el <u>ejecutante</u>, además de impugnar la oposición, puede ofrecer <u>caución</u> suficiente para, en caso de revocación, garantizar el restaurar la situación ante-

rior o la indemnización de daños y perjuicios
- No se prevé la celebración de vista
- Cuando el <u>auto final</u> recaído en la pieza de oposición sea firme, se acuerda el <u>ARCHIVO definitivo</u> de la pieza, llevándose <u>testimonio</u> del auto, con expresión de la firmeza, a la <u>ejecución principal</u>, en la que se continuarán todas las demás actuaciones, incluida la práctica de la tasación de costas

```
                    ┌──────────────────┐        ┌·····················┐
                    │  OPOSICIÓN A     │········:   REGISTRO         :
          ┌─────────│  LA EJECUCIÓN    │        :   INCIDENTE        :
          │         └──────────────────┘        └·····················┘
          ▼                   │
  ┌────────────────┐          ▼
  │ ES DINERARIA Y │  ┌──────────────────┐
  │ EJECUTADO NO   │  │   DO TRASLADO    │
  │ OFRECE CAUCIÓN │  └──────────────────┘
  └────────────────┘          │
          │                   ▼
          ▼          ┌──────────────────┐
  ┌────────────────┐ │   ALEGACIONES    │
  │    DECRETO     │ └──────────────────┘
  └────────────────┘          │
                              ▼
                     ┌──────────────────┐
                     │     AUTO Nº      │
                     └──────────────────┘
```

RECURSOS	• Contra el auto que resuelve la oposición a la ejecución provisional, o a medidas ejecutivas concretas, NO cabe RECURSO alguno
CONTROL DE PLAZOS	• <u>CINCO</u> días, contados desde la notificación del auto de orden general de ejecución, para formular <u>oposición</u> a la <u>ejecución provisional</u> • <u>CINCO</u> días, para que el ejecutante formule alegaciones al escrito de oposición

Ejecución dineraria: el embargo y sus garantías

SUMARIO:

I
EJECUCIÓN DINERARIA

CONCEPTO	
Arts. 571 y ss. LEC	
CONCEPTO	La <u>EJECUCIÓN DINERARIA</u> tiene por objeto la obtención del patrimonio del deudor ejecutado de una determinada cantidad de dinero, para entregarla al acreedor ejecutante, en pago del crédito a su favor que resulta del título ejecutivo Según el art. 571 LEC, la ejecución dineraria se aplica a la de todos aquellos títulos ejecutivos de los que, directa o indirectamente, resulte el deber de entrega una cantidad de <u>dinero líquido</u>
FASES	Dentro de la ejecución dineraria, pueden distinguirse cuatro fases: • El <u>DESPACHO</u> de ejecución –arts. 551 y ss. LEC–, que es la resolución procesal que inicia el proceso de ejecución, determinando las partes y las cantidades objeto de ejecución • El <u>EMBARGO</u> de bienes –arts. 584 y ss. LEC–, que puede definirse como la actividad procesal, dirigida a la individualización de bienes del patrimonio del ejecutado, y su <u>afección</u> o sujeción al proceso de ejecución, al objeto de <u>hacer pago</u> al ejecutante de la deuda que resulta del título ejecutivo • La <u>GARANTÍA</u> del embargo de bienes –arts. 621 y ss. LEC–, que tiene por objeto la práctica de una serie de actuaciones externas con el objeto de <u>asegurar</u> la existencia del embargo, tanto frente al <u>ejecutado</u>, evitando que éste pueda realizar cualquier acto de ocultación o disposición del bien en perjuicio de su ejecución; como frente a <u>terceros</u>, dando a conocer la existencia de la traba, a efectos de publicidad y de preferencia en el cobro del crédito respecto del bien embargado • La <u>VÍA DE APREMIO</u> –arts. 634 y ss. LEC–, que puede definirse como el <u>proceso de realización</u> de los bienes embargados, que tiene por finalidad convertir en dinero los bienes embargados con el fin de satisfacer el crédito del ejecutante

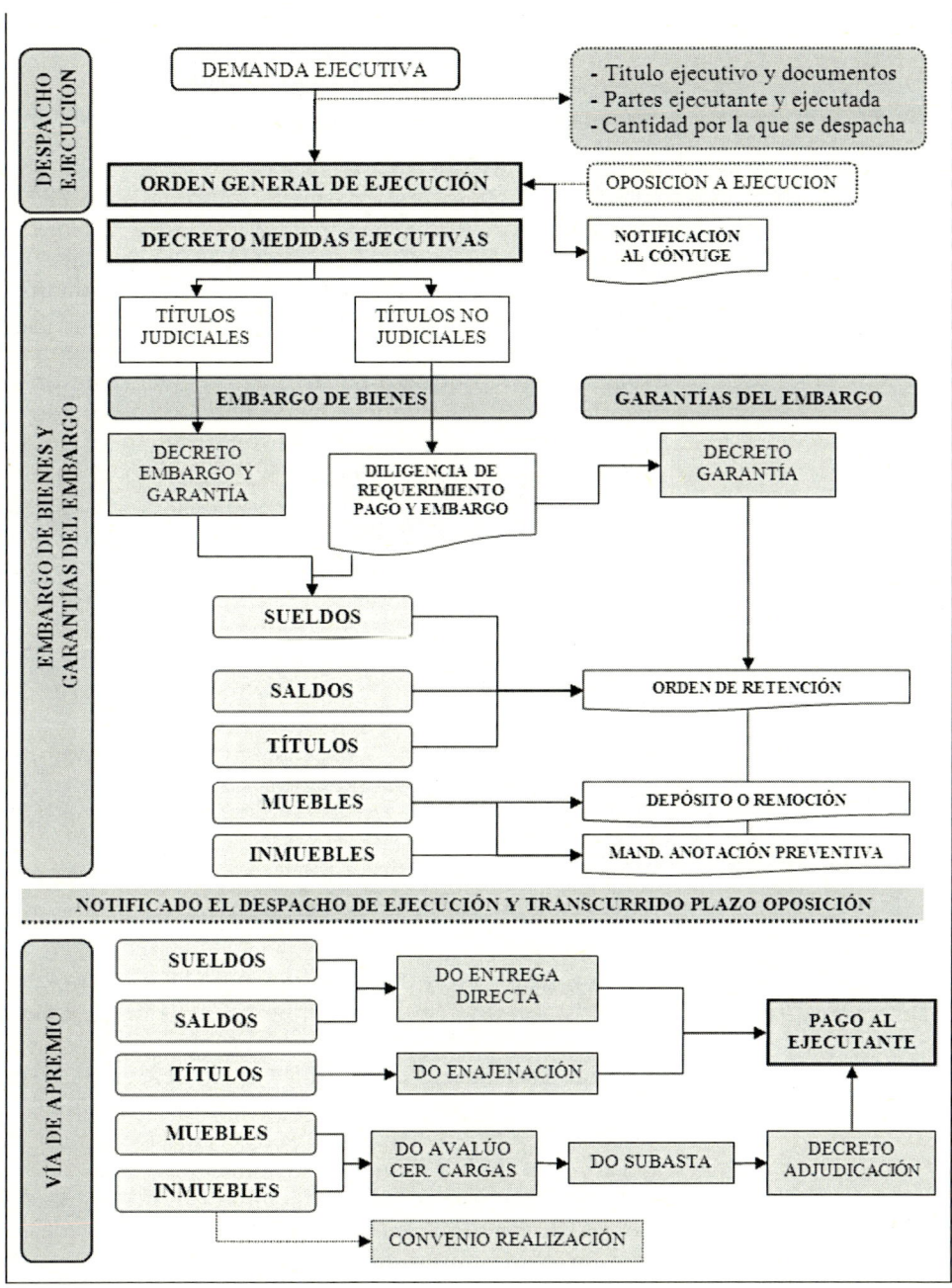

II
EL EMBARGO

CONCEPTO	
Arts. 584 y ss. LEC	
CONCEPTO	• Es la actividad procesal, desarrollada en la ejecución forzosa de condenas dinerarias, dirigida a la individualización de <u>bienes</u> del patrimonio del ejecutado, y su <u>AFECCIÓN</u> y sujeción al <u>proceso de ejecución</u>, para con su realización y producto hacer pago al ejecutante de la cantidad total por la que se ha despachado ejecución • Ni el embargo, ni su inscripción registral, crean un derecho real a favor del ejecutante, ni alteran la naturaleza de su crédito, que sigue siendo un derecho personal, sino que lo que concede es la <u>preferencia</u> respecto de los demás acreedores posteriores, sin temor a la constitución de posteriores gravámenes, o a los cambios de dueño • En todo caso, el embargo no priva ni limita la facultad de <u>disposición</u> del titular de los bienes, pero la traba afecta a los terceros adquirentes, siendo válidos los actos trasmisivos posteriores, pero resultando inoponibles frente a la ejecución, quedando a salvo, en todo caso, los derechos de los terceros protegidos por la legislación hipotecaria • Se puede decir que mientras que la adquisición <u>anterior</u> vence al embargo <u>posterior</u>, al revés, también el embargo anterior vence a la adquisición posterior
EFECTOS DEL EMBARGO *Art. 613 LEC*	• La <u>definición legal</u> del embargo se contiene en el art. 613 LEC, al establecer que el embargo concede al ejecutante el derecho al <u>pago de su crédito</u> con lo que se consiga con la <u>realización del bien embargado</u>, hasta satisfacer completamente el principal de la deuda que conste en el título ejecutivo, los intereses que procedan y las costas de la ejecución • Sin estar el ejecutante <u>completamente reintegrado</u> del principal, de todos los intereses de su crédito, y de todas las costas de la ejecución, no puede aplicarse la suma obtenida con la realización del bien embargado a ningún otro destino, salvo que haya sido declarado preferente en tercería de mejor derecho

	• El <u>LÍMITE</u> de las cantidades consignadas en la <u>anotación preventiva</u> del embargo, aunque su liquidación supere ese límite, no rige para los <u>acreedores posteriores</u>, pero sí para los <u>terceros poseedores</u> que hayan adquirido el bien en otra ejecución • En todo caso, una vez abonado el principal por la vía de apremio, la anotación del embargo debe <u>ampliarse</u> al importe a que, definitivamente, asciendan los <u>intereses liquidados</u> y las <u>costas tasadas</u>, en caso de que sus importes hayan superado la cantidad inicialmente presupuestada para intereses y costas

MOMENTO DEL EMBARGO
Art. 587 LEC
	El embargo se entiende hecho:
	• Desde que se acuerda en el **DECRETO** del Secretario judicial
	• Desde que se reseña en la **DILIGENCIA** de <u>embargo</u> practicada por la comisión judicial, aunque no se hayan adoptado aún las medidas de garantía o publicidad
	  • En la diligencia de embargo, cuando se embargan bienes <u>muebles</u>, se ha de hacer constar:
	    • La relación de los <u>bienes embargados</u>, con su descripción lo más detallada posible
	    • Las manifestaciones de quien haya intervenido en el embargo, especialmente, las relativas a la titularidad de la cosa
	    • La persona a la que se nombra <u>depositario</u>
	    • El <u>lugar</u> donde se depositan los bienes

BIENES EMBARGABLES	
Arts. 584, 588, 592, 593 y 605 a 612 LEC	
PRINCIPIOS DEL EMBARGO *Arts. 584, 588, 592, y 593.1 LEC*	• La **PERTENENCIA** al ejecutado (art. 593.1 LEC): La pertenencia al ejecutado de los bienes objeto de embargo, sin necesidad de investigaciones previas, se basará en <u>indicios</u> y signos externos, de los que pueda deducirse razonablemente su titularidad • La **DETERMINACIÓN** del embargo (art. 588 LEC): El embargo debe recaer sobre bienes cuya efectiva existencia conste, y ha de tratarse de bienes presentes, no pueden embargarse bienes futuros Así, por ejemplo, en el decreto de medidas ejecutivas no puede acordarse el embargo de los enseres y bienes <u>muebles</u> del ejecutado, en general, pues en el caso de-

	muebles, es necesaria su descripción detallada en la diligencia de embargo
	La excepción es el embargo de SALDOS y depósitos abiertos en entidades de crédito, que cabe que sea genérico e indeterminado, pero no de los saldos futuros, que no existan en el momento del embargo
	Otra excepción es el embargo del sobrante del art. 611 LEC, que puede trabarse, aunque aún no exista de manera efectiva
	• La PROPORCIONALIDAD del embargo (art. 584 LEC):
	No se embargan bienes cuyo valor exceda de la cantidad por la que se haya despachado ejecución, salvo que en el patrimonio del ejecutado sólo existan bienes de valor superior
	• La ONEROSIDAD del embargo (art. 592.1 LEC):
	Los bienes objeto de embargo se determinarán teniendo en cuenta la mayor facilidad y la menor onerosidad de su enajenación para el ejecutado
	• El ORDEN de los embargos (art. 592.2 LEC):
	Los bienes se embargan por el siguiente orden:
	1) Dinero, o cuentas corrientes de cualquier clase
	2) Créditos realizables en el acto, acciones, títulos o valores admitidos a negociación en un mercado oficial
	3) Joyas y objetos de arte
	4) Rentas en dinero cualquiera que sea su origen, intereses y frutos de toda especie
	5) Bienes muebles o semovientes, y acciones, títulos, valores o participaciones no admitidas a cotización oficial
	6) Bienes inmuebles
	7) Sueldos, salarios, pensiones y otros ingresos procedentes de actividades profesionales o mercantiles autónomas
	8) Créditos, derechos o valores realizables a medio o largo plazo, entre los que se incluyen las aportaciones a los planes de pensiones
BIENES INEMBARGABLES *Arts. 605 y 606 LEC*	• Son bienes absolutamente INEMBARGABLES: • Los declarados inalienables, como los bienes de dominio público y comunales, o los derechos de uso y habitación

- Los derechos accesorios que no sean alienables con independencia del principal
- Los bienes que, por sí carezcan de contenido patrimonial
- Los expresamente <u>declarados inembargables</u> por alguna disposición legal

  Así, están declarados inembargables, por distintas leyes, los bienes del Patrimonio del Estado, de las Comunidades Autónomas, de las Diputaciones Provinciales y de los Ayuntamientos, los bienes y valores de la Hacienda Pública, los montes de dominio público forestal, los recursos mineros, las concesiones administrativas de servicios públicos de viajeros, de transporte público y de autopistas de peaje, los bienes de dominio público destinados al uso o servicio público y los bienes comunales de las entidades locales, el dominio público hidráulico y el dominio público marítimo terrestre...

- Son bienes <u>INEMBARGABLES</u> del ejecutado:

  1) El <u>MOBILIARIO de la casa</u>, las ropas no superfluas, alimentos y, en general, cualquier bien que se considere imprescindible para atender, con dignidad, la <u>subsistencia del ejecutado</u>, y de quienes de él dependan
  2) Los <u>instrumentos necesarios</u> para el ejercicio de la <u>PROFESIÓN</u>, arte u oficio del ejecutado, cuando su valor no guarde proporción con la cuantía de lo reclamado
  3) Los <u>sueldos</u> o pensiones, o ingresos procedentes de actividades profesionales o mercantiles autónomas, cuando no excedan del <u>SALARIO MÍNIMO INTERPROFESIONAL</u>

     El SMI para 2012 está fijado en la suma de <u>641,40 euros</u> al mes

     En caso de ejecución ordinaria que sea continuación de una <u>ejecución hipotecaria sobre vivienda habitual</u>, a efectos del embargo de sueldos o pensiones, el SMI se eleva en un 50 por ciento, y otro 30 por ciento más por cada miembro de la unidad familiar
  4) Los bienes sacros y los dedicados al <u>culto de las religiones</u>
  5) Las cantidades expresamente declaradas inembargables por la <u>ley</u> o por <u>tratados internacionales</u>

EMBARGO DE SUELDOS O PENSIONES *Arts. 607 y 608 LEC*	Las normas que rigen el embargo de sueldos, salarios o pensiones son las siguientes:
	• Es inembargable si no supera el importe del <u>SALARIO MÍNIMO INTERPROFESIONAL</u>
	El SMI para <u>2012</u> está fijado en la suma de <u>641,40 euros</u> al mes
	• El embargo se aplica sobre todas las percepciones, y sobre la <u>cantidad líquida</u> que reciba el ejecutado
	• Se acumulan, también, los sueldos y pensiones del <u>cónyuge</u>, salvo que acrediten tener separación de bienes
	• Los sueldos, salarios o pensiones se embargan conforme a la siguiente <u>ESCALA de retenciones</u>:
	  • El 30 por ciento para la cuantía hasta el doble del SMI
	  • El 50 por ciento para la cuantía hasta el tercer SMI
	  • El 60 por ciento para la cuantía hasta el cuarto SMI
	  • El 75 por ciento para la cuantía hasta el quinto SMI
	  • El 90 por ciento para las cuantías que excedan del quinto SMI
	• En atención a las <u>cargas familiares</u> el Secretario judicial puede acordar una <u>rebaja</u> de entre un 10 y un 15 por ciento de los anteriores porcentajes
	• Los porcentajes de retención <u>no se aplican</u> cuando se trate de ejecuciones al pago de <u>alimentos</u>, en cuyo caso el tribunal fijará la cantidad que puede ser embargada
	• La escala de retenciones <u>no es aplicable</u> a los ingresos de los profesionales <u>autónomos</u>

	• Si se trata de ejecución ordinaria, seguida <u>tras la ejecución hipotecaria</u>, conforme al art. 579 LEC, la cantidad inembargable se <u>incrementa</u> en un <u>50 por ciento</u> del SMI, y además, en otro 30 por ciento del salario mínimo interprofesional por cada miembro del núcleo familiar que no disponga de ingresos propios (art. 1 Real Decreto Ley 8/2011, de 1 de julio, de medidas de apoyo a los deudores hipotecarios)
	• Las cantidades embargadas por sueldos, salarios o pensiones, pueden ser <u>ingresadas directamente</u> en la <u>cuenta bancaria del ejecutante</u> que éste previamente designe, si así se acuerda por decreto del Secretario judicial, en cuyo caso se impone la obligación, tanto el

	ejecutante, como la persona o entidad que practique la retención, de informar, trimestralmente, a la Oficina judicial, de las cantidades respectivamente recibidas y remitidas
REEMBARGO Y EMBARGO DEL SOBRANTE *Arts. 610 y 611 LEC*	• Todos los bienes y derechos pueden ser <u>REEMBARGA-DOS</u>, otorgando al reembargante el derecho a cobrar su crédito, una vez satisfechos los embargos anteriores • Se puede embargar el <u>SOBRANTE</u> de la realización forzosa de bienes realizada en otra ejecución ya despachada • La <u>diferencia</u> se encuentra en que, mientras que el reembargo recae sólo sobre un bien concreto del ejecutado, en cambio, el embargo del sobrante se traba sobre todos los bienes objeto de la ejecución de que se trate
MEJORA Y REDUCCIÓN DEL EMBARGO *Art. 612 LEC*	• El ejecutante puede pedir la <u>MEJORA o MODIFICA-CIÓN</u> del embargo, cuando, por un cambio de circunstancias, se pueda dudar de la suficiencia de los bienes embargados • El ejecutado, también, puede pedir la <u>REDUCCIÓN o MODIFICACIÓN</u> del embargo, cuando el embargo pueda variarse sin peligro para los fines y la cantidad por la que se haya despachado la ejecución • La mejora, modificación o reducción de los embargos se acuerda por <u>decreto</u> del Secretario judicial, contra el cual cabe interponer <u>recurso</u> directo de <u>revisión</u> ante el juez
CRITERIOS PRÁCTICOS	• No se admite el embargo de los <u>SALDOS</u> futuros de las cuentas, libretas o depósitos bancarios, sino sólo de los saldos existentes en el momento en que se decreta el embargo • No suele accederse a la imposición al ejecutado, o a terceros, de <u>MULTAS</u> coercitivas, en caso de que no responda al requerimiento de designación de bienes el ejecutado, o al deber de información los terceros, por no considerarse útil a los fines de la ejecución, y salvo supuestos excepcionales y justificados En caso de imposición, las multas coercitivas, una vez abonadas, no se aplican al pago de la deuda, sino que se transfieren al <u>Tesoro Público</u> • Para decidir si procede o no el embargo de las <u>pagas extraordinarias</u>, cuando el salario o pensión del ejecu-

tado sea inferior al SMI, a fin de evitar que la retención dependa de la forma de devengo mensual de las retribuciones, se calculan todos los ingresos del ejecutado en cómputo anual, con inclusión de las pagas extraordinarias, prorrateándose entonces el total importe entre doce mensualidades, para así determinar si la percepción mensual supera o no el salario mínimo interprofesional

- Una vez acordada una retención sobre un sueldo o pensión, no se admite una SEGUNDA retención, por considerarse que el límite es el establecido en el propio art. 607 LEC, que no procede el cobro de otro crédito más que en virtud de una tercería de mejor derecho conforme al art. 613.2 LEC, y que el reembargo exige la satisfacción primera del ejecutante anterior conforme al art. 610 LEC

- El embargo de bienes de las Administraciones Públicas se practica acordando el requerimiento personal a la Administración de que se trate a fin de que, sin demora, proceda al abono de las cantidades por las que se ha despachado la ejecución, con el apercibimiento, para el caso de incumplimiento, de procederse, por un delito de desobediencia a la autoridad judicial, contra el funcionario de la Administración ejecutada que sea responsable del pago de la cantidad objeto del embargo

- La jurisprudencia ha declarado la embargabilidad de los bienes patrimoniales del Estado, las Comunidades Autónomas y las entidades locales, siempre que no estén afectos a un uso o servicio público, pues tal privilegio no puede considerarse razonable desde la perspectiva del derecho a la ejecución de las resoluciones firmes

  En cambio, se consideran inembargables las certificaciones de obra respecto de la Administración –salvo con destino al pago de jornales devengados en la propia obra–, en cuanto que, como anticipos del pago, están orientadas a propiciar la mejor realización y conclusión de una obra pública

  En la práctica, una vez identificados bienes de la Administración ejecutada, generalmente fincas, con carácter previo al embargo, debe requerirse a la Administración para que indique el uso o servicio a que dicho bien se encuentra afecto

RECURSOS Art. 609 LEC	• El embargo trabado sobre bienes inembargables es <u>nulo</u> de pleno derecho • Contra el <u>decreto de embargo</u>, o de mejora de embargo, cabe interponer recurso directo de <u>revisión</u> • Contra la <u>diligencia</u> de embargo, al no existir resolución expresa contra la que recurrir, cabe presentarse simple <u>escrito</u> impugnando la traba conforme al art. 562.1.3º LEC

III
REQUERIMIENTO DE PAGO

REQUERIMIENTO DE PAGO	
Arts. 580 a 582 LEC	
REQUERIMIENTO DE PAGO *Arts. 580 a 582 LEC*	• En las ejecuciones de <u>títulos NO JUDICIALES</u>, salvo cuando se trate de laudos arbitrales o acuerdos de mediación, con carácter previo al embargo de bienes del ejecutado, es necesario practicar judicialmente el <u>REQUERIMIENTO DE PAGO</u> al deudor, el cual se acuerda en el <u>decreto</u> de medidas ejecutivas, no acordándose en éste el embargo directo de bienes, sino, únicamente, en caso de haber sido designados, <u>tener por señalados</u> como susceptibles de embargo dichos bienes a los fines de la ejecución • El requerimiento de pago, y en su caso, el embargo, se practican, en unidad de acto, por parte de la comisión judicial del servicio común correspondiente, en <u>DILIGENCIA personal</u>, en el domicilio del ejecutado designado en la demanda • Las <u>medidas de GARANTÍA</u> en estos casos se acuerdan en <u>resolución posterior</u>, a instancia del ejecutante, una vez se recibe debidamente cumplimentada la diligencia de requerimiento de pago y embargo • De resultar <u>negativa</u> la <u>primera diligencia</u> de requerimiento de pago, en el domicilio que conste en el título ejecutivo, a instancia del ejecutante, se puede decretar, sin más demora, el <u>embargo</u> de bienes del ejecutado, sin perjuicio de intentar de nuevo el requerimiento, previa averiguación de domicilio en su caso, o por medio de edictos

IV **AVERIGUACIÓN DE BIENES**

AVERIGUACIÓN DE BIENES
Arts. 589 a 591 LEC

| AVERIGUACIÓN DE BIENES
Arts. 589 a 591 LEC | Además de la <u>averiguación privada</u> que pueda hacer la parte ejecutante –normalmente en registros públicos–, existen dos actuaciones procesales para la <u>AVERIGUACIÓN de bienes</u> del ejecutado, que pueden practicarse, no sólo en el decreto de medidas ejecutivas, sino también en un momento posterior del proceso de ejecución por medio de diligencia de ordenación:
• 1) El <u>REQUERIMIENTO al EJECUTADO</u> para la designación de sus bienes del <u>art. 589 LEC</u>, que debe practicarse, de oficio, salvo que el ejecutante designe bienes suficientes susceptibles de embargo:
   • El requerimiento se practica con el apercibimiento de incurrir en un delito de desobediencia grave, y la imposición de multas coercitivas, que, en su caso, se fijarán por decreto del Secretario judicial
• 2) La <u>INVESTIGACIÓN del PATRIMONIO</u> del ejecutado del <u>art. 590 LEC</u>, que permite dirigirse a entidades financieras, registros públicos, organismos, y personas físicas o jurídicas, para que, con las debidas advertencias en materia de protección de datos, faciliten la relación de bienes del ejecutado de que tengan constancia:
   • El tribunal, por medio de auto, puede imponer <u>MULTAS coercitivas</u> periódicas a los terceros, personas o entidades, que no presten la colaboración debida en materia de averiguación de bienes del ejecutado
   • Los medios principales de <u>AVERIGUACIÓN de bienes</u> del ejecutado son, obtenidos, siempre a instancia de parte, por la propia Oficina judicial a través del Punto Neutro Judicial:
      • La terminal de la Agencia Estatal de la <u>Administración Tributaria</u>, de la que se obtienen la |

información patrimonial sobre rendimientos del trabajo, cuentas, pensiones o valores del ejecutado
- La terminal de la Tesorería General de la <u>Seguridad Social</u>, de la que se obtiene información sobre la situación laboral, desempleo o pensiones del ejecutado
- No se facilita al ejecutante, salvo supuestos excepcionales y justificados, información patrimonial sobre <u>bienes inmuebles</u> o <u>vehículos</u>, conforme a lo dispuesto en los arts. 590 párrafo segundo y 156.2 LEC, por constar en registros públicos de los que la parte puede obtener directamente dicha información

V
GARANTÍAS DEL EMBARGO

CONCEPTO
Arts. 621 y ss. LEC

CONCEPTO	• Tiene por objeto la práctica de una serie de actuaciones procesales, <u>externas y posteriores</u> al momento del embargo, con el objeto de <u>ASEGURAR</u> su existencia, tanto frente al <u>ejecutado</u>, evitando que éste pueda realizar cualquier acto de ocultación o disposición del bien en perjuicio de su ejecución; como frente a <u>terceros</u>, dando a conocer la existencia de la traba, a efectos de publicidad y de preferencia en el cobro del crédito respecto del bien embargado • Las medidas aseguratorias, o de <u>GARANTÍA</u> no forman parte del embargo, aunque su trascendencia exterior puede ser más importante que la declaración de afección misma que constituye el embargo • La medida de garantía varía según la naturaleza del bien embargado
ADOPCIÓN *Arts. 587.1, 621 y 629 LEC*	• Se acuerdan siempre <u>DE OFICIO</u> –conforme al art. 587.1 *in fine* LEC–, librándose al efecto los despachos necesarios, <u>salvo</u> cuando se trate de bienes <u>inmuebles</u>

o vehículos, en cuyo caso se acordarán sólo a instancia de parte –conforme al art. 629.1 LEC–

- Se acuerdan siempre por <u>resolución del Secretario judicial</u>:
  - En las ejecuciones de <u>títulos JUDICIALES</u>, en el mismo <u>decreto de medidas ejecutivas</u>, o en un momento posterior, en el decreto de embargo, o de <u>mejora de embargo</u>
  - En las ejecuciones de títulos <u>NO JUDICIALES</u>:
    - Después de la práctica de la <u>diligencia</u> de requerimiento de pago y embargo, por <u>decreto</u> cuando se trate de la anotación preventiva de bienes <u>inmuebles</u> en el Registro de la Propiedad, o de <u>vehículos</u> en el de Bienes Muebles; o por simple diligencia de ordenación, en los demás casos
  - En un momento posterior, en el decreto de embargo, o de mejora de embargo

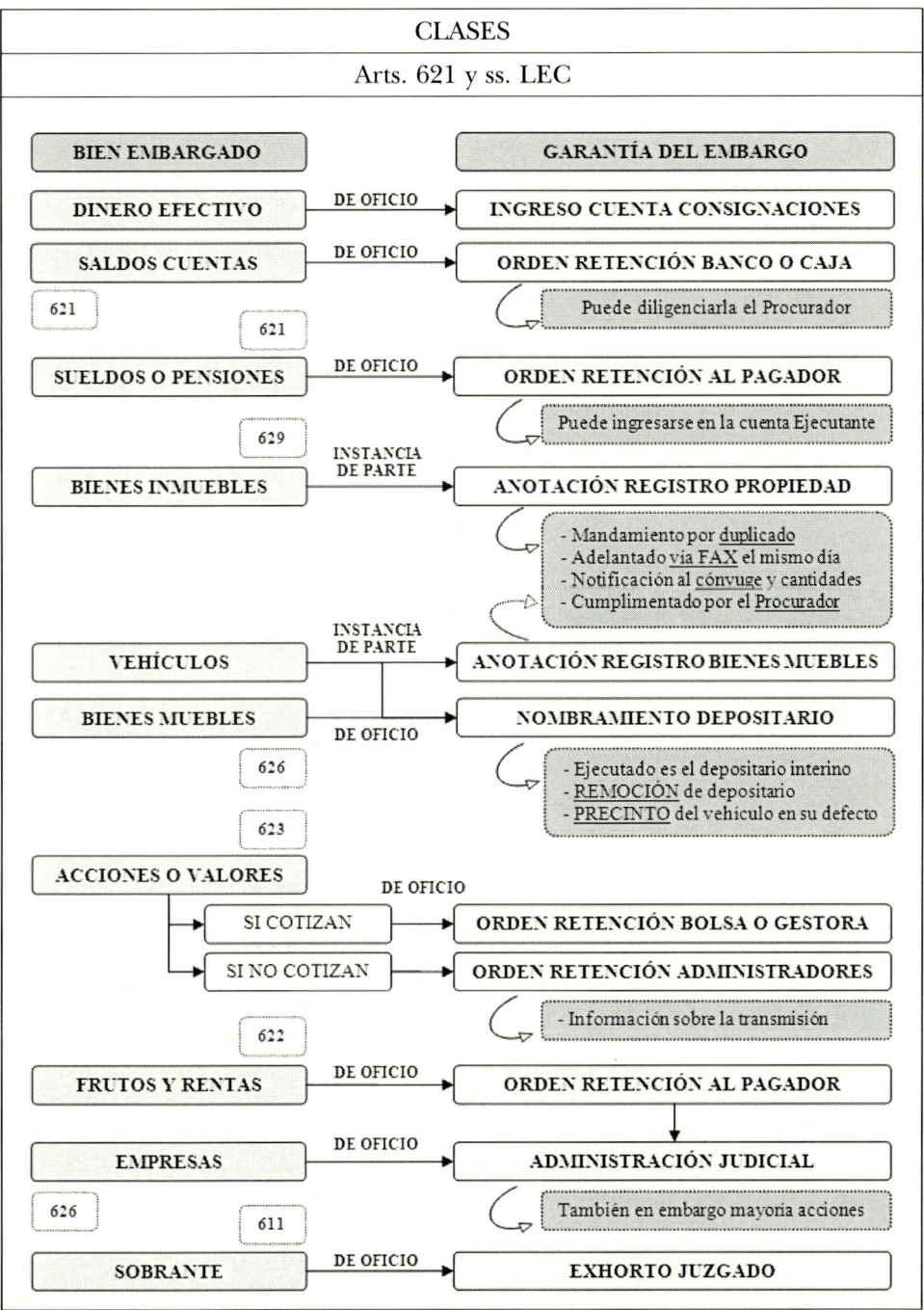

CLASES

Arts. 621 y ss. LEC

BIEN EMBARGADO		GARANTÍA DEL EMBARGO
DINERO EFECTIVO	DE OFICIO	INGRESO CUENTA CONSIGNACIONES
SALDOS CUENTAS	DE OFICIO	ORDEN RETENCIÓN BANCO O CAJA
621 / 621		Puede diligenciarla el Procurador
SUELDOS O PENSIONES	DE OFICIO	ORDEN RETENCIÓN AL PAGADOR
629		Puede ingresarse en la cuenta Ejecutante
BIENES INMUEBLES	INSTANCIA DE PARTE	ANOTACIÓN REGISTRO PROPIEDAD
		- Mandamiento por duplicado - Adelantado vía FAX el mismo día - Notificación al cónyuge y cantidades - Cumplimentado por el Procurador
VEHÍCULOS	INSTANCIA DE PARTE	ANOTACIÓN REGISTRO BIENES MUEBLES
BIENES MUEBLES	DE OFICIO	NOMBRAMIENTO DEPOSITARIO
626 / 623		- Ejecutado es el depositario interino - REMOCIÓN de depositario - PRECINTO del vehículo en su defecto
ACCIONES O VALORES		
SI COTIZAN	DE OFICIO	ORDEN RETENCIÓN BOLSA O GESTORA
SI NO COTIZAN		ORDEN RETENCIÓN ADMINISTRADORES
622		- Información sobre la transmisión
FRUTOS Y RENTAS	DE OFICIO	ORDEN RETENCIÓN AL PAGADOR
EMPRESAS	DE OFICIO	ADMINISTRACIÓN JUDICIAL
626 / 611		También en embargo mayoría acciones
SOBRANTE	DE OFICIO	EXHORTO JUZGADO

DEPÓSITO DE BIENES MUEBLES *Arts. 626 a 628 LEC*	• El DEPÓSITO JUDICIAL es la tenencia, por persona nombrada a tal efecto, de un bien mueble o semoviente embargado en la ejecución, para su conservación a disposición del tribunal, hasta que proceda su entrega a la persona que se adjudique el bien, tras su realización forzosa • El depositario interino de los bienes muebles, por definición, es siempre el ejecutado • Solicitado el nombramiento de nuevo DEPOSITARIO, el ejecutado sólo puede mantenerse como depositario cuando acredite, cumplidamente, que el bien embargado está destinado a su actividad productiva, o es de difícil o costoso almacenamiento • En el caso de VEHÍCULOS, su garantía primera es la anotación preventiva del embargo en el Registro de Bienes Muebles, y después, en su caso, el nombramiento de nuevo depositario, por lo que, para que proceda éste, es necesario que, con carácter previo, se haya llevado a cabo la anotación del embargo en el citado Registro • No se admite el depósito del vehículo en depósitos municipales o públicos, pues ello sólo se prevé respecto de los valores u otros objetos valiosos en el art. 626.1 LEC • El PRECINTO del vehículo sólo se acuerda en caso de resultar negativa la diligencia de remoción de DEPOSITARIO, que se practica por la comisión judicial del servicio común correspondiente, previa notificación al ejecutado –o al anterior depositario–, a fin de que pongan a disposición de la comisión el vehículo embargado, junto con la documentación y las llaves del mismo, para su entrega al nuevo depositario nombrado, previa aceptación y juramento de su cargo El precinto se practica librando oficio a la Policía Local, o Fuerzas y Cuerpos de Seguridad, del lugar en que se encuentre el vehículo, a fin de que procedan a la localización, precinto y entrega del vehículo al nuevo depositario nombrado, previa su aceptación y juramento del cargo en su caso, pudiendo facultarse al Procurador del ejecutante, o al propio depositario para la diligencia y cumplimentación del oficio • El depositario tiene derecho a solicitar sus honorarios, así como el adelanto de una provisión de fondos, que se fijan por decreto del Secretario judicial

| ANOTACIÓN PREVENTIVA EMBARGO DE INMUEBLES *Art. 629 LEC* | • El embargo existe, jurídicamente, desde que se decreta, con independencia de su anotación preventiva en el Registro
• La anotación preventiva, en el registro público correspondiente, es la <u>medida de GARANTÍA</u> establecida cuando el embargo recae sobre bienes inmuebles, o sobre otros bienes o derechos susceptibles de inscripción registral, en particular, vehículos
• La anotación preventiva otorga al ejecutante dos derechos:
  • El *ius prioratis* o derecho de preferencia, en virtud del cual la anotación otorga <u>preferencia</u> para el cobro del crédito a que se refiere, respecto a los <u>créditos anotados con posterioridad</u>, salvo los que sean preferentes por disposición de la ley
  • El *ius persequendi* o derecho de persecución, en virtud del cual, aunque el bien <u>se transmita a un tercero</u>, <u>continúa</u> sometido a la ejecución, subrogándose el tercero en la posición del ejecutado
• La anotación preventiva no tiene carácter constitutivo, sino declarativo, es decir, la anotación preventiva no es obligatoria, siendo posible la realización del bien o derecho sin estar anotado preventivamente el embargo, no pudiendo el deudor, ni quienes contraten con él ampararse en la falta de publicidad formal del embargo |
| | • Ahora bien, para que el embargo despliegue toda su eficacia frente a terceros, es necesaria su inscripción en el Registro correspondiente, pues, si el embargo <u>no está anotado preventivamente</u>, no perjudica a los <u>terceros adquirentes inscritos</u>, los cuales sí están protegidos por la fe pública registral conforme al art. 34 LH
• Una vez anotado preventivamente el embargo, tiene rango preferente sobre los <u>actos dispositivos</u> y sobre los <u>créditos POSTERIORES</u> a la fecha de la anotación
• Respecto de los <u>actos dispositivos</u> anteriores:
  • Si están <u>inscritos</u> en el Registro, darán lugar a la <u>denegación</u> de la práctica de la anotación preventiva, no anotándose el embargo al estar el bien inscrito a nombre de persona distinta del ejecutado (art. 658 LEC)
  • Si <u>no están inscritos</u> en el Registro, el titular del bien distinto del ejecutado deberá hacer valer su derecho a través de la <u>tercería de dominio</u> |

- Respecto de los <u>créditos anteriores</u>, los que sean preferentes, en su caso, deberán hacerlo valer a través de la <u>tercería de mejor derecho</u> (art. 613 LEC)

La anotación preventiva de embargo de bienes inmuebles, o de otros semejantes susceptibles de inscripción registral, se <u>tramita del siguiente modo</u>:

- Se acuerda por <u>DECRETO</u> del Secretario judicial, con expresión de la descripción del bien embargado, y en el que se acuerda el libramiento de mandamiento por duplicado al Registro de la Propiedad, o de Bienes Muebles que corresponda
- El <u>MANDAMIENTO</u> se forma con el testimonio, literal y completo, del decreto en el que se acuerda la anotación preventiva, dirigido al Registro que corresponda
- Deberá contener la <u>descripción precisa</u> de la <u>finca</u> o bien, todos los datos y circunstancias completos del <u>ejecutante</u> y del <u>ejecutado</u>, así como las <u>cantidades</u> de que responde el embargo por todos los conceptos, <u>principal</u> y presupuesto para <u>intereses y costas</u> de la ejecución
- Deberá hacerse constar que la resolución es <u>FIRME a efectos registrales</u>, pues, en todo caso, el recurso que cabe interponer contra la resolución en que se acuerda no tiene efectos suspensivos
- De haberse practicado deberá hacerse constar la <u>notificación</u> de la existencia del procedimiento al <u>cónyuge del ejecutado</u> a los efectos establecidos en los arts. 541 LEC y 144 RH, con expresión de los datos completos del cónyuge
- Se expiden <u>DOS mandamientos ORIGINALES</u>, debidamente sellados, y firmados únicamente por el Secretario judicial
- En el caso de bienes inmuebles, el mismo <u>día de su expedición</u> –y no el posterior–, el mandamiento <u>se adelanta VÍA FAX</u> –o por cualquier otro medio telemático– al <u>Registro de la Propiedad</u> correspondiente
- Los dos mandamientos originales, remitido el fax, se entregan al <u>Procurador</u> de la parte ejecutante, para su diligenciamiento, debiendo ser <u>DEVUELTO uno de los originales</u> para su unión a la ejecución, con la anotación original practicada por el Registro de la Propiedad, en la que se expresa la fecha, y <u>letra</u> causada por el embargo objeto de anotación preventiva

	• Una vez presentado el mandamiento, si el Registro de la Propiedad acuerda la <u>suspensión</u> de la anotación por algún defecto subsanable, el plazo de suspensión, conforme al art. 96 LH, si concurre justa causa, se puede prorrogar judicialmente, hasta ciento ochenta días, por diligencia de ordenación del Secretario judicial

PRÓRROGA DE LA ANOTACIÓN PREVENTIVA *Arts. 86 LH y 199 RH*	• Las anotaciones preventivas de embargo tienen una vigencia de <u>CUATRO AÑOS</u>, por lo que, antes de que transcurra este plazo, pero sólo <u>a instancia del ejecutante</u>, deben ser <u>PRORROGADAS</u> por diligencia de ordenación del Secretario Judicial
	• Debe distinguirse:
	    • Las anotaciones preventivas <u>ANTERIORES</u> a la entrada en vigor de la LEC 2000, deben prorrogarse <u>una sola vez</u> para que permanezca la anotación de embargo, no siendo necesarias más prórrogas
	    • Las anotaciones preventivas de embargo <u>POSTERIORES a la entrada en vigor de la LEC 2000</u>, deben prorrogarse <u>necesariamente cada cuatro años</u>, tantas veces como sea preciso, pues, de no hacerse, se cancelará la anotación al vencimiento de cualquiera de los plazos de cuatro años

ANOTACIÓN DEL EMBARGO DEL SOBRANTE *Art. 611 LEC*	• Como excepción a la prohibición del embargo de bienes futuros, se puede embargar el <u>SOBRANTE</u> que pudiera corresponder al mismo <u>ejecutado</u> en la realización forzosa de bienes llevada a cabo en otra ejecución ya despachada, ante el mismo o distinto tribunal • El embargo del sobrante, es diferente del embargo de las cantidades que pudieran corresponder al ejecutado, cuando éste, en lugar de ejecutado, sea ejecutante en otra ejecución, en cuyo caso no se trata de sobrante, sino del <u>embargo del crédito</u> del ejecutado, si bien, en ambos casos, su anotación se practica de igual forma • El embargo del sobrante, o del crédito en su caso, se garantiza mediante el libramiento, de oficio, de <u>EXHORTO</u> al tribunal que conoce de la ejecución en la que nuestro ejecutado interviene también, en calidad de ejecutante o de ejecutado, interesando la anotación del embargo acordado sobre el sobrante o crédito, con expresión de todos los datos necesarios, interesando la transferencia a la cuenta de consignaciones de las

	cantidades, y acompañando testimonio de la resolución en que se decreta el embargo y su anotación

VI
TERCERÍAS

TERCERÍAS	
Arts. 595 a 604 y 614 a 620 LEC	
TERCERÍA DE DOMINIO *Arts. 595 a 604 LEC*	CONCEPTO: • Es un <u>proceso declarativo</u>, de carácter <u>incidental</u> a una ejecución, iniciado por un <u>TERCERO</u> que <u>no es parte</u> en ella, pero que, por medio de demanda independiente, interesa el <u>ALZAMIENTO</u> de un embargo trabado en la ejecución, <u>afirmando ser el dueño del bien embargado</u> como perteneciente al ejecutado, por habérselo adquirido <u>con anterioridad</u> a que se practicara la traba
	SUSPENSIÓN DE LA EJECUCIÓN: • La admisión a trámite de la demanda de tercería <u>SUSPENDE la ejecución</u> respecto del <u>bien a que se refiere</u>, lo que se acuerda por diligencia de ordenación del Secretario judicial, llevando testimonio del decreto de admisión a trámite a la ejecución correspondiente

	TRAMITACIÓN:
	• Se tramita por los cauces del juicio declarativo <u>VERBAL</u>
	• La <u>competencia</u> funcional corresponde al mismo Juzgado que conoce de la ejecución en la que se ha decretado el embargo
	• La demanda se dirige contra el <u>ejecutante</u>, y también contra el <u>ejecutado</u> sólo en el caso de que éste haya designado el bien como susceptible de embargo
	• La tercería de dominio se <u>INADMITE</u> a trámite, de plano, por auto del tribunal, en los siguientes casos:
	  • Si no se acompaña con la demanda un <u>principio de prueba</u> por <u>escrito</u> de la titularidad del bien
	  • Si el bien objeto de la tercería <u>se ha trasmitido</u> ya al ejecutante o a un tercero en subasta
	  • Si se trata de <u>segunda o ulteriores tercerías</u>
	• La <u>falta de contestación</u>, a diferencia de la regla gene-

	ral de la rebeldía, se considera como un allanamiento, teniéndose por admitidos los hechos alegados en la demanda, y dictándose, sin más trámite, auto numerado final y definitivo • La tercería se resuelve siempre por <u>AUTO numerado</u>, que sólo se pronuncia sobre la <u>procedencia o no del embargo</u> a los efectos de la ejecución, ordenando, en su caso, su alzamiento y el de las medidas de garantía practicadas, pero sin producir efectos de <u>cosa juzgada</u> en relación con la titularidad del bien, por lo que puede plantearse un nuevo proceso sobre dicho objeto • Contra el auto que resuelve la tercería, por ser definitivo, cabe interponer <u>recurso de apelación</u>
TERCERÍA DE MEJOR DERECHO *Arts. 614 a 620 LEC*	<u>CONCEPTO:</u> • Es el proceso declarativo, de carácter <u>incidental</u> de una ejecución, iniciado por un <u>TERCERO</u> que no es parte en ella, pero que, siendo también <u>ACREEDOR del mismo ejecutado</u>, por medio de una demanda independiente, afirma tener derecho a que <u>su crédito</u> sea <u>satisfecho con PREFERENCIA</u> al del acreedor ejecutante de dicha ejecución Así son preferentes, conforme al <u>Derecho sustantivo</u>, los créditos salariales, los créditos tributarios o por Seguridad Social, los créditos por cuotas de comunidades de propietarios –art. 9.5 LPH–, o los créditos que, sin privilegio especial, consten en escritura pública o en sentencia firme
	<u>SUSPENSIÓN DE LA EJECUCIÓN:</u> • La admisión a trámite de la demanda de tercería <u>NO SUSPENDE la ejecución</u>, sino, únicamente, la <u>ENTREGA al ejecutante</u> de las cantidades que se vayan obteniendo, llevando testimonio del decreto de admisión a trámite a la ejecución a los efectos procedentes
	<u>TRAMITACIÓN:</u> • Se tramita, también, por los cauces del juicio declarativo <u>VERBAL</u>, si bien en esta tercería, con <u>trámite de CONTESTACIÓN ESCRITA</u>, previo emplazamiento del demandado por el plazo de veinte días • La <u>competencia</u> funcional corresponde también al mismo Juzgado que conoce de la ejecución en la que se discute la preferencia de su crédito • La demanda se dirige contra el <u>ejecutante</u>, y también

contra el ejecutado, sólo cuando el crédito cuya preferencia se reclama no conste en título ejecutivo, aunque siempre se le debe notificar la existencia de la tercería
- La tercería de mejor derecho se INADMITE a trámite, de plano, por auto del tribunal, en los siguientes casos:
  - Si no se acompaña con la demanda un principio de prueba por escrito del crédito que se considera preferente
  - Si ya se ha entregado al ejecutante la suma obtenida en la ejecución forzosa, o ya se ha trasmitido al ejecutante la titularidad de los bienes objeto de ejecución
- La falta de contestación, al igual que en la tercería de dominio, se considera como un allanamiento, dictándose, sin más trámite, auto numerado final y definitivo
- En caso de ALLANAMIENTO, no oposición o desistimiento del ejecutante se distinguen varios supuestos según el crédito del tercerista conste en título ejecutivo, en cuyos casos la ejecución sigue para satisfacer primero al tercerista, o si el crédito no consta en título ejecutivo, en cuyo caso, según exista o no oposición del ejecutado, la tercería sigue adelante o se acuerda el archivo de la ejecución
- La tercería, en caso de oposición, se resuelve por SENTENCIA, que fijará el orden de preferencia de los créditos para ser satisfechos
- En todos los casos en que se acuerda la preferencia del tercerista para satisfacer su crédito con anterioridad, se reconoce al ejecutante el derecho a ser REINTEGRADO primero en las tres quintas partes de las COSTAS generadas en la ejecución hasta la demanda de tercería
- Contra la sentencia o resolución que resuelve la tercería, por ser definitivas, cabe interponer recurso de apelación

VII ADMINISTRACIÓN JUDICIAL

ADMINISTRACIÓN JUDICIAL	
Arts. 592.3, 622.2 y 3, 630 a 633, 676 a 680, y 690 LEC	
CONCEPTO	• La ADMINISTRACIÓN JUDICIAL se regula con varias finalidades:

- Como medida de GARANTÍA, en los siguientes casos:
  - En caso de embargo de EMPRESAS (art. 592.3 LEC)
  - En caso de embargo de las ACCIONES o participaciones que representen la mayoría del capital social de una sociedad (art. 630.1 LEC)
  - En caso de embargo de la mayoría del PATRIMONIO o bienes adscritos a la explotación de una sociedad (art. 630.1 LEC)
  - En caso de embargo de FRUTOS, RENTAS o intereses, cuando se haya cumplido la orden de retención por parte del ejecutado o de la entidad pagadora o receptora, o cuando lo aconsejen las circunstancias por la naturaleza o importancia de los bienes embargados (art. 622.2 y 3 LEC)
- Como medio de PAGO:
  - En la ejecución ORDINARIA, cuando así lo aconseje la naturaleza de los bienes, mediante la ENTREGA al ejecutante, o a otro administrador, de todos o parte de los bienes embargados, para aplicar sus rendimientos al pago del principal, intereses y costas de la ejecución (art. 676 LEC)
    La administración se rige, primero, por lo que pacten ejecutante y ejecutado, y en su defecto, por la costumbre del país
    Mientras los bienes embargados continúen dados en administración para pago, no se procede a su enajenación forzosa
  - En la ejecución de bienes HIPOTECADOS o pignorados (art. 690 LEC)

ADMINISTRACIÓN JUDICIAL

Arts. 630 a 633 LEC

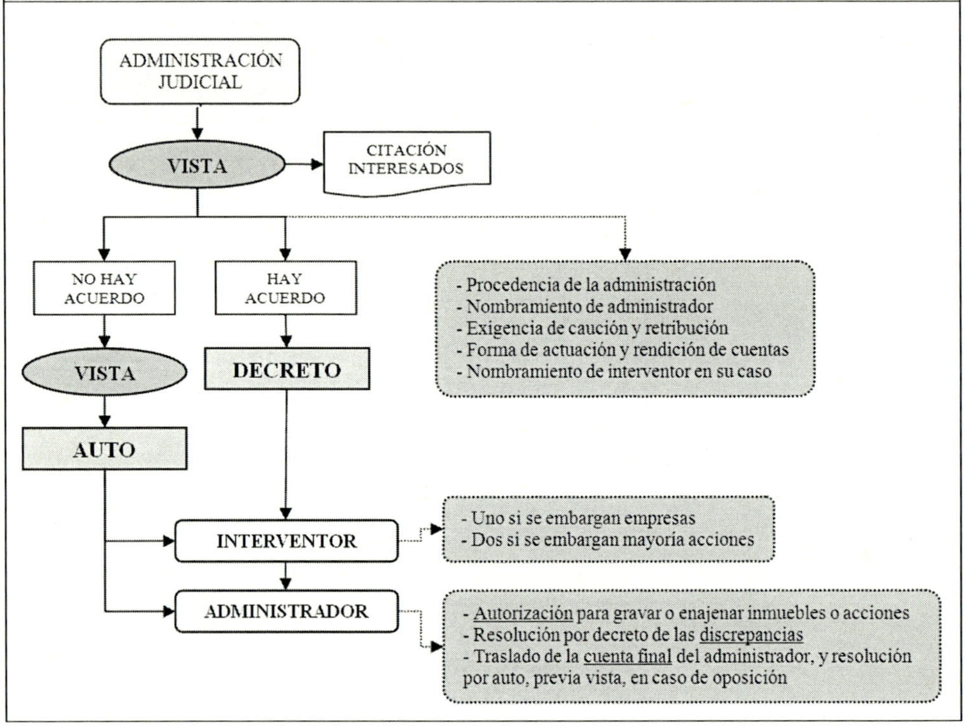

ADMINISTRACIÓN JUDICIAL

VISTA → CITACIÓN INTERESADOS

NO HAY ACUERDO

HAY ACUERDO

- Procedencia de la administración
- Nombramiento de administrador
- Exigencia de caución y retribución
- Forma de actuación y rendición de cuentas
- Nombramiento de interventor en su caso

VISTA

DECRETO

AUTO

INTERVENTOR
- Uno si se embargan empresas
- Dos si se embargan mayoría acciones

ADMINISTRADOR
- Autorización para gravar o enajenar inmuebles o acciones
- Resolución por decreto de las discrepancias
- Traslado de la cuenta final del administrador, y resolución por auto, previa vista, en caso de oposición

ADMINISTRACIÓN PARA PAGO

Arts. 676 a 680 LEC

ADMINISTRACIÓN PARA PAGO → CUENTAS ANUALES → DEMÁS CONTROVERSIAS

ACREEDORES POSTERIORES ← DO TRASLADO

DO TRASLADO

REGISTRO INCIDENTE

DECRETO

ALEGACIONES

VISTA

VISTA

SENTENCIA

DECRETO

Vía de apremio: la subasta

SUMARIO:

I
VÍA DE APREMIO

CONCEPTO	
Arts. 634 a 675 LEC	
CONCEPTO	• Es el <u>proceso de REALIZACIÓN</u> de los bienes embargados, previa conversión, en su caso, de los mismos en dinero, al objeto de proceder a la satisfacción total del crédito del ejecutante, mediante el PAGO de las cantidades adeudadas en virtud de un título ejecutivo, en conceptos de principal, intereses liquidados y costas tasadas
	• La vía de apremio es la <u>última fase</u> de la ejecución

	dineraria, después del despacho de ejecución, el embargo de bienes y la adopción de las medidas de garantía del embargo • La principal condición para que pueda iniciarse la vía de apremio es el <u>transcurso del plazo</u> establecido para formular OPOSICIÓN al <u>despacho de ejecución</u>, por lo que es imprescindible que se haya notificado el auto de orden general de ejecución y el decreto de medidas ejecutivas al ejecutado, personalmente, o en última instancia, por medio de edictos, sin cuyo requisito no podrá entregarse ninguna cantidad al ejecutante
FORMAS	La realización de los bienes embargados depende de su naturaleza, pudiendo distinguirse: • La <u>ENTREGA DIRECTA</u> al ejecutante, cuando lo embargado es <u>dinero, saldos de cuentas corrientes, sueldos, salarios o pensiones</u>, o frutos, rentas o intereses en efectivo • La <u>ENAJENACIÓN</u>, a través de <u>mercados de valores</u>, o sus entidades gestoras, según sus disposiciones legales, o en la forma establecida en los <u>estatutos sociales</u>, cuando lo embargado son <u>ACCIONES, valores, obligaciones, o participaciones</u>, distinguiendo según se trate de los valores admitidos a negociación en bolsa o en otro mercado secundario, reglado o con precio oficial, o se trate de acciones o participaciones sociales que no cotizan en bolsa o en otro mercado secundario • El <u>CONVENIO de realización</u> y la enajenación por <u>persona o entidad especializada</u>, en ambos casos por acuerdo entre ejecutante y ejecutado, y principalmente, la <u>SUBASTA judicial</u>, cuando se trate de los <u>DEMÁS bienes embargados</u>

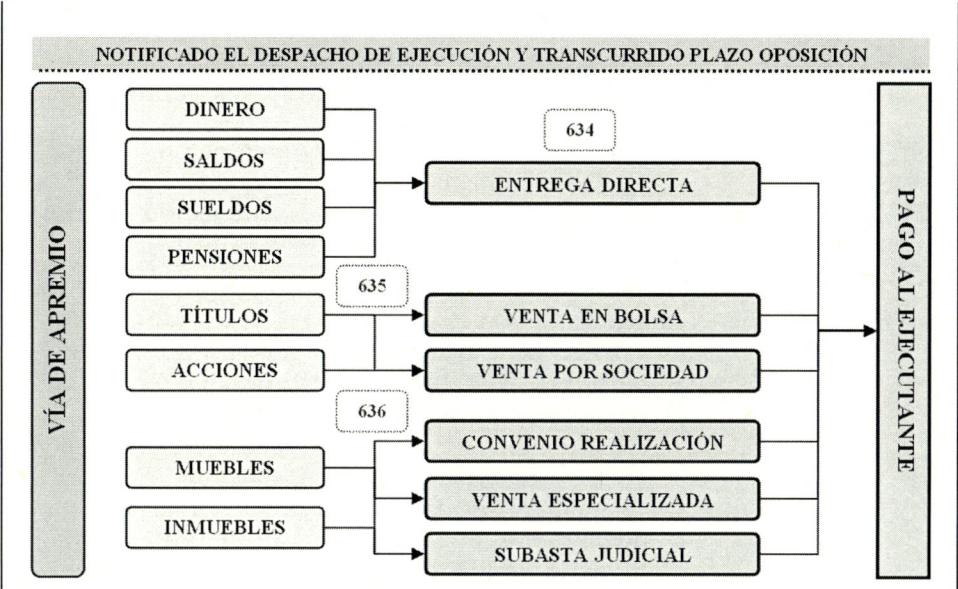

PAGO DEL EJECUTADO	El ejecutado siempre tiene abierta la posibilidad del PAGO de la cantidad reclamada por principal, intereses y costas previa liquidación de estos últimos, el cual se prevé en distintos momentos del proceso de ejecución: • En la ejecución provisional, al que se refiere el art. 531 LEC • En el momento del requerimiento de pago, al que se refiere el art. 583 LEC • En evitación del embargo, al que se refieren los arts. 585 y 586 LEC • En cualquier momento anterior a la adjudicación o aprobación de remate de los bienes, al que se refieren los arts. 650.5 y 670.7 LEC

ENTREGA DIRECTA	
Art. 634 LEC	
CONCEPTO *Art. 634 LEC*	Cuando lo embargado es dinero efectivo, u otro bien que pueda realizarse directa e inmediatamente, la primera y única actuación de la vía de apremio es la ENTREGA DIRECTA de los bienes embargados al ejecutante, lo que tiene lugar cuando lo embargado es: • DINERO efectivo, o divisas oficiales convertibles

	• Saldos de CUENTAS CORRIENTES, libretas de ahorro u otras de inmediata disposición • SUELDOS, salarios, PENSIONES o retribuciones periódicas • Intereses, FRUTOS o RENTAS en dinero efectivo • Cualquier otro bien cuyo valor nominal coincida con el valor de mercado, o que, aun siendo inferior, el ejecutante acepte por su valor nominal
SUPUESTOS ESPECIALES	Existen supuestos especiales de entrega directa al ejecutante: • Cuando se trata de saldos favorables en CUENTA, pero con VENCIMIENTO DIFERIDO, se adoptan las medidas oportunas para lograr su cobro, pudiendo incluso designarse un administrador cuando sea conveniente o necesario para su realización • Cuando se trata de la ejecución de sentencias que condenan por el incumplimiento de contratos de venta a PLAZOS de bienes MUEBLES, se acuerda la entrega directa del bien mueble vendido o financiado a plazos, por el valor que resulte de las tablas o índices referenciales de depreciación que se hubiesen establecido por las partes en el contrato No se acuerda esta entrega directa cuando la ejecución provenga de juicio monitorio, pues en tal caso el despacho de ejecución no tiene su origen en una sentencia, sino en otra resolución, sin perjuicio de que el ejecutante pueda promover, en la forma ordinaria, el depósito y la subasta del bien financiado o vendido a plazos

PRÁCTICA	La práctica de las entregas de dinero depositadas en la Cuenta de Consignaciones judiciales se realiza:
	• Las entregas de dinero se realizan de oficio, sin necesidad de petición de parte
	• El primer requisito que debe comprobarse es:
	  • Si no hay ejecución abierta, porque se trata del cumplimiento voluntario de la resolución, que la sentencia o resolución en que se impone el pago de la cantidad sea firme, incluida la notificación de la sentencia al demandado rebelde incluso en el Boletín Oficial cuando proceda
	  • Si se ha formulado recurso de apelación contra la sentencia definitiva, se distingue:

- Si es el <u>actor</u> el que ha interpuesto el recurso, se le entrega el principal consignado, de oficio, y sin necesidad de que se presente escrito o inste la ejecución provisional.
- Si es el <u>demandado</u> el que interpone el recurso, es necesario que presente la oportuna demanda de ejecución provisional para la entrega del principal consignado, e intereses en su caso
- Si hay <u>ejecución abierta</u>, que el auto despachando ejecución esté notificado al ejecutado, personalmente o por edictos en última instancia, y que haya transcurrido el plazo de diez días –o cinco, en caso de ejecución provisional–, desde la notificación sin que se haya formulado oposición a la ejecución

- Una vez consignado el principal reclamado, y también, en su caso, los intereses vencidos y ya liquidados, sin necesidad de solicitud, de oficio, se entregan dicho principal e intereses liquidados, y al mismo tiempo, <u>se requiere</u> a la parte ejecutante, a fin de que presente la oportuna propuesta de liquidación, y minuta de honorarios o nota de derechos y suplidos, a efectos de practicar, según el caso, las oportunas diligencias de <u>liquidación de intereses</u> y tasación de costas, y ello con el apercibimiento de devolución del sobrante o archivo de los autos
- En caso de consignación por el ejecutado, principalmente cuando se trata de compañías de seguros en accidentes de tráfico, de una cantidad fijada por él en concepto de intereses, se puede acordar su entrega directa al ejecutante, haciéndosele saber que se le entregan los <u>intereses consignados</u> sin perjuicio de que pueda instar su liquidación judicial, pero con el apercibimiento de que se entiende que se conforma con la suma consignada si no promueve la oportuna liquidación de intereses conforme a lo establecido en los arts. 712 y ss. LEC
- En caso de <u>retenciones periódicas</u> de sueldos, salarios o pensiones durante el proceso de ejecución, se pasarán los autos al Secretario Judicial para la expedición del oportuno mandamiento de devolución, salvo que se haya fijado una periodicidad mínima en los ingresos para su entrega, o se haya acordado el ingreso directo en la cuenta del ejecutante

VENTA DE VALORES O ACCIONES	
Art. 635 LEC	

CONCEPTO
Art. 635 LEC
	• Un supuesto <u>intermedio</u> de realización, entre la entrega directa al ejecutante y la subasta judicial, es el caso de embargo de <u>valores, ACCIONES, obligaciones, o participaciones sociales</u>, en cuyos casos la realización se realiza de forma <u>automática e inmediata</u>, en virtud de las disposiciones legales o contractuales aplicables a la transmisión de este tipo de bienes
	• Dentro de estos supuestos, se distinguen, a su vez, dos casos:
	  • Cuando se trate de acciones, obligaciones u otros valores admitidos a negociación en un <u>MERCADO SECUNDARIO</u>, o coticen en cualquier mercado <u>reglado</u> o con precio oficial, se enajenarán con arreglo a las leyes que rijan dicho mercado, dirigiendo oficio del Secretario judicial a fin de que se proceda a la venta de los valores embargados por parte del órgano rector competente, o en su caso, a través del Banco gestor –si es que se hallan depositados en éste mediante anotaciones en cuenta–, interesando se ingrese la cantidad obtenida en la cuenta de consignaciones del tribunal, para su entrega al ejecutante
	  • Cuando se trate de acciones o participaciones sociales de cualquier clase que <u>NO coticen en BOLSA</u>, o en otro mercado secundario o reglado, se enajenarán en la forma establecida en los <u>estatutos de la sociedad</u> de que se trate, o en las disposiciones legales aplicables, respetando, en su caso, los derechos de adquisición preferente, o en defecto de disposiciones especiales, <u>a través de Notario</u>, a cuyo fin se dirige oficio del Secretario judicial a los <u>administradores sociales</u>, o al Colegio de Notarios cuando uno de éstos deba intervenir, a fin de que se proceda a la venta de las acciones o participaciones, ingresando la cantidad que se obtenga en la cuenta de consignaciones del tribunal, para su entrega al ejecutante

MEDIOS ALTERNATIVOS A LA SUBASTA	
Arts. 636 y 640 a 642 LEC	

CONVENIO DE REALIZACIÓN
Art. 640 LEC
	• Aunque en la práctica no es así, según el art. 636 LEC, el <u>CONVENIO DE REALIZACIÓN</u> debería ser el medio preferente de realización de los bienes embargados
	• El convenio entre el ejecutante y el ejecutado debe lograrse, a instancia de las partes, en <u>comparecencia</u> celebrada ante el Secretario judicial, y se aprueba, en su caso, por medio de decreto
	• Para que pueda promoverse el convenio, son <u>requisitos previos</u>:
	  • Que se haya practicado el <u>avalúo pericial</u> de los bienes, o en su defecto, las partes se hayan puesto de acuerdo sobre su valor
	  • Que en caso de inmuebles, o bienes susceptibles de inscripción registral, se haya aportado la <u>certificación de dominio y cargas</u>
	• Pueden intervenir también, además del ejecutante y el ejecutado, <u>terceras personas</u> interesadas en la ejecución, o por invitación del ejecutante o ejecutado
	• Se puede proponer <u>cualquier ACUERDO</u>, o forma de realización de los bienes, el pago a plazos o una administración para pago, presentar persona que se ofrezca a adquirir los bienes –en este caso, siempre que el precio, previsiblemente, sea superior al que pudiera lograrse en la subasta judicial–, una dación en pago, una novación de la deuda con determinadas garantías...
	• Cuando el acuerdo se refiera a bienes INMUEBLES, u otros susceptibles de inscripción registral, para su aprobación, es necesaria la conformidad de los <u>acreedores posteriores</u> y terceros poseedores posteriores al embargo que se ejecuta
	• La comparecencia puede <u>repetirse</u> cuantas veces se estimen necesarias, cuando las circunstancias lo aconsejen, para la mejor realización de los bienes embargados
	• Una vez se acredite el cumplimiento del convenio, se acuerda el <u>archivo</u> y sobreseimiento de la ejecución por decreto numerado

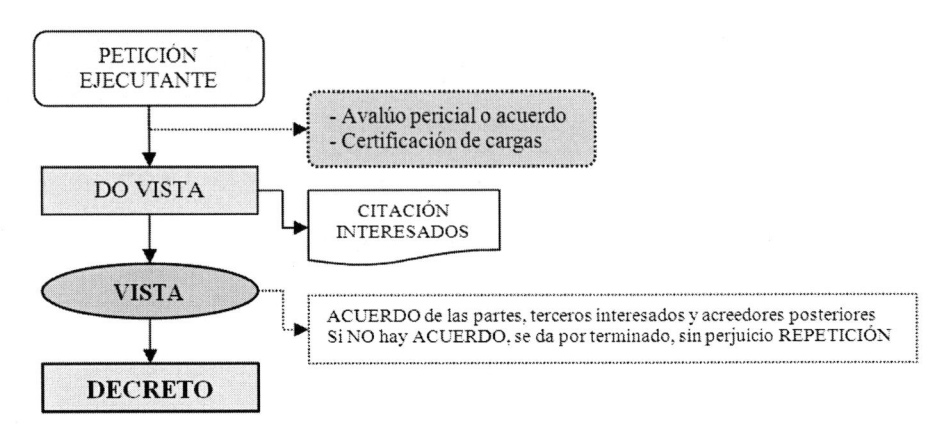

VENTA POR PERSONA O ENTIDAD ESPECIALIZADA *Arts. 641 y 642 LEC*	• La <u>REALIZACIÓN</u> del bien embargado por <u>persona o ENTIDAD ESPECIALIZADA</u> y conocedora del mercado en que se compran y venden esos bienes, o a través del Colegio de Procuradores, puede acordarse cuando así lo aconsejen las características del bien embargado • Para que pueda promoverse la venta por persona o entidad especializada, son <u>requisitos previos</u> también que se haya practicado el <u>avalúo pericial</u> de los bienes –o en su defecto, que las partes se hayan puesto de acuerdo sobre su valor–, y en el caso de inmuebles, o bienes susceptibles de inscripción registral, que se haya aportado también la <u>certificación de dominio y cargas</u> • La venta se aprueba por <u>decreto</u> del Secretario judicial, previa celebración de una <u>comparecencia</u> cuando se trate de bienes <u>inmuebles</u> • La persona o entidad especializada deberán prestar caución en la cuantía que se determine por el Secretario judicial, salvo que se trate de una entidad pública o Colegio de Procuradores • La enajenación, una vez realizada, debe ser <u>aprobada</u>, también por decreto del Secretario judicial, ingresándose el precio en la cuenta de consignaciones judiciales, previa deducción de los gastos acreditados con sus justificantes • El encargo de realización se revoca si no se lleva a efecto dentro de un plazo de <u>seis meses</u>, prorrogable por seis meses más, quedando, entonces, abiertas de nuevo las puertas de la subasta judicial

NORMAS COMUNES	Son <u>aplicables</u> al convenio de realización, y a la venta por entidad especializada, las siguientes normas de la subasta judicial: • Sobre <u>inscripción subsistencia y cancelación de cargas</u> de bienes inmuebles • Sobre la distribución del <u>precio</u> y del posible <u>sobrante</u>

II **LA SUBASTA**

CONCEPTO	
Arts. 643, 650.5, 655 y 670.7 LEC	
CONCEPTO	La subasta tiene por objeto la <u>VENTA JUDICIAL y for-zosa</u> de uno o varios bienes objeto de la ejecución para, con su importe, hacer pago al ejecutante de las cantidades reclamadas en el proceso de ejecución
NORMAS	• Las normas de las subastas de bienes muebles de los arts. 643 y ss. LEC son de aplicación <u>supletoria</u> a las subasta de bienes inmuebles, y demás bienes muebles sujetos a régimen de publicidad registral similar, reguladas en los arts. 655 y ss. LEC
PAGO DEL DEUDOR	• En cualquier momento anterior a la aprobación del remate o a la adjudicación a favor del ejecutante, el <u>ejecutado</u> puede <u>liberar sus bienes</u>, pagando lo que deba por principal, intereses y costas • En caso de bienes inscritos en Registro, el <u>tercero poseedor</u> también puede liberar los bienes, si bien, en este caso, pagando únicamente las cantidades que por principal, intereses y costas aparezcan anotadas en el Registro correspondiente

PREPARACIÓN DE LA SUBASTA EN EJECUCIONES NO HIPOTECARIAS	
Arts. 637 a 639, 656 a 666, 688 y 689 LEC	
AVALÚO PERICIAL *Arts. 637 a 639 LEC*	• Salvo cuando se trata de dinero o de valores realizables, con carácter previo a la subasta, debe procederse al <u>AVALÚO PERICIAL</u> de los bienes embargados • El avalúo pericial <u>no es necesario</u> en dos casos: • Cuando ejecutante y ejecutado se hayan puesto de

299

ACUERDO, antes o después de la ejecución, en el valor del bien subastado

Así sucede, principalmente, en los supuestos de financiación o venta a plazos de bienes muebles o vehículos, en los cuales, a la firma del contrato de financiación o venta, las partes suelen pactar que, en caso de venta judicial, se fija el precio del bien con arreglo a determinadas tablas o precios de referencia oficiales

- En la ejecución HIPOTECARIA, en la que el precio de tasación a efectos de subasta ya se ha pactado por las partes en la escritura de hipoteca

- El PERITO judicial se nombra, acepta el cargo, y emite su dictamen en la misma forma establecida para los procesos declarativos en fase de trámite

- En caso de bienes inmuebles, antes del avalúo pericial, debe obtenerse la certificación de dominio y cargas de la finca

- En el caso de bienes inmuebles, con carácter previo a la fijación definitiva del valor del bien a efectos de subasta, se mantiene la práctica de la diligencia de valoración prevista en el art. 666 LEC, por parte del Secretario judicial, de la que se da traslado a las partes por diligencia de ordenación

1) AVALÚO PERICIAL

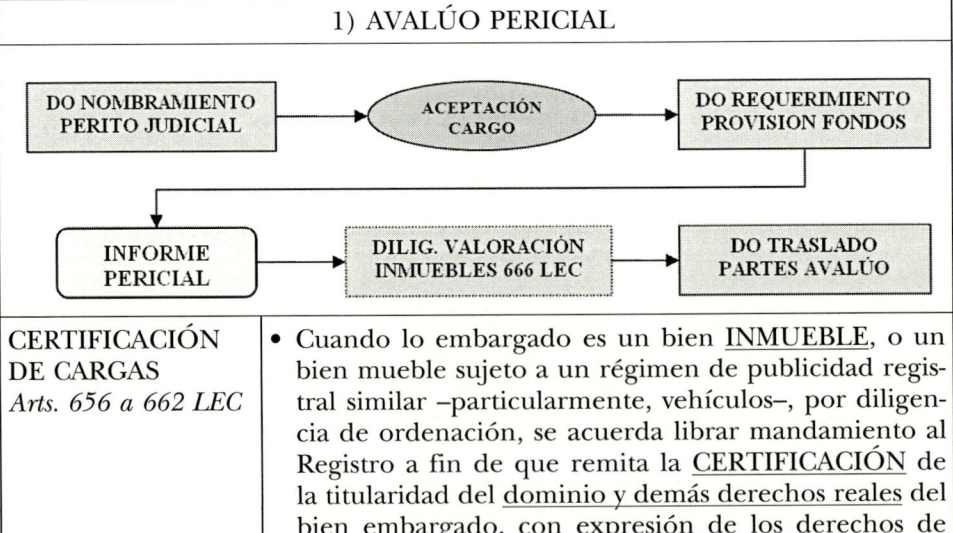

CERTIFICACIÓN DE CARGAS *Arts. 656 a 662 LEC*	• Cuando lo embargado es un bien INMUEBLE, o un bien mueble sujeto a un régimen de publicidad registral similar –particularmente, vehículos–, por diligencia de ordenación, se acuerda librar mandamiento al Registro a fin de que remita la CERTIFICACIÓN de la titularidad del dominio y demás derechos reales del bien embargado, con expresión de los derechos de cualquier naturaleza que consten sobre el bien, y la

relación completa de las cargas inscritas que lo graven, o en su caso, que se halla libre de cargas

El Registrador hace constar la expedición de la certificación por <u>nota marginal</u>, con expresión de su fecha y el procedimiento a que se refiere

---

De la certificación de cargas pueden resultar:

1) Que el <u>dominio</u> del bien esté inscrito a nombre de <u>TERCERA PERSONA distinta del ejecutado</u>, en cuyo caso se distingue:

- Si está inscrito a nombre del tercero con <u>anterioridad al embargo</u> que se ejecuta, oídas las partes, se alza el embargo, salvo que la ejecución se dirija contra el ejecutado en su calidad de heredero del titular registral
- Si está inscrito a nombre del tercero con posterioridad al embargo que se ejecuta –o si, después de la anotación del embargo, el bien se ha transmitido a un <u>tercer poseedor</u>–, se mantiene la ejecución, notificándosele la existencia del proceso, y pudiéndosele tener por personado y parte, y liberar el bien antes de la adjudicación, satisfaciendo lo que se daba por principal, intereses y costas dentro de los límites de la anotación de embargo

2) Que existan <u>OTROS ACREEDORES</u> del bien embargado, en cuyo caso se distingue:

- Si se trata de acreedores <u>preferentes o ANTERIORES</u> al embargo que se ejecuta, por diligencia de ordenación, se dirige oficio a los titulares de estos créditos anteriores para que informen sobre la subsistencia y cuantía de su crédito

La <u>información</u> sobre las cargas anteriores se interesa <u>de oficio</u> por la Oficina judicial, bien por medio de oficio dirigido directamente al titular del crédito, o bien por medio de exhorto dirigido al Juzgado que conozca de su procedimiento de ejecución, despachos que, en este caso, como excepción a la regla general, se entregarán, sin necesidad de petición, al procurador del ejecutante para que cuide de su diligenciamiento

A la vista de la información sobre las cargas anteriores o preferentes, a instancia del ejecutante, puede librarse mandamiento al Registro de la Propiedad correspondiente a los efectos de <u>actualizar</u> registral-

	mente las cantidades de que responde el bien conforme a lo establecido en el art. 144 LH • Si se trata de <u>acreedores POSTERIORES</u> al embargo que se ejecuta, no se realiza a los mismos notificación alguna, sino que es el <u>Registrador</u> correspondiente el que les <u>notifica</u> la existencia de la ejecución a los efectos oportunos, debiendo comprobarse en la certificación que se ha practicado dicha notificación Los acreedores posteriores, antes del remate, pueden <u>subrogarse</u> en los derechos del ejecutante, mediante el pago de las cantidades que por principal, intereses y costas aparezcan anotadas en el Registro, haciéndose constar el pago y la subrogación por medio de mandamiento librado al efecto
REQUERIMIENTO DE TÍTULOS *Arts. 663 a 665 LEC*	• En la misma resolución en que se interesa la certificación de dominio y cargas, de oficio o a instancia de parte, se puede acordar <u>requerir al ejecutado</u> para que, en el plazo de diez días, presente los <u>TÍTULOS DE PROPIEDAD</u> del bien • En caso de que se presenten los títulos de propiedad, se da traslado al ejecutante y en caso de que <u>no se presenten</u> –que es el supuesto normal–, no obstante, se pueden sacar los bienes a pública subasta, sin suplir previamente la falta de títulos de propiedad, haciéndose constar esta circunstancia en los edictos, y estándose a lo establecido en el art. 140.5ª LH

2) CERTIFICACIÓN DE CARGAS:

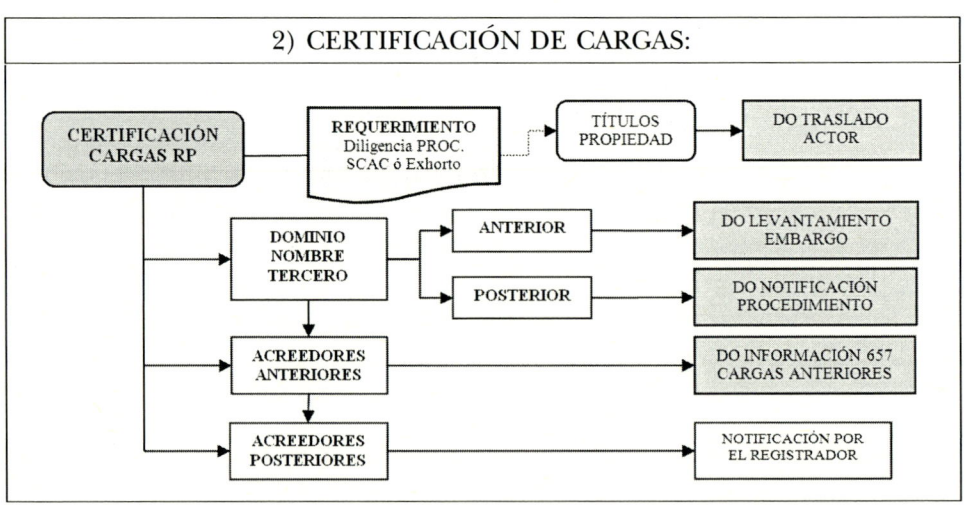

SEÑALAMIENTO DE SUBASTA	
Arts. 643 a 646, 667, 668 y 691 LEC	

SEÑALAMIENTO	• La subasta se señala por <u>diligencia de ordenación</u> del Secretario judicial, con expresión de la descripción completa del bien que se subasta, y la hora y lugar donde haya de celebrarse
	• En el caso de inmuebles, se puede acordar la celebración de <u>subastas simultáneas</u> en una o varias Oficinas judiciales, particularmente, cuando la finca subastada se encuentra en lugar distinto de donde se siga la ejecución
	• En los <u>EDICTOS</u> de subasta se incluyen:
	  • Las condiciones generales y particulares de la subasta
	  • La identificación del bien subastado, especialmente con indicación de sus datos registrales cuando se trata de bienes inmuebles, y su valor de tasación
	  • La situación posesoria del bien subastado, si es que consta, con el posible detalle
	  • El lugar y fecha de la subasta
	  • En el caso de inmuebles:
	    • Que la certificación de cargas y los títulos de propiedad, en su caso, están de manifiesto en la Oficina judicial, entendiéndose que los licitadores aceptan como bastante la titulación existente
	    • Que las cargas anteriores y preferentes que constan subsistirán, quedando el rematante subrogado en la responsabilidad de las mismas
	  • La previsión de que, para el caso de el ejecutado no pueda ser notificado de la fecha de la subasta personalmente, la publicación del edicto servirá de notificación en forma
	• Los edictos <u>se publican</u>, como mínimo, únicamente, en el tablón de anuncios de la Oficina judicial, pero pueden publicarse también a través del servicio común de publicaciones de subastas judiciales, y además, a instancia y a costa del ejecutante, en los demás medios que se tengan por conveniente

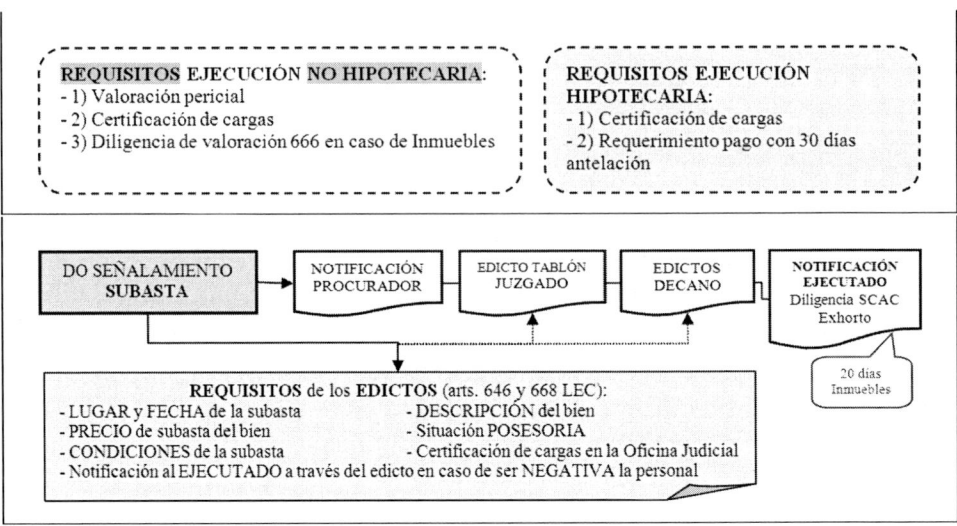

CELEBRACIÓN DE LA SUBASTA	
Arts. 647 a 654, 669 a 675, 691, 692 y DA 6ª LEC	

CELEBRACIÓN	Las principales normas que rigen la celebración de la subasta son:
	• Cuando se trata de bienes inmuebles, la <u>NOTIFICA-CIÓN</u> de la fecha de la subasta al <u>ejecutado</u>, personalmente o por edictos, debe haberse realizado, al menos, con <u>veinte días de ANTELACIÓN</u> a la fecha de su celebración
	• Para tomar parte en la subasta, los licitadores distintos del ejecutante deben acreditar la consignación del <u>depósito previo</u> del <u>20%</u> del valor de tasación del bien subastado, sea mueble o inmueble
	• Pueden realizarse <u>posturas por escrito</u> hasta el mismo momento de celebración de la subasta
	• Se pueden celebrar la subasta con la realización de <u>pujas electrónicas</u>
	• Respecto del <u>EJECUTANTE</u> existen normas especiales:
	  • No necesita consignar depósito previo alguno
	  • Sólo puede participar en la subasta si concurren otros licitadores
	  • Sólo el ejecutante puede ceder el remate a un tercero
	• El <u>ejecutado</u>, o el tercer poseedor en el caso de bienes

inmuebles, en cualquier momento anterior a la aprobación del remate o a la adjudicación a favor del ejecutante, puede liberar sus bienes, pagando lo que deba
por principal, intereses y costas –en el caso del tercer
poseedor, las cantidades que por principal, intereses y
costas aparezcan anotadas en el Registro–

- El acto de la subasta es presidido por el Secretario
judicial
- En caso de subasta con POSTORES se distinguen distintos supuestos según el importe de la MEJOR POS-
TURA, y poniendo en relación la regulación conte-
nida en los arts. 650, 670 y 671 y DA 6ª LEC:
  - Si la mejor postura es SUPERIOR al 70 por ciento
  del valor de tasación –o al 50 por ciento en caso de
  bienes muebles–, se aprueba el remate a favor del
  mejor postor
  - Si la mejor postura es INFERIOR al 70 por ciento
  del valor de tasación –o al 50 por ciento en caso de
  bienes muebles–, por diligencia de ordenación, se
  da traslado de la postura al ejecutado para que
  pueda presentar tercero que mejore la postura ofrecida; si este no hiciere uso de su derecho, se da traslado al ejecutante para que pueda interesar la adjudicación del bien a su favor, al menos, por el 70 por
  ciento, o por la cantidad que se le deba por todos
  los conceptos siempre que supere el límite de la mejor postura –y el 60 por ciento, al menos, cuando se
  trate de vivienda habitual–; y si no se mejora la postura, ni por el ejecutado, ni por el ejecutante, se
  aprueba el remate a favor del mejor postor, siempre
  que su postura supere, al menos, el 50 por ciento
  del valor de tasación –o el 30 por ciento en caso de
  muebles–, si bien, según las circunstancias particula-
  res del caso, puede llegarse, incluso, previa audiencia de las partes, a la no aprobación del remate y
  levantamiento del embargo trabado
- En caso de subasta DESIERTA o sin postores, el ejecutante puede interesar la adjudicación del bien a su favor, distinguiéndose a su vez:
  - Si se trata de VIVIENDA HABITUAL, el ejecutante
  puede interesar la adjudicación a su favor de la finca
  por cantidad igual, o superior, al 60 por ciento de
  su valor de tasación

	• Si <u>NO se trate</u> de <u>VIVIENDA HABITUAL</u>, el ejecutante puede interesar la adjudicación a su favor del bien inmueble por el <u>50 por ciento</u> de su valor de tasación –o el 30 por ciento en caso de muebles–, o por la cantidad debida por todos los conceptos • En todos los supuestos de aprobación del remate, o adjudicación, cuando el precio del remate o la adjudicación sea superior al principal reclamado en la demanda, o cuando se interese la adjudicación por la cantidad debida por todos los conceptos, será necesario, con carácter previo a la adjudicación, la práctica de las oportunas diligencias de liquidación de intereses y tasación de costas
CESIÓN DEL REMATE	• La <u>CESIÓN DEL REMATE</u>, tanto en los casos de celebración de la subasta, como en los casos de adjudicación por subasta desierta, es una facultad sólo del <u>ejecutante</u>, que debe reservarse, y que se realiza por comparecencia ante la Oficina judicial, con asistencia del cesionario, y acreditándose documentalmente el pago del precio
REMATE O ADJUDICACIÓN	• Aprobado el remate, salvo que se trate del ejecutante, se concede al mejor postor el plazo de <u>veinte días</u> para que se <u>consigne</u> la <u>DIFERENCIA</u> entre lo consignado para tomar parte del remate y el precio del mismo Antes de la adjudicación definitiva y la consignación de la diferencia, en caso de no ser el ejecutante el mejor postor, se puede dictar un decreto de <u>aprobación del remate</u>, a efectos de consignación de la diferencia del precio o a efectos de concesión de una nueva hipoteca, si así se solicita con tal fin • El decreto de <u>ADJUDICACIÓN</u> es la resolución del Secretario judicial que, confirmando la regularidad formal del precio ofrecido por el bien subastado, aprueba judicialmente su venta y lo adjudica a favor del mejor postor o del ejecutante, sirviendo de título de dominio para el nuevo propietario
LIQUIDACIÓN DE INTERESES Y TASACIÓN DE COSTAS	Con carácter previo al dictado del decreto de adjudicación, es necesaria la práctica de las diligencias de <u>LIQUIDACIÓN DE INTERESES</u> y de <u>TASACIÓN DE COSTAS</u> en los siguientes casos: • En caso de subasta <u>con POSTORES</u>, cuando se

apruebe el <u>remate</u> por un precio <u>superior al principal</u> reclamado en la ejecución

- En caso de subasta <u>DESIERTA</u>:
  - Cuando el ejecutante interesa la adjudicación del bien a su favor por el <u>60 por ciento</u> del valor de tasación –o el 30 por ciento en caso de bienes muebles–, y dicho porcentaje es <u>superior al principal</u> reclamado en la ejecución
  - Cuando el ejecutante interesa la adjudicación del bien por la cantidad que se le deba por todos los conceptos

REQUISITOS PARA PARTICIPAR EN LA SUBASTA:

1) El EJECUTANTE SÓLO puede participar en la subasta cuando concurra <u>con OTROS LICITADORES</u>

2) Sólo el ejecutante puede reservarse la facultad de <u>CEDER EL REMATE</u> a un TERCERO

3) Para participar en la subasta los POSTORES deben presentar depósito de consignación en la Cuenta del Juzgado, o aval bancario, por el <u>20% del valor de tasación</u>, cualquiera que sea la clase de bien objeto de subasta

4) Hasta la celebración de la subasta se pueden hacer posturas por ESCRITO en SOBRE CERRADO

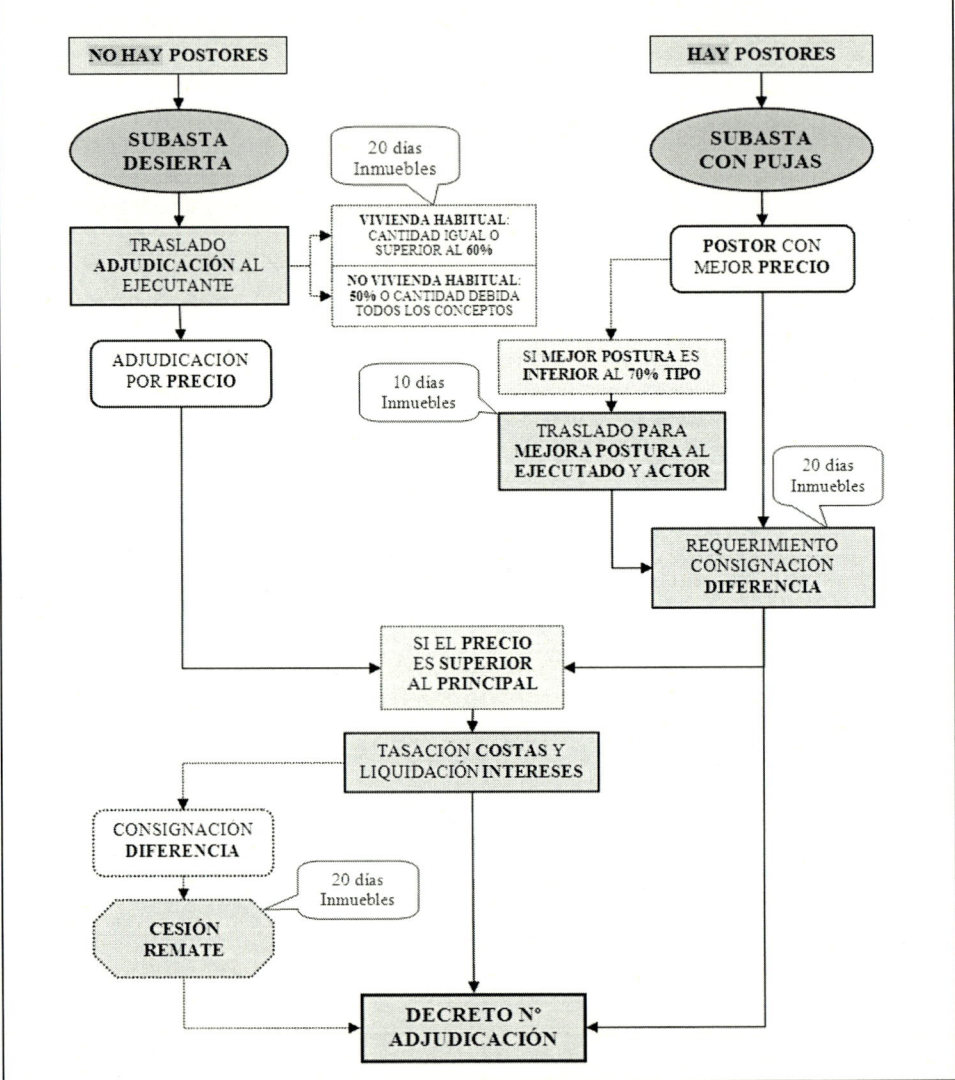

CONTROL DE PLAZOS	• <u>VEINTE</u> días, para la <u>celebración</u> de la subasta de bienes INMUEBLES, contados desde la notificación de la fecha de la subasta al ejecutado, personalmente o por edictos • <u>VEINTE</u> días, contados desde el traslado, para que el ejecutante haga uso de su derecho a interesar la <u>adjudicación</u> de la finca a su favor • <u>VEINTE</u> días –o diez días, en el caso de muebles–, contados desde la aprobación del remate, para que el

	mejor postor consigne la <u>diferencia</u> entre la cantidad depositada para tomar parte en la subasta, y el precio del remate
	• <u>VEINTE</u> días –o diez días, en el caso de muebles–, contados desde el traslado, para que el <u>ejecutado</u> pueda presentar tercero que <u>mejore la postura</u> inferior al 70 por ciento –o 50 por ciento, en el caso de muebles–, y después DIEZ días –o cinco días, en el caso de muebles– para que el ejecutante pida la adjudicación en el mismo caso
	• Cualquier momento anterior a la aprobación del remate, o a la <u>adjudicación</u>, para que el ejecutado <u>LIBERE los bienes</u>, pagando el principal, intereses y costas de la ejecución
DESTINO DEL PRECIO	El <u>PRECIO</u> del <u>remate</u> se destina: 1) Al pago al <u>EJECUTANTE</u> En caso de que haya tercer poseedor o titular del bien distinto del ejecutado, hasta el <u>límite</u> de las cantidades que consten en la anotación preventiva de embargo 2) Al pago a los <u>ACREEDORES POSTERIORES</u> con su derecho anotado o <u>inscrito</u> en el Registro de la Propiedad u otro análogo 3) Al pago a los acreedores posteriores <u>no inscritos</u> en el Registro, pero cuya existencia conste porque se haya acordado el <u>embargo del SOBRANTE</u> 4) A la devolución del remanente al <u>tercer poseedor</u> en caso de que lo haya 5) A la devolución del remanente, en última instancia, al <u>deudor ejecutado</u>
POSIBLES OCUPANTES	• Cuando por manifestaciones del ejecutado, por indicación del ejecutante o de cualquier otro modo, conste la existencia de <u>ocupantes del inmueble</u> distintos del ejecutado, antes o después de la subasta, se les notifica la existencia del procedimiento, requiriéndoles para que, en el plazo de diez días, presenten los títulos que justifiquen su situación, y previa celebración de una vista en su caso, por medio de auto, se resuelve si el ocupante tiene derecho o no a permanecer en el inmueble Nos remitimos a lo ya dicho en relación con este supuesto en el documento de esta obra relativo a la ejecución no dineraria

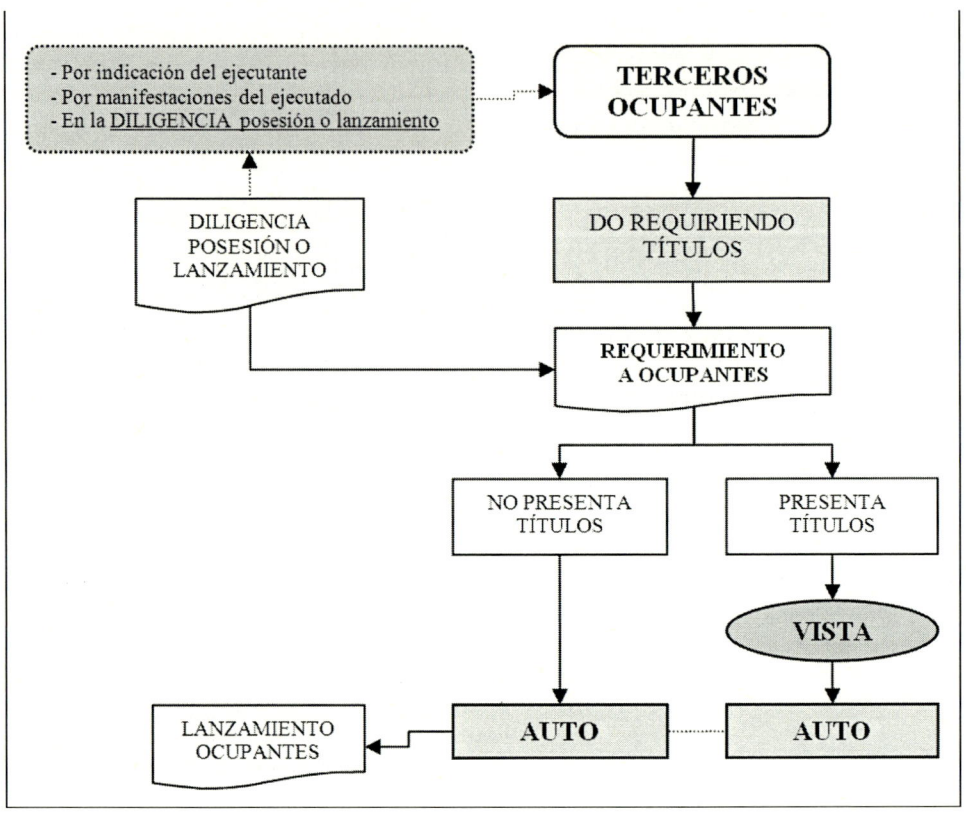

SUMARIO:

I
EJECUCIÓN HIPOTECARIA

CONCEPTO	
Arts. 681 a 698 y 579 LEC	
CONCEPTO	Es un proceso de ejecución <u>especial y privilegiado</u>, que carece de fase contenciosa, y que, al objeto de exigir el pago de una préstamo garantizado con hipoteca, ejercita una acción de ejecución directa contra el bien hipotecado, procediendo a la rápida realización del valor de la <u>finca o bien HIPOTECADO</u>, conforme a los requisitos ya pactados e inscritos en el Registro de la Propiedad
TÍTULO EJECUTIVO	• El título ejecutivo es la <u>ESCRITURA PÚBLICA de constitución de la hipoteca</u>, que conforme a los arts. 17.1 LN y 233 RN, puede ser el <u>testimonio</u> de la escritura pública expedido por el Notario, siempre que, en todo caso, se halla expedido con <u>fuerza ejecutiva</u>, haciéndose constar ella que <u>no se ha expedido otro</u> con tal carácter, y que, en todo caso, debe contener los siguientes requisitos imprescindibles: • La <u>INSCRIPCIÓN</u> en el Registro de la Propiedad,

	con el número de inscripción que ha causado la hipoteca objeto de ejecución
	• El <u>PRECIO</u> en que los interesados <u>tasan la finca</u> a efectos de subasta
	Por ello, en esta ejecución especial <u>no es necesario</u> el <u>avalúo pericial</u>, ni la diligencia de deducción de cargas del art. 666 LEC, lo que agiliza la subasta de los bienes hipotecados
	• El <u>DOMICILIO</u> que las partes señalan para la práctica de <u>notificaciones y requerimientos</u>
	El art. 683 LEC regula el procedimiento para el cambio de domicilio, y por ello, conforme al art. 686.3 LEC, correspondiendo al ejecutado la diligencia debida para el éxito de las notificaciones, de resultar negativo el primer requerimiento de pago practicado en el domicilio pactado, <u>sin averiguación de domicilio</u> alguna, las demás comunicaciones se realizan ya por medio de edictos
	• Si no se puede presentar la escritura pública de hipoteca inscrita, basta con que se presente con la demanda, con los mismos efectos, la CERTIFICACIÓN del Registro de la Propiedad que acredite la <u>inscripción y subsistencia</u> de la hipoteca
CONTINUACIÓN COMO EJECUCIÓN ORDINARIA *Art. 579 LEC*	• En la ejecución hipotecaria, el acreedor ejecutante sólo puede obtener el pago de su crédito hasta el <u>LÍMITE de la responsabilidad hipotecaria inscrita</u> en el Registro de la Propiedad, por los conceptos respectivos de principal, intereses ordinarios, intereses de demora, y costas procesales y gastos
	Si, finalmente, el importe obtenido en la ejecución hipotecaria, por cada uno de dichos conceptos, excede de ese límite de la responsabilidad hipotecaria pactado, no podrá abonarse el exceso debido a través de dicha ejecución, sino que el acreedor ejecutante debe reclamar la diferencia a través de las normas de la ejecución ordinaria, haciendo valer la escritura de hipoteca como un título ejecutivo común
	• Finalizada la ejecución hipotecaria, con el dictado del decreto de adjudicación, el ejecutante, conforme al art. 579 LEC, puede solicitar la <u>continuación como EJECUCIÓN ORDINARIA</u> por la diferencia, debiendo tenerse en cuenta los siguientes trámites:

	• Es necesaria la presentación de <u>nueva DEMANDA EJECUTIVA</u> que fije las cantidades reclamadas y las medidas ejecutivas que se interesan, si bien sin necesidad de presentar el título ejecutivo que ya consta, y los demás documentos ya acompañados • La nueva ejecución se registra y tramita como una <u>ejecución ordinaria nueva</u>, dictándose los oportunos auto de orden general de ejecución y decreto de <u>medidas ejecutivas</u>, con las medidas de embargo, o averiguación de bienes, que resulten procedentes según los casos

TRAMITACIÓN	
Arts. 684 a 686, 688, 689, 691 a 698 LEC	
DEMANDA *Art. 685 LEC*	• La demanda, además del título ejecutivo, debe reunir los requisitos generales de las demandas de ejecución de <u>títulos NO JUDICIALES</u> • La demanda ejecutiva debe dirigirse contra el <u>DEUDOR</u> y contra el <u>HIPOTECANTE NO DEUDOR</u>, y en su caso, contra el <u>tercer poseedor</u> o adquirente posterior del dominio de la finca hipotecada <u>No se admite</u> que la demanda se dirija, además, contra el <u>fiador</u> o fiadores, al no admitirse la acumulación a esta ejecución especial, de lo que sería la acción personal contra el fiador conforme a los trámites de la ejecución ordinaria, sin perjuicio de su ulterior continuación como tal conforme a lo establecido en el art. 579 LEC
COMPETENCIA TERRITORIAL *Art. 682 LEC*	• Es competente territorialmente el tribunal del <u>lugar en que radique la finca</u>, y si radica en más de un partido judicial, o si se trata de varias fincas, el de cualquiera de ellas a elección del ejecutante • La competencia territorial se examina siempre <u>de oficio</u> por el tribunal, no siendo de aplicación las normas sobre sumisión expresa o tácita
DESPACHO DE EJECUCIÓN *Arts. 685 y 686 LEC*	La demanda debe reunir los siguientes requisitos generales, comunes a todas las demandas de ejecución de títulos <u>no judiciales</u>: • La presentación del <u>título ejecutivo</u> • La identificación de las <u>partes ejecutante y ejecutada</u>

- La comprobación de la <u>competencia del tribunal</u>
- La comprobación de la <u>cantidad</u> por la que se solicita el despacho de ejecución en concepto de principal y el <u>presupuesto</u> fijado para <u>intereses y costas</u>
- La presentación de la copia del <u>poder para pleitos</u>
- La presentación de las <u>tasas judiciales</u> cuando el actor sea persona jurídica
- Cuando se trate de de préstamos o créditos a <u>interés variable</u>, el extracto bancario del saldo deudor de la póliza, el acta de liquidación del saldo extendida por Notario, y la notificación del saldo al deudor ejecutado en el domicilio fijado en escritura
- La presentación de las <u>copias</u> de la demanda y de todos los documentos presentados

---

- El despacho de ejecución hipotecaria, o en su caso, la denegación del despacho de ejecución, se acuerda siempre por <u>AUTO del Juez</u>
- <u>No se dicta decreto de medidas ejecutivas</u> pues en esta ejecución especial no se adoptan medidas de este tipo, ni se practican embargos, por dirigirse la misma, única y exclusivamente, a la realización del bien hipotecado
- En el auto despachando ejecución hipotecaria se acuerda:
  - El <u>REQUERIMIENTO de PAGO</u> al ejecutado en el <u>domicilio pactado</u> en el Registro, pudiendo practicarse con el familiar, o incluso con el portero o vecino –único supuesto en que se admite se entienda la diligencia con el vecino–, e <u>intentado sin efecto</u> el mismo, <u>sin practicar averiguación de domicilio</u> alguno, se realiza <u>por medio de edictos</u> que se publican en el tablón de anuncios de la Oficina judicial El requerimiento de pago judicial no se practicará si se ha practicado <u>extrajudicialmente</u> –normalmente, a través de acta notarial–, con diez días de antelación a la presentación de la demanda ejecutiva
  - Interesar la expedición de la <u>CERTIFICACIÓN de dominio y CARGAS</u> del bien hipotecado, en la que, además, se hará constar la subsistencia de la hipoteca, librándose a tal efecto mandamiento por el Secretario judicial, y en función del contenido de la certificación:

	• Si resulta la existencia de un <u>titular registral distinto</u> de ejecutado, por diligencia de ordenación se acuerda se le notifique la existencia del proceso • Si resulta la existencia de <u>acreedores posteriores</u>, la notificación de la existencia del proceso se realiza por el Registro de la Propiedad
RECURSOS	• Contra el auto que <u>deniegue</u> el despacho de ejecución, cabe recurso de <u>reposición previo</u>, o recurso de <u>apelación</u> directo, que se tramitarán sin intervención alguna del ejecutado • Contra el auto de <u>orden general de ejecución</u> no cabe recurso alguno, sin perjuicio de la <u>oposición</u> que pueda formular el ejecutado
LIBERACIÓN *Art. 693.3 y 4 LEC*	• En caso de <u>VIVIENDA HABITUAL</u>, el ejecutado, o un tercero autorizado por él, una vez cada cinco años, puede <u>LIBERAR el bien, rehabilitando la hipoteca</u>, mediante la consignación de la cantidad exacta que, por principal e intereses, estuviera <u>vencida hasta la fecha</u> de la presentación de la <u>demanda</u>, más los vencimientos habidos desde entonces, los <u>intereses de demora</u> producidos a lo largo del proceso, y las <u>costas</u> calculadas sobre la cuantía de las cuotas atrasadas y los intereses vencidos • La liberación del bien hipotecado, previa tasación de costas en su caso, se acuerda por <u>decreto</u> numerado del Secretario judicial

OPOSICIÓN
Arts. 685 y 686 LEC
	• La oposición por <u>MOTIVOS DE FONDO</u> se limita, únicamente, a las siguientes causas:
	  • La <u>extinción de la hipoteca</u>, acreditada mediante certificación del registro de la propiedad
	  • La extinción de la <u>obligación garantizada</u>, acreditada mediante escritura pública de carta de pago
	  • El <u>error</u> en la determinación de la <u>cantidad exigible</u>, no bastando una oposición genérica, debiendo fijarse con precisión los puntos en que se discrepe de la liquidación efectuada por el ejecutante
	• Se admiten, también, las mismas causas de oposición por <u>DEFECTOS PROCESALES</u> establecidas para la <u>ejecución ordinaria</u>
	• La tramitación se limita a la incoación del incidente en pieza separada, y la celebración de una <u>comparecencia</u>, resolviéndose seguidamente por medio de auto

	• Se reservan para el juicio DECLARATIVO que corresponda el resto de las reclamaciones que tenga el ejecutado, y versen sobre la nulidad del título o el vencimiento, certeza, extinción y cuantía de la deuda
SUSPENSIÓN *Arts. 697 y 698 LEC*	Son causas especiales de suspensión de la ejecución hipotecaria: • La interposición de una tercería de dominio, con las exigencias especiales establecidas para esta ejecución en el art. 696 LEC • La prejudicialidad penal, por existir un proceso penal sobre la falsedad del título ejecutivo, la falsedad de la certificación de la liquidación de la deuda de la acreedora ejecutante, o la ilicitud del despacho de ejecución, conforme al art. 697 LEC

II
ESQUEMAS PROCESALES

TRAMITACIÓN DE LA EJECUCIÓN HIPOTECARIA

Arts. 684 a 686, 688, 689, 691 a 698 LEC

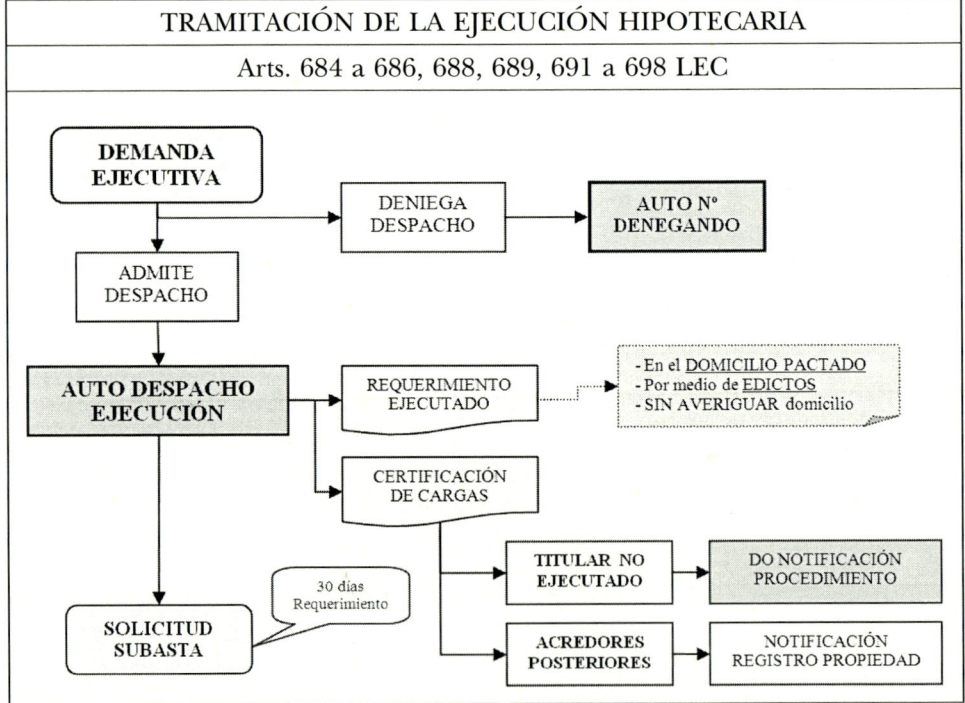

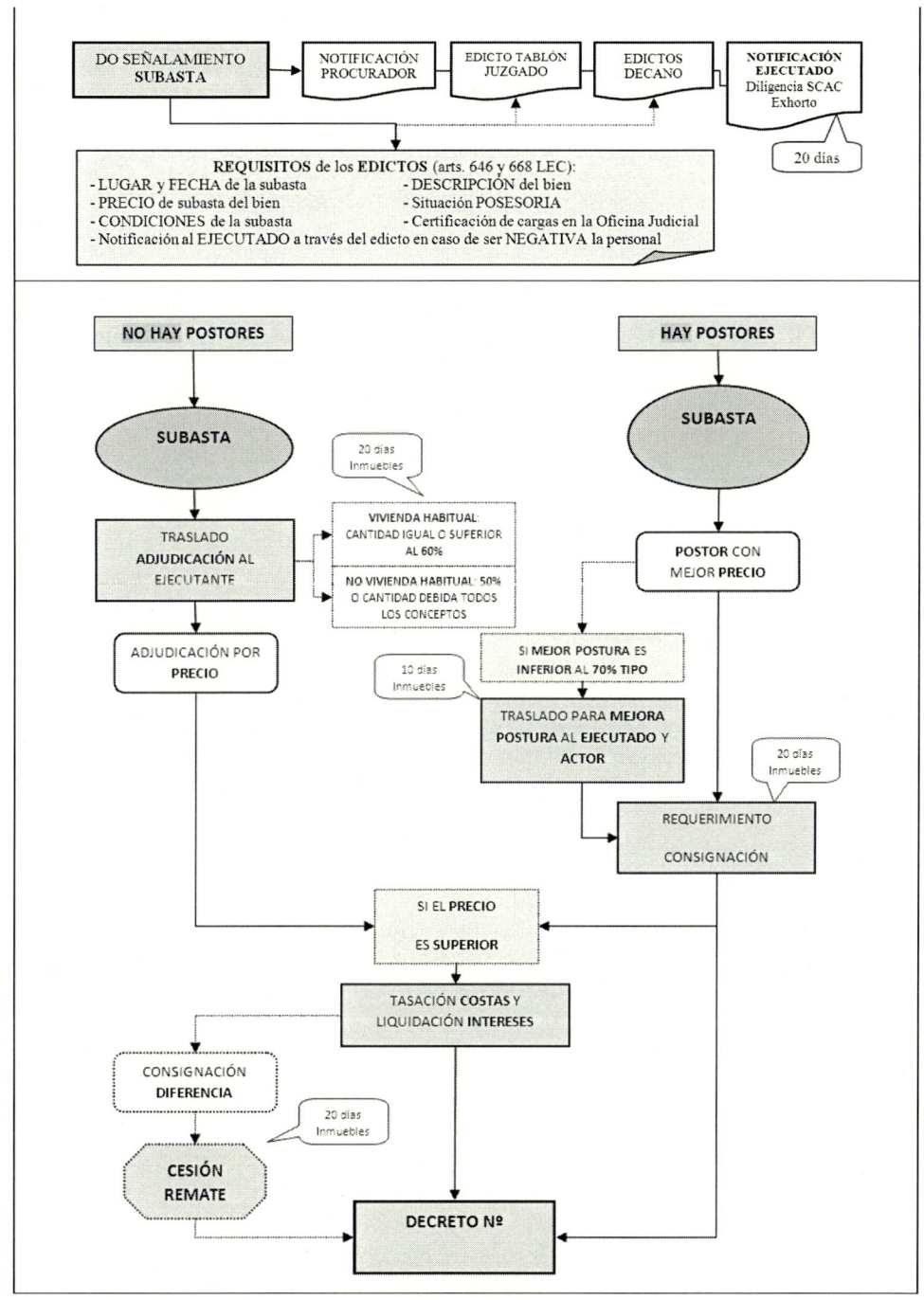

REQUISITOS PARA PARTICIPAR EN LA SUBASTA:
1) El EJECUTANTE SÓLO puede participar en la subasta cuando concurra <u>con OTROS LICITADORES</u>
2) Sólo el ejecutante puede reservarse la facultad de <u>CEDER EL REMATE</u> a un TERCERO
3) Para participar en la subasta los POSTORES deben presentar depósito de consignación en la Cuenta del Juzgado, o aval bancario, por el <u>20% del valor de tasación</u>, cualquiera que sea la clase de bien objeto de subasta
4) Hasta la celebración de la subasta se pueden hacer posturas por ESCRITO en SOBRE CERRADO

CONTROL DE PLAZOS	<ul><li><u>TREINTA DÍAS</u>, contados desde el requerimiento de pago, para la solicitud de subasta</li><li><u>VEINTE días</u>, para la <u>celebración</u> de la subasta, contados desde la notificación de la fecha de la subasta al ejecutado, personalmente o por edictos</li><li><u>VEINTE días</u>, contados desde el traslado, para que el ejecutante haga uso de su derecho a interesar la <u>adjudicación</u> de la finca a su favor</li><li><u>VEINTE días</u>, contados desde la aprobación del remate, para que el mejor postor consigne la <u>diferencia</u> entre la cantidad depositada para tomar parte en la subasta, y el precio del remate</li><li><u>VEINTE días</u>, contados desde el traslado, para que el ejecutado pueda presentar tercero que <u>mejore la postura</u> inferior al 70 por ciento, y después DIEZ días –o cinco días, en el caso de muebles– para que el ejecutante pida la adjudicación en el mismo caso</li><li>Cualquier momento anterior a la aprobación del remate, o a la <u>adjudicación</u>, para que el ejecutado <u>LIBERE los bienes</u>, pagando el principal, intereses y costas de la ejecución, o <u>rehabilite</u> el préstamo hipotecario pagando las cuotas atrasadas, intereses de demora y costas</li></ul>

Índice de Conceptos